浙江历史人文读本

主　编　张伟斌
执行主编　陈　野

五色影音

陈野　吴晶　蒋中崎　著

浙江出版联合集团
浙江古籍出版社

序　言

中共浙江省委书记
浙江省人大常委会主任　夏宝龙

浙江是中国古代文明的发祥地之一，素有“文物之邦”之称，历史悠久，文化灿烂。数千年绵延不绝的历史积淀，构筑起悠久厚重的历史文化传统，汇聚成我们今天取之不尽、用之不竭的智慧宝库。浙江人民传续至今的爱国情怀、求真理念、务实本质、开拓精神、顽强意志、勤勉品性，是中华民族优秀品质的有机因子；浙江社会曾经承受的自然灾祸、战火硝烟、内忧外患，是中国人民沧桑磨难的共同记忆；浙江大地不屈不挠的卓绝抗争、革故鼎新、砥砺奋进，是民族伟业不朽华章的璀璨篇幅。

读史可以明智，知古方能鉴今。历史是一个民族和一个国家形成、发展及其盛衰兴亡的真实记录，是前人各种知识、经验和智慧的总汇。读一点历史，汲取人类积淀的思想精华，可以帮助我们清心明智；学一点历史，掌握社会发展的基本规律，可以帮助我们明辨方向；用一点历史，回顾中华文明的灿烂辉煌，可以激发我们共筑共圆中华民族伟大复兴“中国梦”的豪情壮志。对领导干部来说，读历史、用历史显得尤为重要。前贤先烈的品德情操、多难兴邦的执著奋斗、治国理政的经验教训，值得我们认真学习、深入思索，以之为镜、资治辅政。正因如此，习近平总书记多次强调领导干部要读点历史。他指出 :“领导干部不管处在哪个层次和岗位，都应该读点历史，通过学习历史不断深化对人类社会发展规律、社会主义建设规律和共产党执政规律的认识，不断丰富自己的历史知识，这样才能使自己的眼界和胸襟大为开阔，认识能力和精神境界大为提高，使自己的领导工作水平不断得以提升。”

历史文化只有走近今天、走向大众，才能更好地传承和弘扬。浙江省社会科学院作为我省从事哲学社会科学研究的综合机构，组织编写“浙江历史人文读本”丛书，是推动浙江历史大众化、普及化的探索和创新，是建设文化强省的实际举措。该丛书八个分册，系统梳理、精心选取了浙江历史上有重大意义、重要成就、突出影响、鲜明特色的精华材质，内容翔实丰富，具生动性又不失真实性，具通俗性又不失学术性，是活化浙江历史的精品力作，是了解浙江人文的“百科全书”。希望大家抽出时间来看一看这套丛书，爱历史、学历史、知历史、用历史，在共筑共圆“中国梦”的征程中，留下我们无愧于先人、造福于后世的浓墨重彩。

2013 年 4 月 2 日于杭州

导言：构建公众视野中的历史世界

历史是曾经鲜活的生命、已然过往的生活、陶炼积淀的业绩，是纷繁的思绪、驳杂的心境、丰富的情感。它们随时间的流逝，翻落进文明的深处，累生而成一个我们谓之为“传统”的世界。在那里，思想的绿树常青，智慧如繁花盛开，气象万千，人文璀璨，厚重而灿烂。

然而，对于这样一个已成往昔的世界，如果我们不回首，便不得见。因为它在我们匆匆前行的身影后面，绚烂之极，归于平淡；它在远离我们当下人生的时间彼岸，兀自静默，莫能与语。

回望历史，是一种人性的光辉，因为它是对先人的礼敬；是一种博大的胸怀，因为它是对文化的包容；是一种理性的力量，因为它是对规律的揭示；是一种勇敢的担当，因为我们探究来路的目的，是为了更加坚定地走向未来。

因此，我们愿意站在今天的浙江，做一个历史的眺望者，穿梭万年的时空，打量这块土地上连绵不绝、波澜壮阔的前尘往事；做一个历史的梳理者，秉持理性的烛火，将沉落于往昔世界的影像重投于时间的光影之墙；做一个历史的思考者，博学审问、慎思明辨，探寻其与当下社会的关联；更重要的是，做一个历史的传播者，让历史走出尘封的书海和学者的案头，走向社会大众，让来自历史的智慧，充实心灵的世界，照亮今天的生活。

一、浙江大地承载着深厚的历史传统和光辉的文化精神

2006 年，时任中共浙江省委书记习近平在为《浙江文化研究工程成果文库》所作总序中指出："千百年来，浙江人民积淀和传承了一个底蕴深厚的文化传统。这种文化传统的独特性，正在于它令人惊叹的富于创造力的智慧和力量。"浙江历史的变迁和文化传统的形成，并非同一文化要素的简单累加和重复，而是在其精进图强的历史步伐中，通过开拓创新的创造活动得以实现，并因此自然地生发出十分鲜明的勇于开新造大、敢为天下先的文化价值取向，且已成为浙江文化传统中最具地域特色的精义。如果我们深入地去探究，可以看到如下种种鲜明的文化特征。

1. 在浙江的文化精神中，充溢着捍卫主权、反抗侵略的爱国主题

"夫越乃报仇雪耻之乡。"在浙江历史上，爱国主义是浙江文化的生命线，捍卫主权、反抗侵略、抵御外侮是浙江人民的优秀传统。在爱国主义价值观的哺育下，爱国英雄们在国族危难、大厦将倾之时，有的挺身而出，最终以身殉国；有的在重重困难之中，不放弃信念和理想，知其不可而为之。陆游"位卑未敢忘忧国"；于谦为了力挽狂澜于既倒，不惜牺牲一己的仕途乃至生命；抗倭名将戚继光在浙江招募和训练"戚家军"，在台州九战九捷，平定倭患。近代浙江人民在反封建反侵略斗争中前赴后继，可歌可泣。鸦片战争中壮烈

殉国的“定海三总兵”彪炳千秋;“鉴湖女侠”秋瑾“夜夜龙泉壁上鸣”的诗句，激励了无数中华儿女以天下兴亡为己任；嘉兴南湖上的红船，刘英、张秋人、俞秀松、宣中华等革命烈士的舍生取义，更彰显了在中国共产党领导中国人民开展的谋取民族独立、国家解放、人民幸福的革命斗争中浙江儿女的光辉业绩。这些浙江先贤刚健有为、坚贞不屈的崇高气节，谱写了中华民族爱国主义正气歌中的华彩乐章。

2. 在浙江的文化精神中，蕴含着求真务实、经世致用的本质内核

求真务实是浙江文化的本质内核，它贯穿于浙江历史发展的每一个时期，深刻影响着当代浙江人的行为模式和思维方式。求真务实蕴涵着科学求真。越王剑、通济堰、捍海塘、秘色瓷、印刷术、钱江桥，都是浙江科技史上的光辉成就；毕昇、杨辉、李之藻、李善兰、茅以升，都是浙江科技史上的著名人物。其中，最为人所称道的，当推北宋沈括及其《梦溪笔谈》。英国学者李约瑟将沈括称为“中国整部科学史中最卓越的人物”,《梦溪笔谈》则是中国科学史的里程碑。求真务实蕴涵着思想求真。东汉王充对当时散布虚妄迷信的谶纬之学、虚论惑众的经学之风的严厉批判和抨击，明代王阳明对理性自由和人性解放的要求,晚清章太炎“学所以经世,固非空言著述”的主张，无一不是浙江文化精神中“追求真理”“实事求是”本质内核的体现。

经世意识在浙江文化中有突出的表现。例如以陈亮为代表的永康学派，反对朱陆空谈义理和心性，提出修实政、行实德、建实功、改革社会、变弱致强的主张；近代佛学大师太虚、印顺回溯佛法本源，积极推进佛教革新。

这种独特的一脉相承的经世致用思想，体现了传统知识分子以思想、学术、知识认识改造世界的不懈努力和价值关怀，是浙江对中国文化的独特贡献。

3. 在浙江的文化精神中，聚合着义利双行、达观通变的商业伦理

义利文化观是浙江历史文化精神的一大特色。宋代以叶适为代表的永嘉事功学派倡导“义利双行”，用道德伦理引导对现实功利的追求，用现实功利检验主体对价值观、道德信仰理解的有效性。“义”与“利”由此成为辩证统一的有机体。在这种“义”“利”文化观的熏陶下,浙江人及其商业活动,用经营生产造福社会;同时又以“道义”规范经营生产行为,保持了悠久的“讲信修睦”的传统，哺育出许多誉满海内的老字号、老品牌。

“义利双行”的商业伦理观念，给浙江人带来了达观通变的经济发展理念和市场行为。宋元以后盛行浙地的长途贩运，使浙江成为当时全国客商趋之若鹜的货物集散地，增进了区域之间的经济交流，扩大了商品流通，促进了商人货币资本的大规模积累。明代中叶以后，雇用大量工人的手工作坊与手工工厂在浙江普遍出现，促进了市镇自由劳动力市场的形成。它们虽不足以定论为资本主义的萌芽，但无疑是对传统生产关系的变革，是对我国长期处于封闭状态的传统自然经济具有历史意义的重大突破。

4. 在浙江的文化精神中，闪烁着批判自觉、创新开拓的理性智慧

浙江是历史上盛产具有创新精神的思想大师之地。我们可以毫不夸张地说，浙江文化的思想创新，多次起到了“导夫先路”的先锋作用。陈亮、叶

适的事功之学，王阳明的心学，黄宗羲的政治学说，章学诚的“六经皆史”之论，龚自珍的变革启蒙思想等等，都是浙江文化富于创新性的表现。被誉为“清初三大思想家”之一的黄宗羲，猛烈批判和否定整个封建君主专制制度，破天荒地喊出了“为天下之大害者，君而已矣”的口号，提出了用“天下之法”代替君主“一家之法”的法律平等思想、“人各得自私自利”“贵不在朝廷，贱不在草莽”的人权平等原则以及近似近代议会民主的政治理想。在明清之际的中国，可谓空谷足音。其大无畏的批判精神和创造性的思想贡献，成为清末维新志士的思想法宝，也是现代革命者用以反对、批判封建专制制度的精神武器，启迪和影响了浙江的近代化进程。

作为新文学运动的奠基人和五四新文化运动的主将，鲁迅敢于直面惨淡的人生，对吃人的封建礼教和制度作猛烈地揭露和批判，进行不屈不挠的斗争；勇于以社会批评和文明批评为己任，以一生精力和独立人格进行充满韧性的奋斗和努力，为浙江文化传统增添不屈的风骨、独立的人格、批判的精神和自辟新路的理念与勇气。他不仅为中国文化开拓了新路，也为家乡人民留下了一份创新进取的宝贵思想财富。

5. 在浙江的文化精神中，融铸着兼容并蓄、自强自立的个性品格

凭借濒临大海的地理优势，浙江文化在持续的中外文化交流中逐渐成熟，培养出兼容并蓄的海洋个性。我国古代早期对外交流以贸易为主，浙江生产的茶叶、丝绸、青瓷等物品成为文化向外输出的物质载体，进而带动人与文化的交流，既引导了外部世界对中国文化的认知，也是浙江文化自我更新、

自我丰富的重要途径。马可·波罗、利马窦、卫匡国、马戛尔尼等西人纷纷来到浙江，天台山佛教文化、径山茶文化、温州华侨、留日学生群体等等，都是浙江文化走出去的典型。

兼容并蓄并不意味着主体性的缺失，自强自立同样是浙江的品格。自然资源稀缺的压力，让浙江人具有强烈的危机意识，肯定个体的独立、欲望与利益，崇拜竞争拼搏、不等不靠、自我奋斗的精神。发轫于南宋、鼎盛于清乾隆年间的“龙游商帮”，凭借不畏艰难、自强自立的精神，“多向天涯海角，远行商贾”，人称“无远弗届，遍地龙游”，为浙西南的经济崛起作出了巨大贡献。这种“虽千万人吾往矣”的“拼劲”、一往无前的“冲劲”、无孔不入的“钻劲”,与中国传统文化的个体“义务”本位、儒家文化的“温良恭俭让”、老庄哲学的“夫唯不争，是以不去”等等主流思想，有着极大的区别，是对中国文化传统的一种很好的补充与丰富。

6. 在浙江的文化精神中，体现着澄怀观道、现实关切的审美情操

浙江是一块洋溢着文学才情、艺术灵性的土地，王羲之、骆宾王、赵孟頫、黄公望、徐渭、吴昌硕、郁达夫等等，都是在中国文学艺术史上具有熠熠光彩的著名人物。他们在诗词、书法、绘画、小说、戏剧、建筑、工艺、文艺理论等各个领域，都撰有开一代新风的里程碑式作品，百代标程，至今传颂。

中国文艺传统讲究“文以载道”。综合起来看，这个“道”，既有儒家美学讲求的仁、爱、礼、义，“善美一体”的伦理德性之道，也有道家追求虚

静简远的任顺自然之道、玄学任性率真的个性放逸之道，还有现实生活层面对时代潮流、社会变革、世道人心、国计民生的人文关切之道。浙江的文学艺术很好地体现了中国文艺独特之“道”的各个方面。王羲之等魏晋士人洒脱旷达的艺术境界，黄公望等文人画家的山水情怀，龚自珍《己亥杂诗》对制度的批判、国运的担忧、思想的启蒙，抗战文艺的蓬勃兴旺，兰溪诸葛八卦村、浦江郑氏义门、俞源太极星象村等古村落的建筑形制，都向我们展示了浙江文化艺术的深厚内涵。她既在哲学思辨的境界里升华，澄怀观道，为中国文艺传统提炼和奉献了众多具有中国特色的美学概念、范式、结构形式、表现手法，又在现实生活的沃土中扎根，观照现实，直面人生。

7. 在浙江的文化精神中，孕育着天人合一、人我共生的人文情怀

浙江文化既能够“登山则情满于山，观海则意溢于海”，与和风细雨的大自然和谐相处；同时也极善回应来自大自然的挑战，在变动的自然环境中成长。浙江漫长的海岸线及其潮汐侵蚀之下的变化、破坏性热带风暴的侵袭，都是大自然发出的挑战。对此，浙江人同样以“天人合一,万物一体”的整体关怀，通过各种努力与方式，追求人与自然的和谐。

为了降伏不羁的大自然，浙江人民修建了庞大、复杂的水利系统，孕育了发达的水利文化。如果说大禹疏导治水是追求与自然和谐意识的萌动与最初实践，西湖的开发则是浙江人民在发展中改造自然、在改造中保护自然的典范。西湖经钱镠、李泌、苏轼、白居易、杨孟瑛、阮元等人的疏浚治理，呈现出旖旎秀丽的韵致，以其精致和谐的人文风情，构筑成人间天堂的特色。

河姆渡原始艺术中精美神秘的“鸟日同体”纹饰，良渚文化中繁缛威严的神人兽面纹，都体现了浙江人热爱自然、赞美自然和融入自然的美好情愫。

8. 在浙江的文化精神中，彰显着知行合一、事上磨炼的哲学思维

思想学术丰富深刻的浙江，必然具有自己独特的哲学思维。这就是王阳明的哲学观点。“知行合一”强调知即是行、行即是知。人不仅要对自己的行动负责，而且要为自己的思维活动负责。正确认知的最终确立，须得以付诸实践检验为终点。“致良知”认为个体的“知”只有通过与社会事物的复杂关系的展开，体验情绪的冲击、思维的跳跃，通过实践检验其“致良知”的进展与效果，也即“事上磨炼”，才是真“良知”。由此，方能从道德范畴的“修身”出发，逐步实现“齐家、治国、平天下”的社会理想。

“知行合一”是浙江文化在哲学层面上的思考，因此也是最高、最抽象、最具有概括力的思考。浙江文化的其他内涵，都与“知行合一”这个核心命题存在着密切的逻辑联系。

二、浙江人民具有鲜明的历史意识和高度的文化自觉

中国疆域辽阔，在长久的历史岁月和特定的地域范围里，形成了众多具有地域特色的文化小传统，以别具一格的文化样态、特征和成就，为包罗万象、气度恢弘的中华文明奉献着日新月异的源头活水。因此，从区域历史文化入手，梳理文化现象、提炼文化精神、反思文化弊端、传承文化基因，可以清晰地把握到中华民族精神历史运动的脉搏。浙江文化具有丰富的表达形

式、鲜明的思维层次、完整的逻辑结构，是具体而微的中国文化。我们梳理浙江的历史传统和文化精神，正是深入了解中国文化、研究中国文化、发展中国文化、创新中国文化的有效途径。

从 1999 年至今，在全省范围组织开展的关于浙江历史文化和精神的梳理提炼，一直贯穿于浙江人民的文化生活中。

1999 年，经过 20 余年的改革开放，浙江社会经济迅猛发展，总量和人均产值均列全国第四位。浙江并未满足于取得的发展成就，而是积极探索取得这种成就的深层原因，总结出“走遍千山万水，吃尽千辛万苦，说尽千言万语，想尽千方百计”的创业精神。2000 年，时任中共浙江省委书记张德江提出“研究浙江现象，总结浙江经验，提炼浙江精神”的要求。省委认真总结经验，认为浙江快速发展的原因，就在于其悠久的历史和灿烂的文化及其与当今时代发展的有机结合，提炼出了“自强不息、坚韧不拔、勇于创新、讲求实效”的浙江精神。这是 20 世纪八九十年代浙江人民精神面貌的生动体现、浙江经济发展的真实写照和浙江经验的高度概括。

2005 年，省委高度重视总结提炼新时期的浙江精神。根据时任省委书记习近平关于“深入研究浙江现象、充实完善浙江经验、丰富发展浙江精神”的指示精神，经过“与时俱进的浙江精神”的调查研究，正式公布了新时期浙江精神内涵的具体表述——“求真务实、诚信和谐、开放图强”。习近平同志发表了署名文章《与时俱进的浙江精神》，高度评价了改革开放以来浙江创造的宝贵精神财富，肯定了“自强不息、坚韧不拔、勇于创新、讲求实效”

的浙江精神，同时着眼未来，立足发展，对“与时俱进的浙江精神”做了深刻阐述。“求真务实、诚信和谐、开放图强”的浙江精神，既是对历史的总结与传承，更是对现实发展的鞭策、对未来发展的引领，也是对浙江人民的智慧、活力和创造精神的鼓励和激发。

2011 年 10 月，时任省委书记赵洪祝指出，浙江经济社会持续健康发展背后的“文化密码”“文化基因”，就是“与时俱进的浙江精神”，因此要大力弘扬和提升以“创业创新”为核心的“浙江精神”，为全面建设小康社会提供重要支撑。2012 年 2 月，浙江省开展“我们的价值观”大讨论，提炼出“务实”“守信”“崇学”“向善”四个核心词，确定为当代浙江人共同价值观的表述语，写进了浙江省第十三次党代会报告。这既是对“与时俱进的浙江精神”的继承和坚守，也在新形势和新挑战下赋予其全新含义，更是为构建面向未来的共同价值观所作的前瞻性布局。

习近平同志指出：“具有历史文化素养，最重要的是要具有历史意识和文化自觉，即想问题、作决策要有历史眼光，能够从以往的历史中汲取经验和智慧，自觉按照历史规律和历史发展的辩证法办事。”（习近平同志在中央党校 2011 年秋季学期开学典礼上的讲话：《领导干部要读点历史》，2011 年 9 月 1 日新华网）自 1999 年以来，浙江对历史传统的分析反思、对浙江精神的探寻深化，既是浙江人民历史实践和理论智慧的结晶，更体现了浙江人民高度的历史意识和文化自觉。

三、浙江学者勇于承担传播优秀历史文化传统的崇高职责

习近平同志《领导干部要读点历史》的讲话，既是对领导干部的要求，也向我们人文社会科学工作者，特别是历史学研究者提出了期望，指明了历史学服务社会、与现实生活相结合的方向。这就是：承担起传播优秀历史文化传统的崇高职责，构建一个公众视野中的历史世界。《浙江历史人文读本》（以下简称《读本》）就是我们按照《领导干部要读点历史》的要求，经过一年精心筹划、反复研讨、认真撰写而得的研究成果。通过编写《读本》，我们对优秀历史文化传统的当代大众传播，有了一些实践体会和理性思考。

1．构建公众视野中的历史世界，需要认识面向大众传播历史文化的重要意义

清代浙江籍著名学者龚自珍曾经说过："欲知大道，必先为史。灭人之国，必先去其史；隳人之枋，败人之纲纪，必先去其史；绝人之材，湮塞人之教，必先去其史；夷人之祖宗，必先去其史。"（《古史钩沉论》）简明深刻地点明了历史具有终极意义的价值。

专家学者为普通读者撰写通俗读本，在西方学术界是一个传统。比如英国哲学家、社会学理论家杰瑞米·史坦葛仑博士主持的"小书大思想"丛书，包括《话说哲学》《哲学家的想法》和《伟大的思想家 A–Z》等系统普及读物；英国 DK 图书公司出版的"目击者文化指南"丛书，由牛津大学、伦敦大学等学校的专家执笔，对哲学、艺术、音乐等进行了大众化传播；英国皇家哲

学研究所开办有面向大众的期刊《思考》，等等。

近年来，逐渐兴起于美国的公共历史学，更是对史学大众化的学理探究和提升。在中国，历史知识的公共传播，一直得到提倡和实践。著名学者钱穆有“不知一国之史则不配作一国之国民”之论，当代学者黄仁宇则欲以历史书写树国民之历史性格。就浙江而言，“社科普及周”“人文大讲堂”，都是影响面大、成效显著的行动。但总体来说，史学大众化尚未成为学者内在的自觉行为，尚未形成蓬勃的气象和畅达的工作格局。求专、求精、求高深的学术观念和学术评价体制，一定程度上制约了人文社会科学的大众化。

人文社会科学研究的根本目的在于推动社会进步。因此，参与社会实践，是发展人文社会科学研究的源头活水；关注现实问题，是深化人文社会科学研究的重要途径。作为从事历史研究的学者，我们都有一种虔敬的“古典情怀”，大多究心于历史文化方面的研究，较少关注当代发展。在《读本》编写过程中，我们通过对领导干部、社会大众、网络媒体和社会生活的访问座谈、沟通交流、查阅学习、观察思考，深切地感受到了浙江大地上生气勃勃、创意无限的现实创造，她是社会不断向前发展的根本动力、文化传统生生不息的源头活水、人类美好生活愿望的实现途径；深切地感受到了社会、大众十分迫切的对精神文化生活的需求、对丰富精神世界的渴望，由此深感面向时代、关注社会、推动进步，同样是我们的职责所在。我们不但要做传统的学问，同样也要心怀敬意地为浙江的当代文化发展做一些实事，以此向生我养我的浙江大地和浙江人民，致以我们深深的敬意，落实我们无比的热爱，奉献我们绵薄的心力。

浙江优秀的历史文化传统丰厚精深、魅力无穷，她是我们深以为傲的文化资本，是我们取之不竭的文化宝库，是我们当代建设的文化资源，是我们屹立于世的文化底蕴。面向大众，从底蕴深厚、资源丰富、优势明显的浙江优秀历史文化传统里搜珍集宝、拾贝掇英，汇聚奉献，正是我们作为人文社会科学工作者必须担当的社会责任。

2. 构建公众视野中的历史世界，需要做好古今文字的通达转换

随着历史的物移景迁，文化的变动发展，特别是五四新文化运动倡导白话文以来，作为中国历史文化传统重要载体的语言表达体系，发生了全新的变化，这成为我们今天继承、弘扬优秀文化传统最为直接的一大障碍。因此，在严谨、规范、准确的学术研究基础上，以清丽简明、深入浅出、短小精悍、雅俗共赏的文字，梳理浙江历史传统、把握浙江历史发展脉络、揭示浙江历史发展规律、汇聚浙江历史知识和智慧，是让历史走向大众的首要工作。

本书中，我们对浙江历史上有鲜明特色、重大意义、突出影响、重要成就的人、事、物进行选择和研究，用清新通达的现代汉语进行重新写作的方式，对或佶屈聱牙，或深奥艰涩，或典丽文雅的历史文献做了现代文字的转换和传达。由此，我国第一部关于海港和海上交通的著作《临海水土异物志》中的久远记述，天台山高僧大德们深奥的佛教思想，充满哲学思辨的南宋朱熹与陈亮的“王霸义利”之辩，影响深远而文字玄奥的王阳明“心学”，等等，得到了浅显明达的表述，让文字不再成为阅读理解的障碍。书中更不乏练达、

清丽、蕴藉、深情、知性、洒脱、典雅等等多样化的优美文风，让人读来而起兴会之思、有共鸣之感。

3. 构建公众视野中的历史世界，需要做好陶炼融会的释读阐发

南朝齐梁时的绘画理论家谢赫曾说：“师心独见，鄙于综采。”（《古画品录》）意思是说，独具匠心、不拘成法的才是好作品，综合杂凑他人之作的，应受到鄙视。此言甚是！作为反映浙江人文历史的书，切不可成为历史资料的简单汇编、他人研究成果的综合罗列。在写作中，我们根据自己的认识、理解、分析和研究，对重大事件、重要人物及其主要成就做了系统梳理，在择优选取、汇聚、表现历史精华材质的基础上，对古代知识、传统理念、经验教训、智慧感悟、哲学思想等等，做了陶炼思考、融会贯通的释读阐发。比如浙江历史从远古走到今天的文化源流与精神演变，浙江农民是全国最辛苦的农民之一的自然原因，人口要素对科技进步产生深刻影响的历史背景，作为中国传统艺术主流的文人画和水墨山水与浙江的深切关联，“越为诗巢”与中国文学的发生渊源，浙江佳山秀水中“人，诗意地栖居在大地上”的终极理想，四明山抗日根据地的越剧演出对后来越剧改革带来的重大影响，等等，都是我们在浩如烟海的文献资料中披沙拣金、把握精神实质的历史释读。

4. 构建公众视野中的历史世界，需要做好独具新见的研究升华

在社会大众尤其是领导干部的学历教育水平、文化知识修养、阅读鉴赏能力、精神文化需求都日趋提高的今天，陈旧的史料汇编、学术观点、故事

叙述、心得体会、情感表达，都不足以引起社会大众的阅读兴趣，不足以达到弘扬优秀传统文化的目的，更不是我们作为历史文化专业研究者的工作职责和目标。充分依托我们已有的研究基础、心得和成果，用新的视野打量历史、深化探究，做出新的独立研究，是我们所有作者遵行的原则和方法，也是《读本》截然不同于其他普及读本之处。比如，我们从人类学的角度解读了千古孝女曹娥身后的越地巫术文化氛围，指出了浙江“丝绸之府”历史美誉的技术成因，揭示了王羲之作为中国“书圣”而超越孟子所谓“君子之泽，五世而斩”这一历史现象足以泽被千秋的文化力量。其间，有对现象的观照，有对原因的分析，有对规律的揭示，有对理论的提炼，有以小见大的深刻领悟，有纵历千年的本质把握，可谓自出机杼，异彩纷呈，尽心竭虑地奉献给各位读者。

5. 构建公众视野中的历史世界，需要做好融会时需的现实关联

如果没有与当下社会和生活恰切而紧密的关联，那么历史只是历史，永远走不出“传统”的范围，只能在时间长河的彼岸，寂寞起舞，乘风而去，与我们渐行渐远。即使形可见，无奈神相离。为此，历史需要走进今天的社会和生活，与今人同声共气，心神交会。只有这样，历史才是有生命的、有意义的、有价值的。

在书中，我们着力发掘笔下历史与眼前现实的关联点，并力图加以自然、准确的表达。比如，“天下第一清廉”陆陇其“清操饮冰，爱民如子”的政治情操，革命者张秋人明知“我的头要砍在杭州了”而临危受命、慷慨赴难

的大义凛然，众多施茶会、水龙会、育婴堂、舍材会、路会、义学等民间乡风美德中生发出的无处不在的善行义举，等等，都是我们民族崇高精神、高尚品格、优秀品质、道德情操的生动体现，是我们今天建设社会主义核心价值体系、实现精神富有的思想养料。另如，从东吴政权“亲贤贵士，纳奇录异”中，可以吸取以人才立国的经验；从湖州商帮衰亡中，可以获得今天正确引导民间资本投资领域的启示；从宁波本帮裁缝到红帮裁缝的转变中，可以发掘产业转型升级的经验；龙游商帮“无远弗届，遍地龙游”的精神，为今天浙西南尤其是封闭山区对外开放、转型发展提供了参照；吴昌硕成为艺术领袖的历练之路，为今天文化人才培养提供了借鉴；等等。所有这些都是足可为今天的社会建设、经济建设、文化建设参考借鉴的历史经验。

6. 构建公众视野中的历史世界，我们殷切希望实现的美好愿望和价值旨归

我们殷切地希望，通过一年多来紧张忙碌、全力投入所做的这些与文化强省建设现实需求相结合的系统梳理、存精择优、现实转化、深入浅出等学术研究和大众传播工作，能构建起一座浙江历史文化资源的宝库，从以下这些方面，发挥《读本》的作用，实现让历史走向大众的美好愿望和价值旨归。

一是向社会大众和广大领导干部展示优秀的浙江地域文化传统、光辉的浙江地域文化精神和灿烂的文化创造成就，激发作为浙江人的自豪感，增加责任感。

二是为我省的文化强省建设激活历史信息，提供人文样本，构筑文化底色，丰富文化内涵，为各地开展当代文化建设提供历史资源、内容素材、创意源泉、创作灵感、思想启迪、多彩智慧，实现历史传统从文化资源向当代文化建设资本的成功转换。

三是用浓缩的历史人文精华丰富社会大众的文化知识、充实社会大众的精神世界，提升领导干部和文化从业人员的人文修养，培育开展现实文化建设所需之职业素质。

四是以权威、准确的内容和精致、典雅的形式，供相关部门作对外文化交流。

五是作为供查阅相关史料、事件、人物、数据的案头书，起到浙江历史文化词典的作用。

六是在分册书名、专题名、篇章名以及文内相关篇幅中，精选或化用浙江历代名人格言箴语、诗文名句，以供读者题辞、创作书画作品时参考借鉴。

张伟斌　陈　野

2013 年 3 月

目　录

水墨天成（陈野）

纸上传奇（吴晶）

戏说人生（蒋中崎）

水墨天成

历史上的
浙江书画篆刻艺术源远流长、
成就斐然，
名家精品代有所出，
艺术传统绵延不绝。
其中的许多作品，
堪称中国艺术的瑰宝。

引　言

据现有资料来看，史前浙江境内的河姆渡文化、良渚文化和春秋时期的越国，都出现了为数众多的美术作品，堪称浙江乃至中国艺术史上的瑰宝。秦汉时期浙地书画创作虽不及中原之盛，但秦代的《会稽刻石》，两汉时海宁、绍兴、湖州等地的画像石，都是与时代同步之作。

三国两晋时期，浙地从秦汉时期的边鄙区域一跃成为腹心之地，书画艺术出现了一些新的内容。美术创作和理论著述进入自觉时期，作品由粗至精，艺术性空前提高，艺术的自身价值得到重视。浙江的王廙等人以及艺术实践与浙江关系密切的顾恺之等，在艺术创作的同时也都有书论画理流传。

隋、唐、五代十国时期，浙江虽非全国书画活动的中心，但也出现了智永、陈闳、孙位、王默、贯休等画家，外地画家郑虔、周昉也都在浙江有过艺术活动。随着《高逸图》等作品的流传，让我们从上古艺术简朴、稚拙、程式多于情趣、史料记载胜于实物欣赏的局面中走出来，进入了一个富丽、细致和意蕴丰富的艺术世界。唐代浙江书法艺术成就杰出，著名书家中，虞世南、褚遂良、徐浩、贺知章都是浙江人，另如颜真卿、

李阳冰等书法大家，虽非浙江人，却也与浙江有缘，为唐代浙江书法艺术增辉添色。

宋代是中国绘画史上的鼎盛时期，是我国中古时期绘画的高峰。宋代崇尚理学，提倡“格物”精神，以分析研究的方法观察每一件事物，大到宇宙万物，小到一花一木。宋代绘画表现出同样的严谨写实风格，并在南宋画院时达到极致。北宋浙江画家有吴兴（今湖州）燕文贵，擅长将表现殿堂楼观的界画穿插于溪山之间，所画山水可使观者如临其地，以独特的“燕家景致”留名画史。会稽华为和尚善画墨梅，颇得后世推崇。杭州在南宋时成为皇都，汇聚了彼时书画艺术的精英与佳作，艺术生活氛围浓郁，堪称艺术之都。“南宋四家”山水画清刚劲健的风格，成为标志性的时代成就。宋初书坛寂寥，钱塘（今杭州）林逋虽不以书名，但所书不同时调。此后的宋代书法四家中，苏轼、米芾、蔡襄皆有缘于杭。

北宋 燕文贵《溪山楼阁图》

元朝的建立，结束了杭州作为一国之都的荣耀，整个浙江随之重归平凡。但书画艺术与南宋一样人才济济，当时的著名画家大都是浙江人，如赵孟頫、钱选、黄公望、王蒙、吴镇、王冕等。黄公望的《富春山居图》、王蒙的《青卞隐居图》、吴镇的《渔父图》等作品都是中国绘画史上的不朽名作，使得浙江成为元代文人画成就最大的地区。诗、书、画、印四者合一，是这个时代最为突出的艺术创作特点，也是其成就之所在。当时著名的书法家，往往也就是著名的画家。赵孟頫、黄公望等大家之外，一般的书画皆能者，比比皆是。

明代宣德、成化、弘治年间，宫廷绘画发达。不少宫廷画家都来自浙江，如戴进、谢环、周文靖、吕纪等人。吕纪将花鸟与山石同构于一图之中，使重彩与水墨、写意与工笔妙相配置，既别开生面，又大大丰富了花鸟画的表现形式与笔墨技法。浙派和武林派山水称誉其时，徐渭的水墨花鸟大写意闻名于时，

元　钱选《浮玉山居图》

潘天寿 《诚斋诗意图》

可以代表一个时代的成就。明代人物画发展缓慢，但对浙江来说，却有绘画史上的大家出现，这就是杰出的人物画家陈洪绶。

特别需要指出的是，传统绘画艺术发展到明代，业内革新派与保守派的斗争趋于激烈，业外时代变革的深刻影响更是不容忽视。适应当时城市繁荣和市民阶层需要的版画取得辉煌成就，当时大量刊刻各种传奇、戏曲、小说插图，名画家雕版作画成为一种风气，陈洪绶的《水浒传》《博古叶子》就是其中的佳作。江苏、浙江、福建为全国著名雕版中心，浙江杭州的武林版画是影响较大并称雄一时的流派之一。

清代浙江与全国一样，以传承传统的“集成”“守业”格局为本，但仍属书画活动较为发达的地区。黄易、奚冈和戴熙的山水画在全国画坛最为有名；费丹旭以画仕女画著名，与当时闻名全国的人物画家改琦并称“改费”；花鸟画家沈铨应日本之邀，

偕学生赴日创作，被推为“舶来画家第一”。著称书画、篆刻界的“扬州八怪”“金陵八家”“西泠八家”等艺术流派中，都有浙江人的身影。清末活跃于上海的“海上画派”，主要代表人物均为浙江人。他们反对墨守成法，锐意进取，大胆革新，以适应通商海岸城市市民、商人和手工业者艺术欣赏趣味的作品为创作主流，冲破了嘉、道以来画坛一度比较沉寂冷落的局面，成为清代书画活动“守业”局面中具有开拓之功的画派，在历史上具有一定的影响。如今享誉海内外的西泠印社，也于此时发轫于浙江深厚的艺术文化底蕴和杭州孤山的绝佳山水之中。

“五四”新文化运动给书画创作带来冲击和新的机遇。民国时期，美术观念革新，美术社团兴起，美术学校创立，继清末之后更多学子远涉重洋赴欧、美、日等国留学，引进油画、水彩画、素描，都是风行一时的重大变革。浙江在此间扮演了重要角色，蔡元培、李叔同、丰子恺、潘天寿、倪贻德、鲁迅、吴昌硕等，都是其中具有影响的佼佼者。

综上所述，历史上的浙江书画篆刻艺术源远流长、成就斐然，名家精品代有所出，艺术传统绵延不绝。它们不仅构筑了浙江璀璨多姿的艺术文化传统，而且在很多时候和众多方面，甚至代表了中国艺术的最高成就。

以纤美风格开启绘画艺术历程

严格地说，在新石器时代的原始文化中，独立意义上的艺术家和纯粹的艺术行为是不存在的。今天被我们称为艺术品的原始器物，当时并非审美画廊中的陈列品。它们因某种特定目的或需要而被制作，分别具有或是宗教的、或是礼仪的、或是政治的、或是军事的、或是生活的功用，唯独不是艺术的。但是，随着岁月的流逝，当我们隔了几千年的时光再与它们相遇时，这些器物原本精神的、或是实用的功能，已如烟云般消散，唯有形式的美，散发出艺术的微光。如此，史前浙江境内河姆渡文化和良渚文化中的陶、石、骨、木、象牙、玉器，就被我们列入浙江艺术史的篇章；绘刻于这些器物之上的各种花纹图案，是浙江绘画艺术史上的最初辉煌。

绘刻花纹图案广泛地出现在河姆渡文化各种质地的器物之表，题材有写实性图案和几何形图案两类。器物质地不同，图案也有不同，如陶器图案多为猪、稻穗、

良渚文化玉器上的绘刻图案

禾苗等与日常生活相关的题材；象牙、骨器上面，则出现了鸟、太阳等足以使人浮想联翩的图案，它们看起来似乎大有深意、奥秘无穷，明显寓含某种象征意义。代表器物如象牙“鸟日同体”纹蝶形器等，让我们在世人通晓的龙图腾崇拜之外，发现了一个独特的鸟崇拜的原始世界。

良渚文化的主要特色之一，在于量大类多、制作精致的玉器，如琮、璧、镯、璜、各种饰品和冠状器等，图案奇异、风格独特，敛天地之精华、达乎人之性灵，构成了一个“玉器时代”。良渚玉器大多器型规整匀称，以神人兽面纹玉琮最具特色，可视为代表器物。玉琮以神人兽面纹、鸟纹为主题纹样，配以卷云纹、弦纹等装饰纹样，刻划细致，装饰繁缛，风格精美细密。玉器工艺中，微雕、浮雕等技法均有出现，以阴刻纹和剔地浅浮雕最具功力。器表打磨已具相当水平，光可鉴人。

从河姆渡文化的象牙、骨、木、陶器，到良渚文化玉器的纹饰图案，不同时期的作品各有特点，但也不乏共同的艺术特征。

首先，图案与纹样绘刻一丝不苟，以线造型已达相当水平。画面效果规整细致，工艺装饰意味浓厚，表现出精细、繁缛的风格。这在河姆渡文化的象、骨、木器上已经萌芽，至良渚文化玉器而有令人叹为观止的杰出表现。如反山14号墓出土的兽面鸟纹三叉形器，某些阴刻线纹之细微，已到肉眼难辨的程度。在一毫米的宽度内，甚至刻有四至五根细线。值得重视的是，这种精细、繁缛的风格，不仅于此时成为主流，而且对以后的艺术创作产生深刻影响。

良渚文化玉琮上的神人兽面纹

其次，构图布局为左右对称的均衡设计。绘刻者将主题置于作品中心，左右对称排列其他纹样，构图大都较为规则，画面协调统一。典型的例证见于河姆渡文化的“鸟日同体”纹蝶形器、连体双鸟纹骨匕，良渚文化玉器的神人兽面纹。

第三，初步形成自成一体的地方传统和风格。这种传统和风格既表现为不同时期作品在题材、技法等方面一脉相承的渊源，也在技法和风格等方面的显著进步中得到体现。

题材。既有史前艺术的共有题材，如几何纹样、动植物图案、具有宗教意义的神秘图符等等，但更引人入胜和耐人寻味的，是特有的或被着意渲染表现的鸟纹、太阳纹和神人兽面纹题材。它们不是单纯的写实性描摹，而是包含图腾崇拜、原始宗教信仰等因素在内的、反映这一地域内人们思想意识和心灵感受的重要图符。它们在河姆渡文化时期得到特别刻划，至良渚文化而盛行不衰。以十分独特的神人兽

阅读链接：

[法]列维·布留尔：《原始思维》，商务出版社，1981年版。

林华东：《浙江通史·史前卷》，浙江人民出版社，2005年版。

陈野：《中国南方民族文化之美》，台湾东大图书出版公司，1998年版。

面纹而言，从它在河姆渡禾纹陶钵上的最初露面，到良渚玉器上精美绝伦的再现，地域传统显示了一脉相承的历史轨迹。

构图。对称、均衡的构图法是其共同特征，其间的发展和进步，更是显而易见。与河姆渡文化作品相比较，良渚文化玉器的画面结构更为成熟老练。随着画面内容的日渐丰富，构图也更趋完整规则，繁而不乱。在良渚文化和越文化的图案中，以主题纹样为中心加以重点刻划、对称排列装饰性纹样以使画面丰满生动，已成通例，地方传统的继承和发展清晰可见。

技法。作品的表现技法大致相同，但愈至后期愈为灵活多样，且与其他工艺相结合，使作品更具表现力。与河姆渡文化单纯图案刻划相比较，良渚文化时期的玉器图案琢刻已与雕琢之技完美结合。

风格。精细、繁缛和富于装饰趣味的风格，是作品的共同特征，但其中也有明显的变化和进步。直接的可以比较的例证来自河姆渡和良渚两种不同文化中的陶器纹饰。前者相对粗略古朴，后者则纤细流畅，精致秀美。

除上述种种形式因素外，另外一个更为重要和明显的进步则是，至良渚文化时期，或者至少就良渚文化玉器而言，在虔诚的宗教意识和成熟的精工细作之中，艺术设计的行为和刻意制作的匠心已然萌动。史前艺术家在浙江历史长河之源头，身姿渐现，以其不朽的作品，向我们展示着史前艺术的风采，开启了浙江绘画艺术的历程。

六朝会稽的艺术生活

在中国历史上，东吴、东晋和南朝的宋、齐、梁、陈六个朝代先后建都于南京，合称“六朝”，历时长达 367 年。随着京都的南移，北方人口大量南迁，浙地从秦汉时期的边鄙区域一跃而为腹心之地，政治、经济、社会、文化均进入快速发展繁荣时期。

浙地会稽（今绍兴）是南方土著士族（又称江东士族）的世居家园和北方士族（又称侨居士族）的首选之地，名流汇聚，形成特殊的政治势力和地位，南北士族间的矛盾彼此消长，决定着新朝旧代的交替。晋元帝曾云“今之会稽，昔之关东”，一言道尽其风云际会的都市风貌。同时，会稽自然条件优越，土地肥沃，物产丰富。当时的粮食供应、军队给养等等，都仰给于三吴（会稽、吴兴、吴郡），其中会稽

东晋　顾恺之《洛神赋图》（宋摹）

滨海傍湖，有良田数十万顷，被誉为政府的谷仓。种种独擅胜场的优势，为会稽赢得了极佳的声誉，以致东晋一度曾有迁都于此的动议。

这样一个占尽天时、地利的会稽，山水明秀，精英荟萃，成为六朝文化的摇篮。以书法、绘画、雕塑为代表的艺术成就，是六朝文化的精粹，继汉开唐，内涵丰富，清丽精妙，独具性情。细细推究她的成因，自然山水、士族文化以及吴越两地的艺术交流，是其发芽、抽枝、开花、结果的深厚土壤。此正如著名美学家宗白华所言："晋人向外发现了自然，向内发现了自己的深情。山水虚灵化了，也情致化了。"（《美学散步》）

会稽深得造化钟爱，得天独厚地拥有佳山秀水。其旖旎多姿的山光水色，在东晋画家顾恺之的赞颂中至今尚可意会："顾长康从会稽还，人问山川之美。顾云：'千岩竞秀，万壑争流，草木蒙笼其上，若云兴霞蔚。'"诗一般的语言，出自画家对山川之美的细心体会和感悟，宛若一幅场面清新的山水巨幛，引人入胜，成为千古流传的吟咏会稽风光的佳句。如此一个会稽，自然吸引着居住于此的士族子弟、文人学士放情山水，吟哦咏唱，谈玄参禅，流连忘返。

会稽的名门望族，既有武力强宗，也有文化士族，既是政治、经济上的特权阶层，也是文化创造的杰出人才。他们有世传的教养、充足的时间，又有优裕的生活环境，一姓之中数代相传或多人精于书画者，不在少数。当时会稽的繁盛艺事，至今令人叹羡追想。既有文人士子的群体雅集，如兰亭集会；也

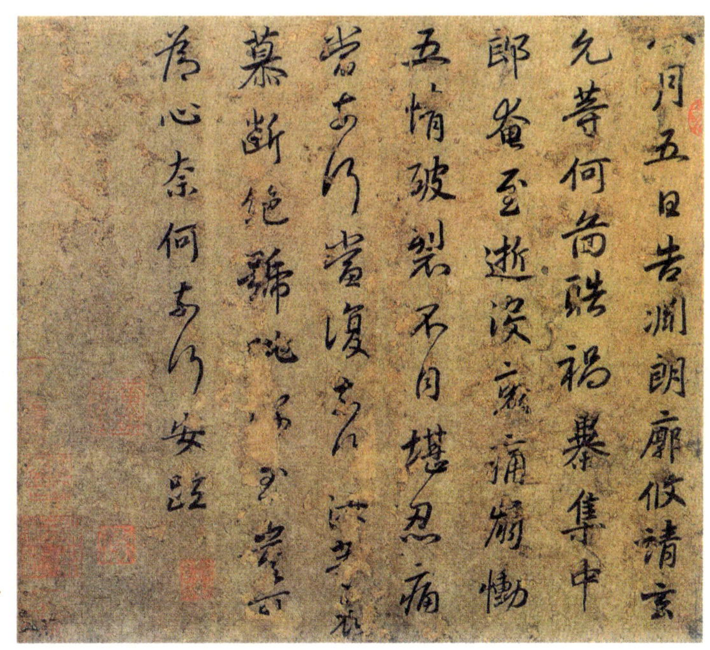

《中郎帖》，传为东晋谢安书，也作南宋绍兴御书院临摹古帖

有二三子之间的切磋探讨，如谢安与戴逵的说琴论画；还有王献之雪夜访戴“乘兴而来，兴尽而返”的名士做派。

如此浓郁的艺术生活氛围，使得艺术才情横溢勃发，孕育出璀璨的艺术珍品，成为六朝文化的鲜明特点。中国历史上影响最大的书法家王羲之及其子弟的书法作品，谢赫、王廙的书画理论，戴逵的佛教雕塑和绘画，谢灵运家族的书画创作，都是中国艺术史上的瑰宝，丰富了中国艺术的宝库。

吴越两地，山水相连，人文共辉。吴地画家顾恺之、陆探微、张僧繇，并称“六朝三杰”，是影响中国艺术发展的扛鼎大家。无锡人顾恺之被时人称为才、画、痴“三绝”，具有早期优秀人物画家、“传神”论创导者、山水画先驱以及外来艺术民族化实践者等身份成就，在中国绘画史上占据重要地位。他在会稽流连自然风光，也与

阅读链接：

林树中：《六朝艺术》，南京出版社，2004 年版。

陈长琦：《六朝政治》，南京出版社，2010 年版。

[日]吉川忠夫：《六朝精神史研究》，江苏人民出版社，2012 年版。

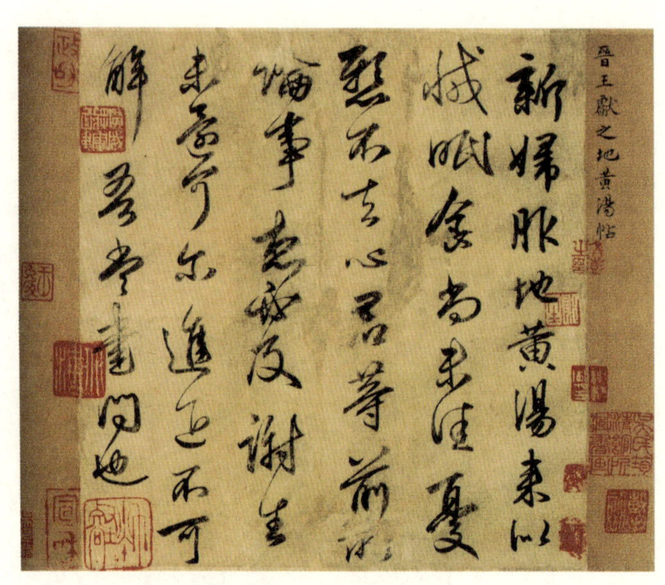

东晋　王献之

《新妇服地黄汤帖》

谢安、戴逵等人探讨艺术。谢安对他的艺术十分欣赏，说："卿画自生人以来未有也。"会稽的山水与同好间的书画交往活动，对顾恺之的艺术思想和实践活动，起到了极大的促进作用。

在六朝的南方天空下，烟雨濛濛，笼罩着山川大地，也充溢于文人士子的胸臆。会稽是其中最为明秀的一方水土，滋生着艺术的奇葩。他们天资超迈，风采俊秀，创意无限，佳作连连。个体意识的觉醒，伦理观念的冲决，人生哲学的探究，生与死的生命沉思，道与佛的信仰追求，山与水的自然回归，真与善的审美超越，赋予其作品深厚的思想内涵，汇聚成一个时代的文化魅力，芳菲永驻。

佛画之祖曹不兴的历史机遇

某日，三国孙吴画家曹不兴为吴主孙权画屏风。不经意间，笔墨误下，墨点落在了画面上。眼看作品受到污染，曹不兴却毫不慌张。他巧妙地依照墨点的大致情形，将其改绘成了一只苍蝇，十分逼真。屏风画好后，孙权前来观赏，看到这只苍蝇，弹指去赶，才知道原来是画上去的。这就是画史上著名的“落墨为蝇”的故事。曹不兴应物象形的画技之高，由此可见。

曹不兴，生卒年不详，三国时东吴吴兴（今湖州）人，著名画家。善画人物、动物和佛像，特别精于写真，笔法精细，描摹生动，于东吴黄武、赤乌年间享有盛名，与当时善相的郑妪、善星象的刘敦、善书的皇象、善算的赵达、善候风气的吴范、善棋的严武、善占梦的宋寿，合称吴中“八绝”。他没有画作流传至今，从古代画史的零星记载中，可以勾勒出一个大致的轮廓和几个描述性的细节。

曹不兴的画名，在很大程度上来自于他善于画龙。他画的龙，腾云驾雾，栩栩如生。在当时看相、卜卦、占梦都被视为国之绝技的社会氛围里，画龙就不能用我们今天的眼光，单纯地去看待它的艺术价值了。《历代名画记》里曾记，吴赤乌年间，曹不兴在青溪见到一条赤龙出于水上，当即绘成一画，献给了吴帝孙皓。孙皓将画珍藏于秘府。到南朝刘宋时，著名画家陆探微见到此画，叹其精妙，便取了置于水上，当即出现水汽氤氲、连日大雨滂沱的景象。

《宣和画谱》《图绘宝鉴》的记载就更为传奇了，说刘宋文帝时，数月干旱，怎

曹不兴的龙图今已不可见，我们只能从南宋陈容的《云龙图》中，去想见曹不兴龙图的神采了。

么祈祷也不见效果。人们百般无奈，便取出曹不兴的龙画，将它放于水之滨，立即大雨倾盆，干旱即刻解除。巧合也好，传奇也罢，说的都是曹不兴的画技高明，也反映了古代社会敬龙、崇龙的特殊心理和精神寄托。在这样的社会环境里，画龙高手

曹不兴，想不出名都难。

曹不兴知名于今的另外一个重要原因，在于他是目前可知的最早的佛像画家。三国时期，西域僧人康僧会来中国弘传佛法。吴赤乌十年（247），携“西国佛画”来到东吴都城建业（今江苏南京）建立寺庙，供奉佛像，弘扬佛法。孙权信服其教法，为之创建了江南最早的寺院——建初寺，江南佛教由此而兴。作为孙权的御用画家，曹不兴不仅有机会接触康僧会和他的西国佛画，而且更有责任和义务将之中国化地发扬推广，以应佛教大兴的时代之需。

曹不兴对康僧会带来的西方佛像，悉心学习，“仪范写之，故天下盛传曹也”（宋郭若虚《图画见闻志》卷一）。历史给了曹不兴一个顺势而为的大好机会，他画出了中国最早的佛像作品，成为我国最早的佛像画家，被称为“佛画之祖”。

精细的笔法、传神的技巧、生动逼真的形象塑造，符合社会之需的画龙绝技，特别是际会了时代发展的佛画创作，从“铁杵磨成针”的主观努力和“时势造英雄”的客观造化两个方面，将曹不兴造就成为一个青史留名的画家。

阅读链接：

（唐）张彦远：《历代名画记》，于安澜《画史丛书》本，上海人民美术出版社，1962 年版。

（宋）郭若虚：《图画见闻志》，于安澜《画史丛书》本，上海人民美术出版社，1962 年版。

王伯敏：《中国绘画史》，文化艺术出版社，2009 年版。

家门内外：王羲之的君子之泽

清朝乾隆皇帝酷爱书画，并以鉴赏品位高、收藏宏富著称。他费尽心力搜求历代法书名帖，并将珍藏王羲之《快雪时晴帖》、王献之《中秋帖》和王珣《伯远帖》三件法帖的书房，名为“三希堂”，终日与之为伴。三件稀世珍宝，出自王氏一门之中，足以令人叹为观止。

王羲之（303—361），字逸少，号澹斋，琅琊临沂（今属山东省）人，迁居会稽（今绍兴）。官至右军将军、会稽内史，故世称王右军，又称王会稽。琅琊王氏从太保王祥以来，一直高官辈出。王珣的祖父王导，拥立司马睿建立东晋，是东晋政权的实际奠基者之一，位至宰辅，统元、明、成三帝朝政。王家子弟遍布东晋政权，以至有“王与马，共天下”之说。

王羲之聪慧颖悟，能言善辩，为人耿直，其母对他悉心栽培，时常带至京城堂伯父王导家中做客。当时，郗鉴与王导同受晋明帝遗诏辅佐幼主，掌执军事大权，位比三公，权倾朝野。他期望通过联姻，与位高权重的王导结成政治联盟，便派门生去王导家中求婿。王羲之此时正在王导家中，王家子弟衣冠楚楚、矜持恭候，唯他坦腹东床，不闻不问。郗鉴岂是寻常之辈，

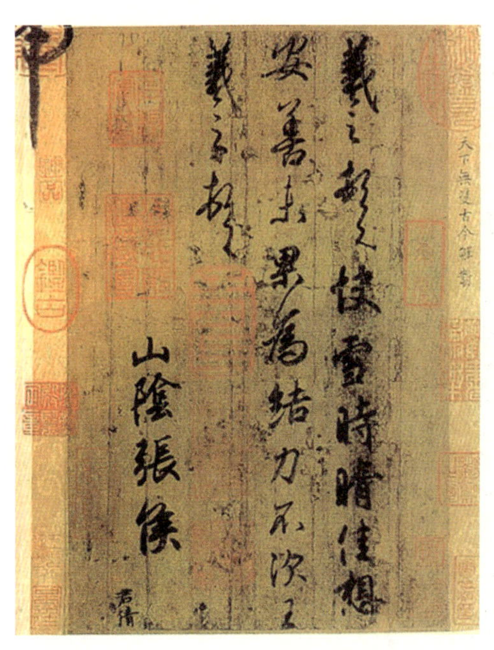

东晋　王羲之《快雪时晴帖》

阅人无数，眼光犀利，说："此正佳婿啊！"遂以王羲之为婿。

在那个"四顾何茫茫，东风摇百草"(《古诗十九首·回车驾言迈》)的时代，豪强林立，争斗激烈，成败乃是瞬间事，故此人人自危，政治联姻确是一着实用的棋。当时同为权门大户的征西将军庾亮、著名诗人陶渊明的曾祖父、重兵在握的陶侃，都曾有起兵罢黜王导之意，均在郗鉴的竭力反对和阻止中未得成功。

王羲之是中国历史上最著名的书法家，隶、行、正、草、八分、飞白诸体皆精，并臻神妙。早年师从晋著名书法家卫铄习字，卫铄世称卫夫人，书法"如插花舞女，低昂芙蓉；又如美女登台，仙娥弄影；又若红莲映水，碧沼浮霞"(唐韦续《墨薮》卷一)，柔媚、清灵、流畅。后来，王羲之见到李斯、张昶、蔡邕的作品，"始知学卫夫人书，徒费年月耳"(王羲之《题卫夫人〈笔阵图〉后》)。于是改换门庭，博览精研秦汉篆隶笔法，广采众长，使楷书、行草书完全摆脱篆隶书影响，自成平和自然、圆转流利、委婉含蓄的风格，作品翩若惊鸿、婉若游龙。主要代表作有行书《快雪时晴帖》、草书《十七帖》《初月帖》、楷书《黄庭经》《乐毅论》等，而以行书《兰亭集序》最为有名，被宋代米芾誉称为"天下第一行书"。

东晋永和九年(353)农历三月三日，王羲之与谢安、孙绰等41人在绍兴兰亭修禊，行曲水流觞之会。王羲之为此次雅集而成的诗集挥毫作序，记述其事其景，畅叙人

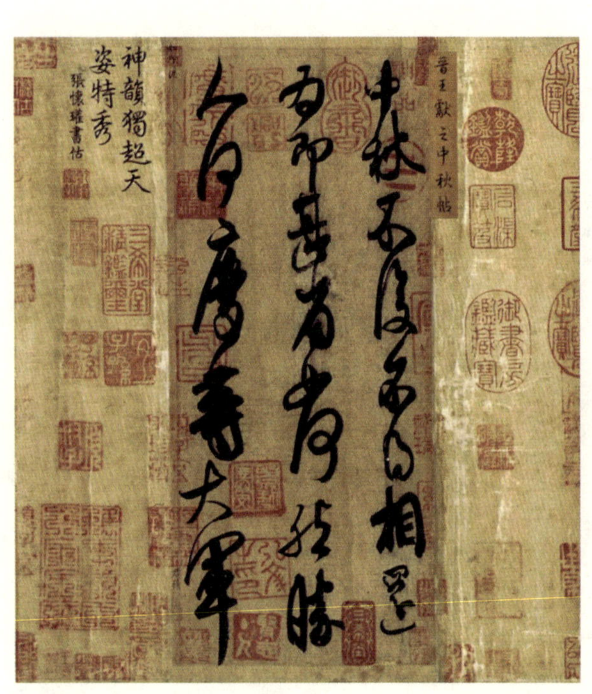

东晋　王献之《中秋帖》

生感悟，在笔锋的飞扬间流泻出对人生虚无的忧思与无奈，这便是著名的《兰亭集序》。序文情感深沉，文采斐然；字体姿媚遒劲，洒脱飘逸；布局的章法之美，更是无人能及，被评为“字既尽美，尤善布置，所谓增一分太长，亏一分太短”（明解缙《春雨杂述》）。从此作来看，虽然王羲之自认为早年跟随卫夫人学书是“徒费年月”，但其书颇具特色的“姿媚”之态，却是从卫夫人处打底而来。

王羲之家族称得上是文化世家，尤以书法成就最为突出，王导、王旷、王廙、王珣、王献之等人，均善书法，书家辈出，前无古人，后无来者。

东晋　王羲之《兰亭集序》

王羲之的父亲王旷，从卫夫人处得蔡邕书法，善写行书、隶书。王羲之少时，从父亲枕中发现一册前代《笔论》，偷偷阅读。王旷发现后，便向他传授大纲，也可算是王羲之的启蒙老师。

王旷之弟王廙，文武双全，能诗文，工书画，善音乐、射御、博弈，还是晋明帝的绘画老师，被誉为“过江后为晋代书画第一”（唐张彦远《历代名画记》）。他在书画创作上强调积学致远、行己之道、贵在独创，是王氏家族中处于师尊地位的前辈。

王羲之七个儿子中，除玄之、肃之未见其书法作品外，其他五子都得到王羲之书法的“家范”真传，然侧重各有不同：“凝之得其韵，操之得其体，徽之得其势，涣之得其貌，献之得其源。”其中，“大令之书特知名而与逸少方驾”（北宋黄伯思《东观余论》）。这个“大令”，即指王献之。王献之，字子敬，是王羲之第七子。幼年随父学书，众体皆精，尤以行草书著名，在书法史上被誉为“小圣”，与其父并称为“二王”。

王氏后世中也不乏能传薪火者，比如南朝齐王僧虔、王慈、王志都是王门之后，有法书录入。隋代释智永为王羲之七世孙，妙传家法，为隋唐间书学名家。

阅读链接：

王林主编：《王羲之书法全集》，人民美术出版社，2008 年版。

白砥：《王羲之书法解析》，西泠印社出版社，2005 年版。

华宁：《王献之及王氏一门》，湖南美术出版社，2007 年版。

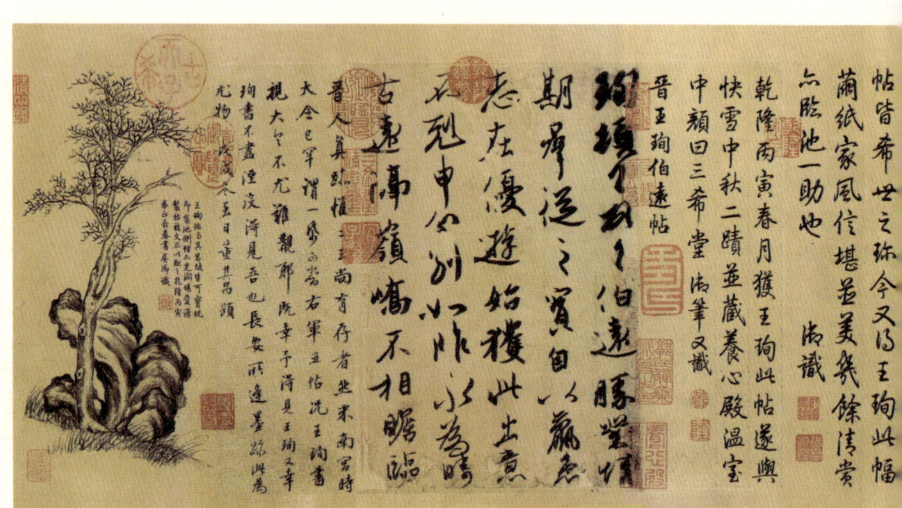

东晋　王珣《伯远帖》

孟子曾曰："君子之泽，五世而斩；小人之泽，亦五世而斩。"（《孟子·离娄章句下》）意思是说，任何一个人的功名成就留给后代的惠泽，都超不过五代。王羲之却是个例外。家族之中，明显的例子是王僧虔、智永等王门后辈，承续传播了王羲之的书法艺术。家族之外，王羲之作为书法帖学的开山，对其后历代书家影响至深且巨，泽被中国书坛一千多年，被誉称为"书圣"，影响至今不衰。

对此，我们不得不感慨，政治、军事力量强大的王、郗联姻，保住了他们在世的富贵，保不住后世子孙的荣华；而王羲之的一枝毛笔，却写出了泽被千秋的不朽华章，不仅带来家族盛名的累世相续，更开启了绵延不绝的书艺传统。其恩泽所惠，超越家门，及于中华。这种力量，叫文化。

二王书风奠基唐代书艺

在书法发展史上，唐代书法以其典雅、华贵、丰满之美，成为晋代以后的又一高峰，与晋代书法合称“晋唐传统”。唐代书法各体俱善、佳作如云，而以楷书、草书最具影响。欧阳询、虞世南、褚遂良、颜真卿、柳公权、张旭、怀素、贺知章、李邕等，都是青史留名的书法大家。

王羲之、王献之的“二王”书风，是唐代书法所宗之正统。这里，有两位重要人物，起到了关键作用。

一位是王羲之第七代孙智永（生卒年不详），他是陈、隋间吴兴永欣寺僧人，号永禅师。善书法，闭门习书三十年。智永的书法，被明代董其昌评为“曲折其笔，宛转回向，沉着收束”（《画禅室随笔》），是一种含蓄内敛的风格。智永在当时名气很大，来求墨宝者络绎不绝，将他的门槛都踏平了，只好用铁皮包门槛，故人称“铁门槛”。他是隋唐间的书法宗匠，智果、辩才、虞世南等人，都是他的弟子，为王氏书风的传播，起到了承上启下的作用。

另一位则是唐太宗。唐太宗十分喜爱王羲之的书法，他诏令天下，收集王羲之的传世墨迹。唐代张彦远《法书要录》收录的“萧翼赚《兰亭》”一事，可以生动说明唐太宗对王羲之书法的宝爱之情。智永去世时，将《兰亭集序》墨迹传给了善书能画的弟子辩才。辩才十分珍视，密不示人。唐太宗得知后，即下诏征集，但辩才坚称自己没有这件宝贝。唐太宗便命御史萧翼假扮客商，投宿寺观。萧翼与辩才

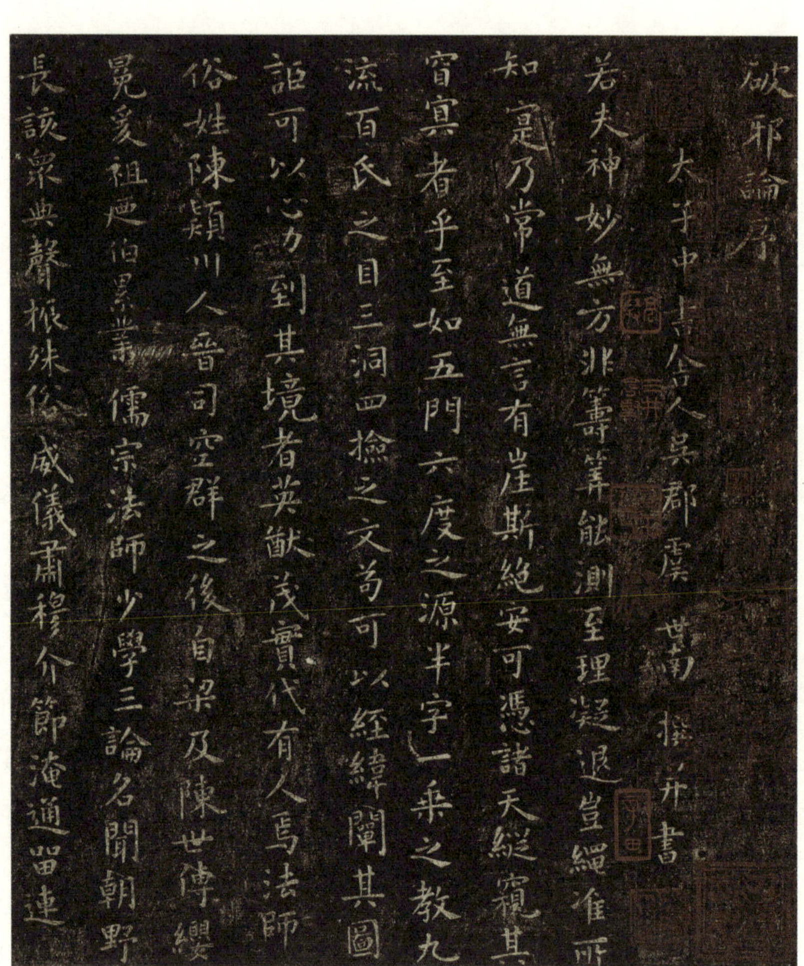

唐　虞世南《破邪论序》(局部)

谈古论今，切磋技艺，深得辩才信任，被引为知己。谈话间，萧翼展示了自己带来的王羲之书帖，辩才也毫不犹豫地把《兰亭集序》取出与他共赏。后来，萧翼趁辩才外出时，窃得此作，《兰亭集序》由此归为唐太宗所有。帝王的爱好，成为王氏书风盛行于唐的重要原因。

在代表唐代书法成就的“唐初四大家”中，虞世南、褚遂良，都是浙江人。

虞世南（558—638），字伯施，余姚人。他是智永的学生，至晚年楷书成就可与“王羲之相后先”，深得唐太宗欣赏。代表作有《孔子庙堂碑》《破邪论序》《汝南公主墓志》等。当时，虞世南与欧阳询均以书法享誉一时，总体上两人势均力敌，难分高下。但从风格上看，虞书“内含刚柔”，欧书“外露筋骨”，后人从“君子藏器”的角度，判为“以虞为优”（北宋《宣和书谱》卷八）。

所谓“君子藏器”，是中国文化崇尚的一种行为方式，意指低调含蓄，即所谓深藏不露、大智若愚。做到这一点，方才是君子的气度。引用到书法艺术中，则强调中锋用笔，结体沉稳，刚柔相济，温润圆秀，予人平和清雅之感。

褚遂良（596—659），字登善，钱塘（今杭州）人。书法初学虞世南，晚年取法王羲之，楷书中略间隶体，“甚得媚趣，若瑶台青琐，窅映春林，美人婵娟，似不任乎罗绮，铅华绰约，甚有余态”（南宋陈思《书小史》卷九），一派婉媚遒逸、

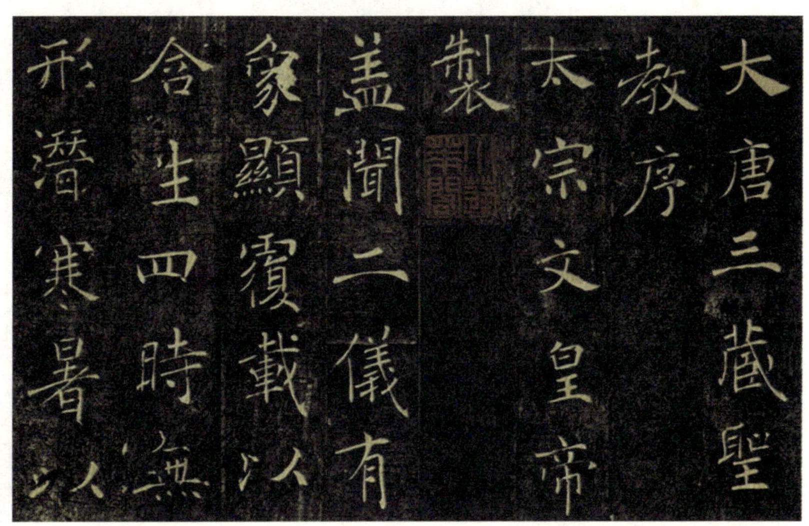

唐　褚遂良《雁塔圣教序》（局部）

明润清远的风貌。传世书迹有《孟法师碑》《雁塔圣教序》《伊阙佛龛碑》等。

褚遂良在欧阳询、虞世南之外，于笔法笔意上创出华妍新境，并为后人所从学。清代刘熙载在《艺概·书概》中评价褚遂良称："褚河南书为唐之广大教化主，颜平原得其筋，徐季海之流得其肉。"颜平原即颜真卿、徐季海即徐浩，他们和柳公权等人，均为唐代著名书法家，在褚遂良笔法变革的基础上，创新发展，形成各自风格。

在盛唐书法发展中，浙江书家以徐浩最为著名。

徐浩（703—783），字季海，越州（今绍兴）人。出身名门望族、书法世家，其祖师道、父峤之，均为书家。唐肃宗

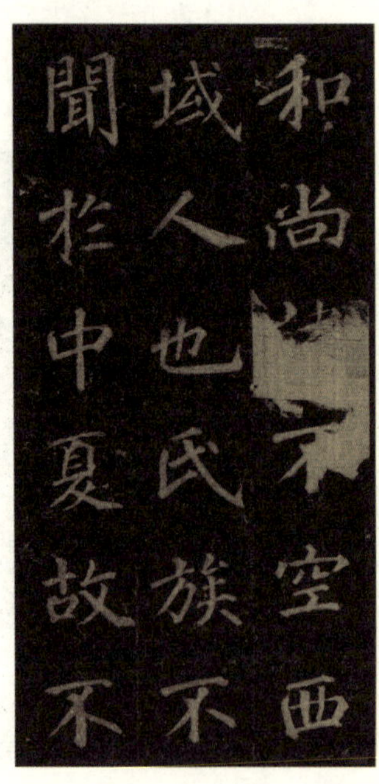

唐 徐浩
《不空和尚碑》（局部）

时，徐浩甚得宠爱，四方诏令、诰册多出其手，两次受命寻访二王真迹。徐浩作书，宗法二王，尤醉心于王献之。书风或“多肉”、或“姿媚可爱”，或若“怒猊抉石、渴骥奔泉”（南宋桑世昌《兰亭考》卷四），可见是一个面貌多样的书家。徐浩传至今日的墨迹有《朱巨川告身》，楷书碑有《大证禅师碑》《不空和尚碑》，隶书碑有《嵩阳观纪圣德感应碑》等。

除上述浙江籍重要书家外，颜真卿、李阳冰等书法大家，虽非浙江人，却也与浙江有缘。他们都曾出仕于浙江，其艺术活动或得力于浙地的风土人情，或影响于浙人的书艺活动，为唐代浙江书法艺术增添了耀眼的光辉。

智言慧思

半生落魄已成翁，独立书斋啸晚风。
笔底明珠无处卖，闲抛闲掷野藤中。
——（明）徐渭《题墨葡萄诗》

阅读链接：

（唐）虞世南：《孔子庙堂碑》，上海书画出版社，2012 年版。
（唐）褚遂良：《褚遂良书法全集》，人民美术出版社，2008 年版。
朱关田：《中国书法史（隋唐五代卷）》，江苏教育出版社，2009 年版。

水墨云山水墨画

唐时，有一位王姓画家，名字至今尚难考定。史书上，有时记为“王洽”。但更多的是写作王墨或王默，前者是因为他画水墨画，还以用墨见长，所以又有“王泼墨”的雅号；后者则可能来自于基本上默默无闻的意思。与阎立本、荆浩、董源一类大画家相比，在中国绘画史上的确很少见到他。为此，我们且以王默相称。

王默无论生平，还是绘画，都具传奇色彩。比如他死后，灵柩轻若空棺，百姓的说法是他已羽化成仙而去。比如他“疯癫酒狂”“平生大有奇事”（唐张彦远《历代名画记》卷十），不为人情礼法所拘，大多数的日子里居无定所，傲游于江湖之间。作画则自有别法：必是在饱醉之后，袒胸露臂，大呼小叫，将墨泼于画幅之上，按墨自然形成的状态，手脚并用，挥洒自如，随势开决勾勒成山、石、林、泉种种，图出云霞，染成风雨，画成一幅幅烟笼云罩之泼墨山水大画。更有甚者，他还“以头髻取墨，抵于绢素”，十分狂放，却也自成奇趣。

关键是他并非独此一家。他有两位老师，一位是在唐代被称为诗书画“三绝”的郑虔，因安史之乱被贬到台州，教了王

默一些笔法。另一位是项容，与王默一样，不知何许人也，以“天台项容处士”行世，是当时的水墨山水名家。郑、项二位，都是用墨高手，王默的狂放洒脱之墨，这就有了直接的师法来源。

顾况像

更奇特的是，王默有一位学生，叫顾况，是唐代著名诗人，也是绘画爱好者，跟着王默学画。做派比老师更为挥洒，不仅泼墨，而且泼彩；不仅自己酣醉挥洒，还在创作时请了数十人一起吹角击鼓，助阵于他的巨幅画作。

那时，台州盐业远销处州、婺州、衢州等地，顾况曾任职于江南十大盐监之一的临海新亭盐监。古代中国，盐、茶、酒、铁都是税收的主要来源，长期实行专卖，故此顾况执掌新亭盐监，也可算是个要职。王默向弟子提出申请，要求担任海中都巡一职。顾况问其用意何在，王默说，就只是想看看海中山水的情形。顾况对此自是没有二话，具体如何运作，史未明言，只知王默反正是走马上任了。任职半年后辞职，从此再画山水，“落笔有奇趣”，大泼墨的风格更为成熟。此番经历，实应视作艺术家挂职锻炼、深入生活的古代实践。（此典据《历代名画记》。唐李绰《尚书故实》、朱景玄《唐诗纪事》所记与此有异，称是顾况自己为方便描画海中山水，而请求任职新亭盐监，同时聘请王默做他的副职。存此备查。）

智者乐水，仁者乐山。在中国的文化传统里，山水与德性、哲思、智慧、情操、修养紧密相连，山水画由此进入最具经典意义的中国文化符号行列。它的笔墨、意象、意境、气韵，既是艺术的，更是情感的，浸透了中国人的生命感悟、天地体验、自然情怀。

画史认为，自唐代开始，我国山水画分为南北二宗。北宗以李思训父子为代表，刚劲、工整，重勾勒，青绿设色；南宗以王维为代表，飘逸、简淡，重水墨渲染。五代北宋之际，两种风格均获得长足发展，各成体系。北宗以荆浩、关仝、李成为代表；南宗则在南唐董源手里开出“平淡天真、融浑静穆”的风格，平远构图、水墨渲染、意境萧散、气韵生动，经元代赵孟頫、“元四家”、明代董其昌等人的发扬，而形成占据中国绘画艺术主流的文人画传统。

唐代浙江，除郑虔、项容、王默、顾况之外，尚有张志和、

浙江的烟云山水

朱审、项洙、项信等人，直至僧人中的道芬、辩才，都以水墨尤其是墨色的变化写山摹水。他们有的是浙籍人士，有的是活动于浙地的官员、画家。相互之间既有师生传授，也有画技交流，发展脉络清晰。从郑虔、项容的以墨为胜，至王默、顾况大泼墨山水的神妙境界，可见自唐代开始，水墨山水画就已经产生、流布于浙江，它们与董源的绘画一样，是江南水墨山水画的重要组成部分。

无独有偶的是，南宋绘画大师李唐，在南宋初年南渡来到杭州之后，产生了绘画风格上的巨变。这种变化的原因，固然在他自身的艺术修养和探索创新的勇气和能力。但是，浙江已有的水墨山水画传统，也为他提供了历史机遇和必要条件，并沿着这样的开端，进一步发展出马远、夏圭的院体山水画风，成为一种成熟的风格。

从绘画史的发展来看，我们已经十分明白，在中国传统绘画中占有重要地位的水墨山水画，它的起源和流绪，都与浙江的烟云山水关系密切。

阅读链接：

（北宋）米芾：《画史》，见熊志廷等译注《宋人画论》，湖南美术出版社，2000 年版。

郑瑛中：《顾况与临海新亭监》，《唐代文学研究》，2004 年第 10 辑 。

李昌平：《天台山泼墨山水画的起源》，《大家》，2009 年第 11 期。

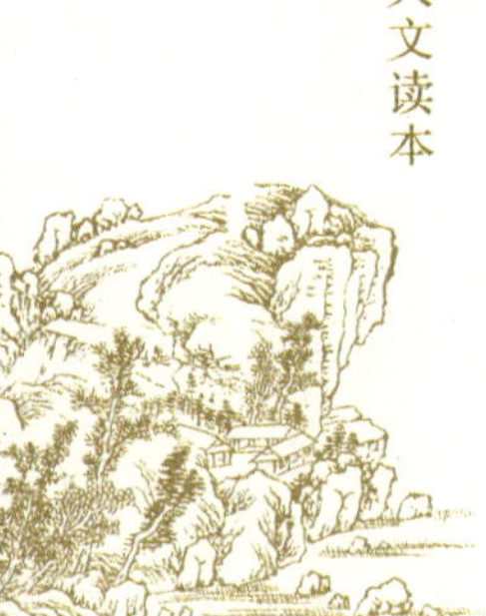

白居易诗说萧悦竹画

说到画竹的名家，我们一般都会想到苏轼与郑燮。北宋苏轼酷爱与竹为伴，“宁可食无肉，不可居无竹”，此言至今仍为画家喜用的竹画题词。苏轼用水墨画竹，深墨为叶面，淡墨为叶背。他的传世画作仅两幅，都以墨竹为题材，其一《枯木怪石图》已于抗战时期流入日本。《潇湘竹石图卷》为国内苏轼作品孤本，初为邓拓收藏，后捐赠国家，不久前在中国美术馆展出，是以竹石寄托精神的文人画典范之作（也有专家认为此本非苏轼所作，乃宋人作品。存此备考）。郑燮，即郑板桥，不仅是画竹的专业高手，还将竹声比民生：“衙斋卧听萧萧竹，疑是民间疾苦声。些小吾曹州县吏，一枝一叶总关情。”画艺高超，情怀高尚，作品遂成“人争宝之”的珍品。

从现有资料来看，最早以画竹著名的画家，是唐代杭州的一位官员，他就是今天已少有人知的萧悦。

萧悦（生卒年不详），唐穆宗时曾任协律郎，人皆以官职称其名，唤作“萧协律”。协律郎是掌管礼乐、郊庙、社稷事宜的太常寺的一名小官，负责祭祀和节庆仪式中的音乐活动，其职责大致可比为今天的乐团团长兼乐队指挥。关于他的生平

情况，史料较少。长庆年间任杭州刺史的白居易，在诗中多次提到萧协律，这些诗作成为现今了解萧悦及其竹画的主要史料。

从白居易的诗中，约略可知，萧悦位卑职低，生活非常贫困，“余杭邑客多羁贫，其间甚者萧与殷。天寒身上犹衣葛，日高甑中未拂尘”（《醉后狂言，酬赠萧、殷二协律》）。白居易与他过往密切，常常结伴游历，相处甚欢。白居易晚年时时缅怀萧悦：“歌伴酒徒零散尽，唯残头白老萧郎。”（《忆杭州梅花，因叙旧游寄萧协律》）由此也可推测，在白居易晚年的会昌年间，萧悦还在人世，年寿甚高。另外，关于萧悦的籍贯，白居易称他为“兰陵（今山东峄县）萧悦”，现在有的学者因其活动于杭州，把他定为杭州人（朱铸禹《唐宋画家人名辞典》）。

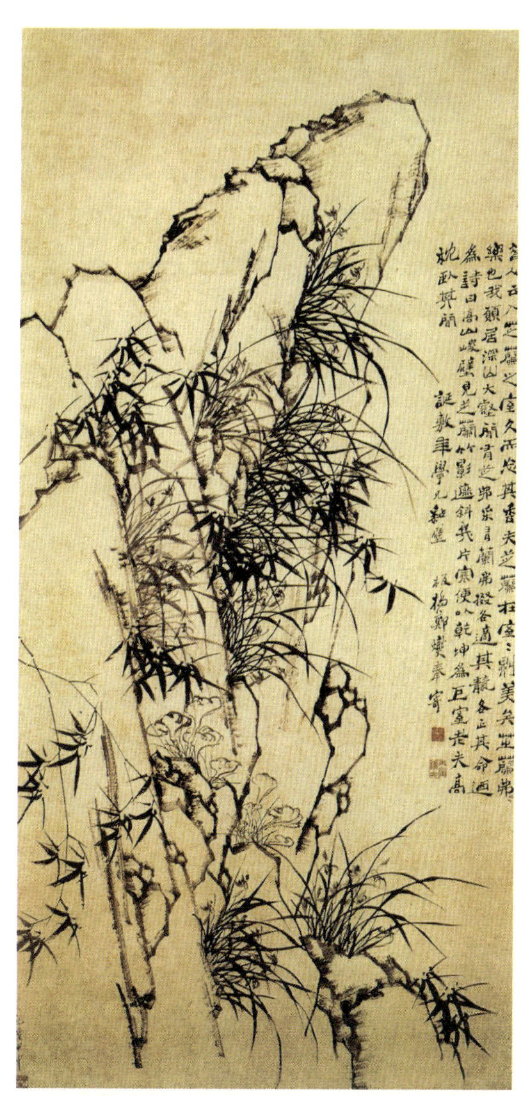

清　郑燮《兰竹图》

萧悦虽为协律郎，却以画竹留名。据《宣和画谱》著录，北宋皇家内府藏有他《乌节照碧图》（2幅）《梅竹鹁鸪图》《风竹图》《笋竹图》五件作品，但今已无存，故其艺不得见。幸得白居易曾有《画

阅读链接：

白居易著、谢思炜校注：《白居易文集校注》，中华书局，2011 年版。

王涌泉：《萧郎下笔独逼真　丹青以来唯一人》，载《隋唐名郡杭州》，浙江人民出版社，1997 年版。

陈野：《西湖绘画》，杭州出版社，2008 年版。

竹歌》描述评价萧悦的竹艺，为我们做了文字的描述。

有一次，萧悦画了一幅十五竿竹的竹图送给白居易。白居易挥笔答谢，写下《画竹歌》：

植物之中竹难写，古今虽画无似者。
萧郎下笔独逼真，丹青以来唯一人。
人画竹身肥臃肿，萧画茎瘦节节竦。
人画竹梢死羸垂，萧画枝活叶叶动。
不根而生从意生，不笋而成由笔成。
野塘水边碕岸侧，森森两丛十五茎。
婵娟不失筠粉态，萧飒尽得风烟情。
举头忽看不似画，低耳静听疑有声。
西丛七茎劲而健，省向天竺寺前石上见。
东丛八茎疏且寒，忆曾湘妃庙里雨中看。
幽姿远思少人别，与君相顾空长叹。
萧郎萧郎老可惜，手颤眼昏头雪色。
自言便是绝笔时，从今此竹尤难得。

从这首《画竹歌》中，可以推见萧悦画竹，其形清枝瘦节，叶叶生动，其韵劲健疏寒，风烟萧飒。画家对竹既有精细入微的观察，又不拘泥于呆板的写实，而是“意生”“笔成”，从而达到“下笔独逼真”“静听疑有声”的艺术境界，获得“丹青以来唯一人”的艺术成就。《宣和画谱》称萧悦“唯喜画竹，深得竹之生意，名擅当世”。两相对读，当非虚言。

萧悦画竹深为时人所重，因此求画者甚多，但他“甚自秘重，

有终岁求其一竿一枝而不得者”（唐白居易《画竹歌·序》），十分珍视自己的作品。

萧悦的影响很大，后世接其踵而画竹者代不乏人，促进了这一专门画科的发展。五代十国时的南唐画家丁廉学习萧悦，当时推为第一。明代收藏家项元汴之子项德新画《竹石扇》,其上款也题有“忽见不似画，静听疑有声”之句,化用了白居易《画竹歌》的诗句。清代杭州画竹能手诸升，在绘画教本《芥子园画传》第二集中所画双钩竹《湘江遗怨图》上，也写明为“拟萧协律画法”。所有这些，足以说明萧悦竹画在中国竹画传统中的深刻影响。

梅、兰、竹、菊“四君子”，“岁寒三友”松、竹、梅，既象征着清纯高洁的道德情操，也表征着傲霜斗雪的人格力量，是中国文化传统的经典符号和艺术创作的常用题材，在中国绘画史上具有十分独特而重要的地位。萧悦的画作虽已不得见，现今的名声也不能与苏轼、郑燮相比，但其开拓之功、绘画成就，却不应湮灭于历史。一切对于艺术的真诚奉献，都应得到铭记。

清　诸升《竹石清泉图》

历史与艺术中的竹林七贤

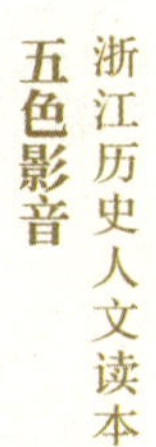

《高逸图》以著名的魏晋竹林七贤为题材，现存画面只有山涛、王戎、刘伶、阮籍四人画像。他们席地而坐，背景有树石点缀，气氛静穆，格调古雅。从右至左第一人是山涛，他赤袒上身披衣抱膝而坐，流露出傲慢神色。王戎、刘伶、阮籍依次排列。在技法上，画风工致巧整，人物形象鲜明，尤重眼神刻画，有传神之效；线条细劲流畅，继承了顾恺之“劲紧连绵如吐丝”的行云流水风格，但更加多变、丰富、成熟。既画出了这些魏晋名流的“高逸风度”，又画出了清高自傲、放荡不羁、嗜酒如命等不同个性。

《高逸图》作者孙位，一名遇，生卒年不详。自号会稽山人，原籍会稽（今绍兴），随唐僖宗避黄巢起义而至蜀。平日多与方外僧道来往，为人孤洁，举止疏野，性情旷达。擅画人物、龙水、松石、墨竹，兼善佛教壁画。“作品皆用纯墨，不以傅彩为工”(《宣和画谱》)。

《高逸图》是孙位留存至今的唯一真迹。此画不仅有艺术上的价值，更以“竹林七贤”的题材，让我们从中体味到关于历史真实与艺术真实的内在关系。

唐 孙位《高逸图》

“竹林七贤”之典出于《世说新语·任诞》，说的是魏晋时期嵇康、阮籍、山涛、向秀、刘伶、王戎及阮咸七人的故事。在后人的叙述中，他们被视为“弃经典而尚老庄，蔑礼法而崇放达”的名士和玄学代表，政治上淡泊仕途不与当局者合作，生活上自由洒脱不拘礼法，相聚在竹林，以喝酒、清谈、弹琴、纵歌为乐。

其实，历史的真相并非如此。从政治态度来说，他们七人并不一致，差距很大。嵇康、阮籍、刘伶对司马氏集团均持不合作态度，嵇康因此被诛杀。山涛起先隐居不出，但40岁后投靠司马氏，历任高官，成为司马氏政权的心腹。王戎为人最为鄙吝，功名利禄之心极盛，在晋武帝、晋惠帝两朝均有任职，被阮籍讽为俗物。向秀在嵇康被害后被迫出仕，基本上是挂个空名。阮籍入晋曾为散骑侍郎，但不为朝廷所重。竹林七贤的结局，是分崩离析，各散东西。可见名为“七贤”，实质并非人人都是贤者。

此外,“竹林”二字,也值得深究。历史学家陈寅恪认为,竹林七贤是先有“七贤”而后有“竹林”。“七贤”的概念出自《论语》中“作者七人”的事数，有标榜之义。他们活动的地方实际上并无“竹林”，“竹林”一词源于西晋末年，乃假托天竺“竹

江苏南京市西善桥南朝墓葬《竹林七贤与荣启期》砖印模画

林精舍”之名。此论并未被学界认可，但也不无道理。南朝大墓砖画《竹林七贤与荣启期》，是包括《高逸图》在内的“竹林七贤”画作的原始蓝本。砖画中，七贤与荣启期各据一树，做弹琴、喝酒等状。而画中之树，明显可见并非竹林。

“竹林七贤”是中国绘画史上的常用题材，从这幅《高逸图》一直画到今天，成为崇尚个性自由、冲决伦理束缚、反抗社会压迫的象征。在这个从历史真实到艺术真实的演变过程中，“竹林七贤”与其说是真人事迹，不如说是当时社会环境下文人士子的处境写照、处世向往与心绪表露。

那时，司马氏和曹氏争夺政权的斗争异常激烈，社会动荡，民不聊生。文人士子不仅无法施展才华，而且时有性命之忧，

因此崇尚老庄哲学，用清谈、饮酒、佯狂等形式避世求生、排遣苦闷，从虚无缥缈的神仙境界中寻找精神寄托，“竹林七贤”就此成了一个社会集体意识的寄托符号。

在古代等级森严的儒家文化传统里，个体的自由、尊严、价值实现等等，都是社会生活中难以实现的愿望，只能在文学艺术中得到寄托、表达和宣泄。由此形成了与注重群体利益的社会价值体系相对立，也可谓相互补的注重个人精神、个性解放的文化价值体系，形成了中国艺术的人文评判标准和价值取向，艺术因此成为自由意志、独立精神的生发之所、表达载体和凝练升华。“竹林七贤”作为一种艺术表达、一个文化符号，其意义、价值正在于此。

阅读链接：

（南朝宋）刘义庆著、杜聪校点：《世说新语》，齐鲁书社，2007 年版。

刘大杰：《魏晋思想论》，岳麓书社，2010 年版。

陈四益：《魏晋风度》，湖南文艺出版社，2012 年版。

道德品藻与审美品评

东汉时历史学家班固编撰的《汉书》，是我国第一部纪传体断代史，奠定了正史的编写体例，因此在史学史和国人心目中，一直占据重要地位。《汉书》中有一篇《古今人表》，依据孔子上智、中人、下愚三等识人标准，把秦末以前的近二千名著名人物，以表列为四类九品，“唯以品藻贤愚，激扬善恶为务”（唐刘知几《史通·杂说》），建构了一个道德评价系统，开启了后世的人物品藻之风。

人物品藻，就是人物评论。原来的意思，是指汉时以征辟、察举擢用人才的制度，通过社会品评发现、任用官员。获得佳评者，进可入仕为官，退为社会名流。其品评的标准，重在道德行为，即所谓“经明行修”。曹魏之时，依《汉书》之例，制定九品中正制的人才选拔制度，以才性、气质、风貌、格调、能力等为标准品评人物，重视的是对人从形骨到神明的审美批评和道德判断。

这种政治伦理与审美评判相结合的品藻之风，广泛波及文学艺术领域。作者的个性、气质、天赋、内在的精神世界、独特的心理感受，成为艺术评判的对象。例如曹丕提出“文以气

为主”（《典论·论文》），认为创作者的气质、感受、天赋等主观因素和心理感受，与其作品风格关系密切。这种美学观点与孔孟强调的“诗以言志”、道德文章的儒家正统大异其趣，成为魏晋南北朝美学思想的显著特征。

唐代阎立本《历代帝王图》中的魏文帝曹丕

与之相应的是，书画创作上的“品藻”应运而生，作品以“神”为重之说开始盛行。东晋顾恺之认为画要“以形写神”，南朝齐书法家、王羲之四世族孙王僧虔主张“书之妙道，神采为上，形质次之”。“品”的概念开始出现，南朝庾肩吾的《书品》、谢赫的《古画品录》，都是以“品”的区分为旨趣的艺术论著。《书品》把东汉张芝为首的 120 余名书家，按九品法论列，给予褒贬。《古画品录》是中国绘画理论发展史上的一部名著，把曹不兴等 27 位画家分成六个品级，进行审美品评，提出了中国绘画史上极为经典的“六法”之说：“一、气韵生动是也；二、骨法用笔是也；三、应物象形是也；四、随类赋彩是也；五、经营位置是也；六、传移模写是也。”建起了绘画理论的初期架构。其中“气韵生动”作为六法之首，强调绘画作品以表现对象的精神状态与个性特征为目的，与魏晋以来人物品藻强调人的气质和风度的做法相一致。《书品》《画品》以外，还有《诗品》《棋品》等，明显反映出人物品藻风气对艺术发展的影响。

阅读链接：
俞剑华：《中国画论选读》，江苏美术出版社，2007 年版。
云告译注：《宋人画评》，湖南美术出版社，1999 年版。
陈传席：《中国绘画美学史》，人民美术出版社，2002 年版。

到了唐代，朱景玄作《唐朝名画录》，三品九等的大格局未变，只是分别做了进一步的定性，叫做“神品”“妙品”和“能品”，三品又各分上中下三等。最重要的是，他在“神”“妙”、“能”三品之后，增添了一个“逸品”。这既是他的独创，也反映了审美意识的时代发展。当时被朱景玄看中入选逸品的，共计三人：王默（朱景玄记作王墨）、李灵省、张志和，“此三人非画之本法，故目之为逸品，盖前古未之有也”。三人之中，王、张皆为浙地人士。

王默的画风做派，前文有述。张志和，号烟波钓徒，千古佳句“西塞山前白鹭飞，桃花流水鳜鱼肥。青箬笠，绿蓑衣，斜风细雨不须归”，就是他的作品。其人性情高迈，不拘形迹，放浪江湖，常垂钓于洞庭湖。颜真卿在吴兴为官时，知其品性高洁，做了五首渔歌相赠。张志和随句赋象，画成卷轴，“人物、舟船、鸟兽、烟波、风月，皆依其文，曲尽其妙”（唐朱景玄《唐朝名画录》）。由此可见，朱景玄的“逸”，一方面指画法上的前所未有，另一方面乃是放逸、飘逸和简逸的“逸”，讲究的是个性、才情与水墨、画趣的结合。

在北宋黄休复《益州名画录》中，“品”字被“格”字替代，“逸品”变成“逸格”，强调的是画作的品格、格调。尤为值得注意的是，黄休复将“逸格”提到“神”“妙”“能”三格之上。认为四格之中，逸格“笔简形具，得之自然，莫可楷模，出于意表”（《益州名画录》），是出于天性、源于自然、不可模仿的最高画境，常人难以达到。这个位置的前移，表明了绘画观念

元代文人画家倪瓒的《竹枝图》。倪瓒画竹，旨在“写胸中逸气”，体现了逸格画的特征

和审美趣味的重大变化，笔墨简淡、自出机杼、崇尚自然的画风，被置于审美境界的最高层面，已然成为美学思想的主流，得到充分推崇。

后来出现的文人画，就是逸格的画风。黄休复对逸格画的肯定，是文人画即将破土而出的时代先声。“元四家”之一的文人画大家倪瓒，曾自论画竹云：“余画竹聊以写胸中逸气耳，岂复较其是与非。”这种以草草逸笔直抒自我胸臆的绘画旨趣，接续了黄休复的“逸格”画论，正是中国古典绘画的真谛和价值之所在。

《益州名画录》共品评唐至宋初画家 58 人，被黄休复选中列入“逸格”的，仅有一人，就是画《高逸图》的浙江画家孙位。

一个“逸”字，彰明了以国画为代表的中国艺术的表现性特征，以及与以再现性为特征的西方艺术的根本区别。浙江画家，在其中贡献多多。

南宋皇家的艺术之都

有人曾把唐朝比作中国古史上的“太阳”，如果这“太阳”是就一个时代的繁盛而言，那么南宋的艺术成就，就是杭州古史上的一次阳光灿烂的辉煌。在一个“皇”字的笼罩之下，杭州的生活与风尚，有了不同凡响的变化，政治的内涵和历史的况味都变得深刻而又意味深长。艺术，就在这一片皇家气派中，生发滋长，开出似锦繁花。

南宋建都杭州，于宋高宗绍兴年间重开画院。画院设于杭州，客观上为杭州画家提供了相对便利的入院条件，钱塘（今杭州）籍画家在院中不为少数。在厉鹗《南宋院画录》记载的98位画家中，浙江籍的画家就有38位，其中又以钱塘籍画家占了多数。这个统计也许不一定十分精确，但应该可以反映基本面貌。

中国宫廷绘画历史久远而又绵延不绝，是统治阶层政治与文化生活中不可缺少的组成部分。一般说来，设置画院作为工作机构，是最能从组织体制上保障绘画事业发展和画家权益的。因此，有画院的时代，往往是绘画发达的时代，也往往是画家们的盛世。画史上影响最大、最让后世画家艳羡和津津乐道的，是西蜀的翰林图画院、南唐的画院以及北宋时的翰林图画院。南宋虽然有政治与军事的失败，只剩下半壁江山，然而她的绘画成就不可低估，艺术的力量超越了时空。

南宋帝王与宗室子弟以其艺术禀赋、兴趣和修养，营建了浓厚的艺术氛围，在宫廷绘画发展中扮演了重要角色。宋高宗效法宋徽宗，直接参与画院活动。他很重视画学，派人各处访求法书名画，设法购回宣和画院散失的作品，并在装饰裁制方面格外讲究，印识题签也有一定的格式。当时宫中大量的书画收藏，为画院画家提供了学习、临摹的便利条件。高宗还曾手书“李唐可比唐李思训”的题跋，以他喜爱的“金碧辉煌”画风作为品评画家水平的标准。除高宗外，其他几位皇帝也很关心宫廷绘画。比如宋宁宗赵扩，就时常和杨皇后一起，为马远等人的作品题字写诗。

南宋　苏汉臣《秋庭婴戏图》

在南宋帝王们构筑的艺术世界里，宫廷画家们在杭州纷纷登场。北宋宣和画院流寓四方的绝大多数绘画名家，如李唐、朱锐、苏汉臣、李从训等，大多进入绍兴画院，成为初期的中坚力量。从历史资料来看，南宋的著名画家大多出于院内。画院中有姓名可考的画家有近 120 人，大多被授予一定职位，优厚的生活待遇和创作

条件，使画家的生活安稳，创作热情受到鼓励，才华得以施展，画出了一幅幅精妙谨严的浮世绘影。

偏安的政治格局，残山剩水的国土，强烈的民族情怀以及个人生活经历，都使画家们有太多的感慨。治国安邦不是人人都可以实现的理想抱负，绘画更不是直接干预现实社会的途径。画家们所能做的，只是在作品中表达自己的心绪，清笔淡墨下，流泻出深深的忆念和无奈。

他们的画事活动十分丰富，主要围绕宫廷需要进行。绘制人物肖像，是御前画工的重要任务。历代南宋帝王都曾诏画院画家图写功臣像。画家还有描绘社会风俗和百姓生活的任务，创作的《耕织图》《货郎图》《卖浆图》《沽酒图》等作品，反

南宋　李嵩《花篮图》

南宋　马麟《秉烛夜游图》

映当时都市生活的方方面面。画院画家还经常为西湖周边的宫殿、寺观作壁画、屏风画。孤山凉堂为西湖奇绝之处，规模壮丽，植有梅花数百株，是皇帝游玩之处。堂成之初，四壁皆素。高宗将临之前日，命萧照前往绘制山水。萧照受命后，一夜间画成三丈长大壁。高宗深为赞赏，赐以金帛。画院中也有一些画家，往来于西湖四周的各个寺庙，和禅师画僧过从甚密。著名者如宋宁宗年间的画院待诏梁楷，他的作品是沟通院画和文人画的桥梁。

南宋朝廷的南迁，使宫廷绘画风格发生变化。西子湖的阴柔秀媚孕育出了风雅精致的艺术趣味。李唐、刘松年、马远、夏圭，名垂画史，被誉称为“南宋四家”。他们的山水画水墨苍劲，清旷超凡，在远水平野，甚至于大片空白的简洁构图中，透出浓浓的诗意。花鸟画的布局着色更加精雅婉约，作品突破“黄氏体制”，双钩、

没骨、点染、重彩、淡彩、水墨、工笔、写意，各呈其能。许多作品在布局和造型上，已开始摆脱北宋过分严格的写实要求，注意到花枝的穿插和空间关系。在形式上，大多是小幅的册页和纨扇，玲珑可爱。人物画中，历史题材和风俗题材的作品大量涌现，梁楷的开创性工作尤其值得称道。他把粗阔的笔势与水墨相结合，独创了泼墨大写意的画法，对人物画贡献良多。

院画家们以其精湛的绘画创作与艺术成就，构筑了一个艺术气质典雅高华的古典世界。他们的艺术活动大多在杭州进行，使杭州成为一座以画院画师活动为中心的皇家艺术之都。宁静的山水林木、美丽的花鸟鱼虫、平凡的日常生活，都成为艺术观照的对象，被注入艺术的灵性和气质。直到今天，在杭州的生活中，仍然可以感受到南宋艺术的独特神形、遗风流韵。

阅读链接：

（清）厉鹗：《南宋院画录》，于安澜《画史丛书》本，上海人民美术出版社，1962 年版。

陈传席：《中国山水画史》，天津人民美术出版社，2001 年版。

何忠礼、徐吉军：《南宋史稿》，杭州大学出版社，1999 年版。

李唐南渡与绘画风格之变

中国山水画发展至南宋，出现了一个重大的新变化，就是在北宋以前细致刻画自然景色的传统上，进一步摆脱全景式布局而着意于表现局部构图的“半山一角”式山水形象，舍金碧辉煌的青绿设色而一变为水墨淋漓、健笔皴擦的画风，在精巧的布局中表达感情色彩和浓郁诗意，形成特色鲜明而又影响深远的院体画派，“山水，大小李一变也，荆、关、董、巨又一变也，李成，范宽又一变也，刘、李、马、夏又一变也……”（明王世贞《艺苑卮言》）。在这种发展趋势中，李唐具有开创地位，刘松年继之，至马远、夏圭而臻成熟，他们在画史上，合称“南宋四家”。

李唐，字晞古，亦作希古，河南河阳（今河南孟州）人。北宋宣和画院和南宋高宗画院宫廷画师。因史料简略，详细生平事迹难考，生卒年尚难确知。据传，宋徽宗政和年间（1111—1118），李唐赴开封参加皇家举办的图画院考试，试题为“竹锁桥边卖酒家”。应试者们都向“酒家”上下工夫，惟独李唐的画幅里，并无世俗的酒家，只画茂林修竹、古朴小桥，仅在竹林丛中微露一角酒帘，隐隐透出“酒家”信息。主考官宋徽宗十分欣赏，认为李唐的构思深得“锁”字之意，故将其补入画院，李唐由此成了宫廷画师。靖康之变，北宋灭亡。李唐追随宋高宗来到临安（今杭州），入画院，继续担任宫廷画师。

李唐北宋时期的画作有很高的艺术水平，大致属于荆浩、范宽一路，全景式构图，山峦重叠，回环起伏，笔墨精练，积墨浓厚，古朴苍劲，极见气势，《万壑松风图》是这种风格的典型代表。但南渡以后的变化创新风格，更能代表他开宗立派的成就和对中国绘画史的贡献。《清溪渔隐图》及《采薇图》中的山水部分，与其北宋时作品相比，画风由繁密而趋简练，由浓重而趋清淡，水墨淋漓苍劲、大斧劈皴擦，风格豪放简括。特别是在构图上，从北宋《万壑松风图》主山堂堂的全景式构图，到过渡期《江山小景图》的半边构图，再到南宋《清溪渔隐图》上不见天、下不见地的截景式构图，彻底变革了荆浩、范宽等北宋山水画构图法，直接开启了其后马远、夏圭局部取景的南宋院体全新章法，极具创意。

李唐画风的转变，与两宋交替的历史背景紧密相关。当他一路颠沛流离、风尘仆仆地到达杭州时，我们不知道他对杭州周边曲线柔和的连绵丘陵和那一泓温软的西湖水，会有怎样的观感。也许，在他当时的处境里，解决生计问题才是当务之急。“雪里烟村雨里滩，看之如易作之难。早知不入时人眼，多买胭脂画牡丹。”李唐这首流露出不为时重的失意感的诗作，让我们看到了他当时的窘迫处境。

但是作为一个职业宫廷画师，尤其是一个山水画家，无论在怎样的境遇里，他的眼睛和心灵，必定会有对自然山水的敏感和关注。更何况在李唐这一路的奔波里，自然山川在他身边历历而过，南方和北方的巨大差异渐次呈现。这种身临其境的感受，无疑是最为印象深刻的。

杭州一带的山峦，是一派山势平缓、连绵起伏的江南丘陵格局，既割不断它的浑然一体，也难以取出北方那样气势雄伟、

南宋　李唐《万壑松风图》

峰回路转的一个主峰来用立轴作全景式的描摹。但是如果深入山中，却会发现有取之不尽的山岚浮动、林木葱郁、山石湿润、溪涧清冽，组合成佳妙山景。江河湖泊之际坡石汀渚、柳岸苇舟的潋滟水色，其苍翠、清新、空濛、灵秀的江南烟雨云水气质，足以构成一幅幅画面灵动、意境清幽的小品。在杭州的山水里，既可呼吸到山林吐纳的气息，又能触摸到湖水温婉的波澜，正适合于画出董源、巨然“峰峦出没，云雾显晦，不装巧趣，皆得天真；岚色郁苍，枝干劲挺，咸有生意；溪桥渔浦，洲渚掩隐，一片江南”（北宋米芾《画史》）的“平淡天真”之佳作。

溪山连绵无尽、烟雨朦胧的水墨长卷，是表达江南山川的合适构图和笔墨，它似乎契合了李唐在北宋末年正在形成的创作风格。李唐身处如此环境，面对如此山水，真是不变也难。这也许表明，李唐在发觉自己作品“不入时人眼”之后，作出

南宋　李唐《清溪渔隐图》

了一些调整。这种调整当然不是“多买胭脂画牡丹”，而是在坚持自己一贯画风的前提下，结合杭州的真实山水，而作的笔墨变化。后来的事实证明，李唐的调整，也就是所谓的“一变”，十分成功。他既没有媚俗，又使自己的作品为时尚所接受，并且成为一代画风的开路者。

因此，用我们今天的眼光来看，李唐经这一路的辛苦劳顿来到南方，就有了天降大任的寓意和暗示：“李唐白发钱唐住，引出半边一角山。”中国绘画史上一个著名的流派——以“南宋四家”为代表的南宋院体山水画派，就从李唐来到南方开始，展开了她发生、发展的历史进程。

智言慧思

有法之极，而后可致无法之妙。南宋刘、李、马、夏，悉由精能，造于简略，其神妙于此可见。

——黄宾虹《黄宾虹谈艺》

阅读链接：

（南宋）李唐等：《南宋四家画集》，天津人民美术出版社，1997年版。

陈传席：《李唐研究》，见《陈传席文集》（2），河南美术出版社，2001年版。

陈野：《浮世绘影——南宋四家传》，浙江人民出版社，2007年版。

马夏山水：以艺术的身份流传

马远成为南宋宫廷画师，是带有极大必然性的人生道路。他生长于绘画世家，行走在宫廷画院，他的家族与生活、职业与事业、光荣与梦想，都因绘画而与皇家相联结，是南宋宫廷孕育而成的一位天才画人。

马氏家族之于绘画的关系，极早地始于不知其名的“佛像马家”，自画史有载的马贲算起，到马远也已是第四代了。马氏家族画家们一个十分明显的特点，是大多为宫廷画师，在广为后世称誉的“一门五代七画家”里，就有六位供奉于宫廷，他们对宫廷内院、赵氏帝王以及皇室们的熟悉，自比一般画师更为深入。

与其他很多南宋宫廷画师不同的是，马远的背后，有着与朝廷一样来自北方的历史渊源，朝廷对他自会有一种因知根知底而产生的亲近、信任和欣赏。马远并非只是埋首画院创作的职业画人，他与宋宁宗和杨皇后都有许多密切交往，是真正的“御前供奉”。南宋画家中，他是得到皇室画上题诗题名最多的一位。马远的画艺独步画院及其作品被“推为第一”，与此应该不无关联。

作为宫廷画师，宫廷生活与帝王意图是他必须反映的题材。其中，有华灯侍宴、秉烛夜游的豪门盛典；有工巧典丽、精致富贵的皇家趣味；有年丰人乐、垄上踏歌的民生安乐；有宫廊雪霁、君王玩月的宫中闲趣。

南宋皇宫建于凤凰山中，宫殿、亭台、楼阁、园林等建筑与自然山川有高度和谐的融会，在马远的山水画里，宫廷建筑的形影触目可及。《华灯侍宴图》《踏歌图》《雪中水阁图》《举杯玩月图》等画作，在崇山峻岭或溪山无尽的连绵间，均安置有巍峨殿宇、回旋长廊、亭台楼阁，在云雾笼罩和林木掩映中或隐或现。他一改以往帝王宫殿金碧辉煌、庄严整肃的传统形象，在气韵生动的自然节律中，以半山一角的造境之趣和林木苍郁的山川气息，为我们留下了一个有关南宋宫殿的独特印象。

马远绘画，精于构图造景，常把主景置于画幅一隅，其余篇幅则用渲染手法逐渐淡化为朦胧的远树水脚、

南宋　马远《踏歌图》

烟岚雾雨，故有“马一角”之称。《梅石溪凫图》以画面左边山岩和上部溪岸营造出一角山中小景。山岩上有梅花疏枝横空倒悬，伸向水面，劲挺有力却又不失虬曲变化，枝上有花蕾初绽，增添了盎然生机，富于装饰性的美感。画面的主体，是山溪流经岩弯时形成的水面和戏水的野凫，以其动势打破了山涧宁静，平添了许多生趣。此画裁剪之妙、构图之巧与用笔之活，皆成趣味，雅意横生。

“夏半边”是画史对宫廷画师夏圭山水画风貌的概括。夏

南宋　马远《梅石溪凫图》

南宋 夏圭《遥岑烟霭图》

圭构图常取半边，“水墨西湖，画不满幅”，舍去中景，近景突出，远景清淡，焦点集中，清旷俏丽，画面十分空灵，与马远有相似之处，后世多以“马夏”山水相称。他喜用秃笔带水作大斧劈皴，人称“拖泥带水皴”或“带水斧劈皴”，画面淋漓苍劲，墨气袭人，将水墨技法运用到了“酝酿墨色，丽如傅染”的境界。

夏圭善作长卷，《溪山清远图》《长江万里图》《山水十二景卷》《江山佳胜图》《溪山无尽图》等，都是数丈长的巨幅。画幅中，自然山水连绵展开，人文景象错落点缀。他也善画纨扇形制的小幅山水，景物裁剪有致，构图简括清旷，意趣丰盈，气韵悠长。

在《溪山清远图》等画中，夏圭大力取舍，裁剪大自然生动、丰沛、盎然的野趣，以简括构图、清润水墨，突出强调和表达了他意中所尚的荒寒之趣，呈现出超然尘世之外的苍洁旷迥、静谧清率格调。与马远相比，没有那种富贵、矜持、高华的气息，

南宋　夏圭《雪堂客话图》

较具自然野趣，在意境上颇具高远之致。以趣为胜、意境高远是夏圭绘画艺术的显著特色，也因此使他脱掉了院画家受形似束缚的匠气，受到后世文人士夫的赞叹和欣赏。

一般的看法认为，宫廷画师都是帝王宫苑中的供奉工役，缺乏艺术个性；其作品都是帝王意志下的应制之作，没有创作自由。因此，常将宫廷画师视为工匠或技艺之徒，将宫廷绘画视为只重形似、充斥匠气的“院体”而取轻视、否定的态度。

然而事实并非如此。虽然史料的缺乏限制了我们作深入的探讨，但现有材料已经有足够的依据，去更为客观公正地论述

马远、夏圭这样的宫廷画师。以马远为例，他在绘画创作上发展了李唐水墨苍劲的大斧劈皴一路豪放简括的风格，又以精严工致的笔墨技巧、妙于造景的构图、创意丰富的灵感、诗意浓郁的风格，形成了自己的鲜明特色，成为南宋院体山水画的代表人物。马远艺术成就的取得，绝非偶然。一门五代七画家的独特身世，赋予了他充分滋润的艺术灵性。在马远的心中、手下，绘画也许仅仅就是绘画。他有稳定的生活环境、裕如的心境和全身心投入的时间，来体味自然山川的大美，表述他心中充满诗意的艺术感受。

画家的身份并非判定其艺术风格和成就的唯一标准，艺术家最好的自我表达方式，是用作品说话，这同样也是我们欣赏和评价的依据。在马远、夏圭的作品中，我们看到了江南的清丽、空灵、精致、典雅，种种美好的意趣，在他们的笔下悉落画幅，定格成艺术的山水，以艺术的身份流传。

阅读链接：

（清）厉鹗:《南宋院画录》，于安澜《画史丛书》本，上海人民美术出版社，1962 年版。

陈野：《浮世绘影——南宋四家传》，浙江人民出版社，2007 年版。

袁剑侠：《马远·夏圭》，河南美术出版社，2011 年版。

咫尺小幅与万里境界

写过“接天莲叶无穷碧，映日荷花别样红”的南宋诗人杨万里，在他的《诚斋集》里，记了自己的一件趣事：一日，好友寄给他一幅像，是北宋著名画家赵大年的画作，虽然大不盈尺，而所画水石、草树、鸿雁、凫鹅样样清晰，秋毫可辨。尤其神奇的是，此画清旷淡远，令人展视之下，“愈视愈远，忽去人万里之外”。杨万里因旧日挑灯抄书之故，视力受损，医生告诫他切忌极目远望，以免影响视力。于是他急忙收起画卷，不敢多看。咫尺小幅之中，有可达万里的境界，北宋画家以平远之法开拓山水画意境的功力，由此可见。

到了南宋，这种类型的作品大量出现。据笔者粗略统计，《中国历代画目大典·战国至宋代卷》著录的132名南宋画家的893幅作品中，纵横尺幅均不超过30厘米的小幅画，有315幅左右；558幅两宋佚名作品中有247幅左右。如果将画幅的尺寸放大至纵横50厘米，同时加上那些篇幅大小在此范围、但因尺寸不详而未统计在内的作品，则其数量还将大大增加。小幅画的数量之大，由此可见一斑。

这种以纨扇、册页等形制出现的小幅画，题材涉及人物、

南宋　李迪　小幅画

山水、花卉、鸟禽、走兽、园林、建筑、汀渚等多个领域，反映了南宋社会生活方方面面的生动景象。而其最为重要的价值，在于展现了南宋画家高超的造境、构图和笔墨技巧，以及他们不断探索新形式、追求多样化表现风格的创新意识和能力。“布景运思，不盈咫尺而万里可论”，是极具难度的艺术境界，南宋画家于此不懈追求，取得了独树一帜的艺术成就。平远取景和虚实相应，是小幅画的两个主要成功因素。

中国山水画不同于西方绘画，它在处理绘画客体即大自然的空间关系时，采用的是“散点透视法”。北宋山水画家郭熙在所著《林泉高致》中，提出了“三远法”：“山有三远，自山下而仰山巅，谓之高远；自山前而窥山后，谓之深远；自近山而至远山，谓之平远。高远之色清明，深远之色重晦，平远之色有明有晦。高远之势突兀，

南宋　佚名《柳塘呼犊图》

深远之意重叠，平远之意冲融而缥缈。”

北宋以前，山水画多取崇山峻岭雄壮耸立的全景式高远构图方法。北宋时期有画家尝试以平远取景，在创建山水画清远、旷远、淡远的意境上，有首创之功。南宋以来，山水画的取景、构图大变，善以平远法取景，运用墨色浓淡的变化，造就淡远清旷的新境。小幅画中，以平远法取景者极多，朱光普的《江亭晚眺图》、李从训的《烟村秋霭图》、旧题刘松年所作之《山水图》等等，都是此类作品。平远取景是南宋小幅画取得杨万里所谓“愈视愈远”之艺术效果的关键。

虚实与黑白、动静、刚柔、方圆、疾徐、奇正、浓淡等一样，都是中国艺术理论特有的概念，来自中国古代哲学中“阴阳”的基本范畴。其共同原则，就是揭示事物所具有的彼此对立而

又相互消长的趋势与特征，通过相互调节在对立中求得统一与和谐，以至中和之美的最高境界。这样的艺术观念，是中国文化和谐理念在艺术领域的反映。

在小幅画中，山石、林木、楼阁、江帆、舟船以及点景人物，是表现的实景，而与之相对的由大片空白画面所表现的天光水色，则是虚景。画面往往半是实景半是虚景，甚至虚的幅面要大大多于实的景物。萧照《柳堂读书图》、贾师古《岩关古寺图》、李嵩《松风高卧图》、夏圭《湖畔幽居图》、朴庵《烟江欲雨图》等等，都是这样的作品。它们虚实相应，共为一体，既相互对立，又相互映衬，相辅相成地构成完整画面，予人以和谐有致的中和之美感。

小幅画中看似天光水色的大片留白，在审美的意境之外，还具有深刻的哲学奥义。以空白之法表现的这些虚景，正是中国人意识中的自然本质状态，是一个指引人类返璞归真的神秘存在。宗白华曾说过："中国画底的空白在画的整个的意

南宋　刘松年《秋窗读易图》

境上并不是真空，乃正是宇宙灵气往来、生命流动之处。”（《美学与意境》）它启示人类意识并正视自身之外的客观世界的存在和自身必然的主观世界的局限，以一种人所特有的艺术洞察力，领悟人之外的自然的深奥内涵、领悟人与自然的本质关联、领悟超越生命的宇宙存在。

因此，这里的“万里可论”，就不只是一个地理空间的概念，它体现了彼时人们深刻的人生哲思和宏大的宇宙意识。

智言慧思

不要人夸好颜色，只留清气满乾坤。

——（元）王冕《题画诗》

阅读链接：

宗白华：《美学与意境》，人民出版社，1987 年版。

陈野：《南宋绘画史》，上海古籍出版社，2008 年版。

周积寅、王凤珠编著：《中国历代画目大典》，江苏教育出版社，2002 年版。

丝绢缣素上的西湖印痕

南宋是西湖的好时光，也是西湖绘画的好时光。在这个“山外青山楼外楼，西湖歌舞几时休”的时代里，西湖绘画达到了她千年历史中的辉煌，开启了她绵延至今的艺术传统。

至南宋时，西湖经前代苦心经营，自然美中融进了建筑和园林之美，丽质渐现，声名日盛。南宋画家们与西湖日日为伴，尽情尽兴地体味着、描绘着西湖的湖光山色。他们以诗意浓郁的眼光、情趣和才艺，从五光十色的湖山美景中，提炼出“雷峰夕照”“断桥残雪”“苏堤春晓”“平湖秋月”、“石屋烟霞”等画意，凝练成西湖画作的题名。此风一开，顿成画坛盛事。西湖风光纷纷入画，逐渐从因景作画到因画名景，最终形成驰名中外的“西湖十景”，西湖也因此成为一个专门的画题。

只有游客和风景喧腾的西湖，不论淡妆还是浓抹，终究超不出一个美人的形制。“西湖风景”不是指称南宋西湖绘画题材的恰当词汇，因为夏圭《西湖柳艇图》、李嵩《西湖图》等画作里的西湖，不惟只有风景的靓丽，精妙严谨的笔墨交织着画家一生的挚爱深情，沉沉稳稳地落在丝绢缣素之上。对于西湖的虔诚礼拜、对于西湖的终身托付，便漫溢于画幅之中，静默无语，温润充盈。

在今日可见的西湖画幅里，我们看到的是平坡远渚、轻烟淡岚中的一方宁静湖面。在那里，沉静了浮世的躁动，积淀了岁月的风华。淋漓的笔墨，空灵的画面，有浓浓的诗意漫漫流泻，足以让观者感受到湖水清澈的本质和烟波里曼妙的风姿。

南宋　李嵩《西湖图》

西湖不惟只是一个水的世界，在江南烟雨的滋润下，湖畔的山峦、坡石、林木、溪涧交织成一片水光潋滟之外的空濛山色。连绵起伏的不尽群山、高大挺拔的千年古树、覆满青苔的嶙峋坡石、纯净明丽的花枝草叶、自流不息的蜿蜒小溪、空山无人的鸟鸣、叶落有声的静谧，都在大自然的滋养中彰显着蓬勃活力。厚重不语、生机内敛的山石林木，积聚着巨大的生命能量和创造的力与美。正是它们，为西湖的明艳传送着永不枯竭的

美丽因素。从马远、夏圭等画家的《梅石溪凫图》《山径春行图》《溪山清远图》《松崖客话图》《遥岑烟霭图》《烟岫林居图》等作品中，可以充分感悟到这样一个意韵丰厚、湿润清新的湖山天地。

湖光山色于四季之中的自然变换，最直接、最切实地昭示着西湖内在生命之韵的律动。风花雪月的表象形成了西湖经年有序的景致，在其背后，更有人们对四时更替、岁月流淌的体味和思索。在刘松年的《四景山水卷》里，对之有生动的传写。

在南宋时期的西湖绘画作品中，西湖的园林亭墅穿插以皇室、贵族、文人的闲

阅读链接：
刘建平编：《中国美术全集（宋代绘画）》，天津人民美术出版社，1997 年版。
陈野：《西湖绘画》，杭州出版社，2008 年版。
王国平主编：《西湖全书》，杭州出版社（分年度出版）。

适生活，是画家们表现得较多，也是最具特色的题材。在马远、刘松年的《华灯侍宴图》《春山仙隐图》《长乐清吹图》《溪山楼阁图》《春亭对弈图》等表现皇家、贵族和士大夫生活环境的作品中，都有界画工整的园林亭墅。

南宋四家之一的刘松年，杭州人，家住西湖边的清波门。他日日面对西湖挥毫作画，于西湖的万种风情、诸般气象自多有会心处，特别善写西湖园林的优美景色，平坡点翠，林亭空旷，茂林修竹，松筠映发。在他的笔下，云霭烟树在精致的庭院里陪伴着帝王、贵族、士大夫们度过他们的春夏和秋冬、华日与良宵。画作巧妙地将工整的青绿和淋漓的水墨结合在一起，温婉优雅，精深严谨，清丽细润，秀洁圆润。

然而西湖不惟只有湖光、山色与庭园，形形色色的文人士

南宋　刘松年　《四景山水图》（春景）

子在此舞文弄墨、行吟雅集。西湖的画面上，舞动着文人画的墨韵，散发着人文精神的光辉。在南宋画家的画幅里，一代高隐之士林和靖与他标格世外的梅花、“暗香疏影”的诗句一起，成为西湖绘画独特而重要的题材。南宋马逵的《林和靖爱梅图》、马远的《林和靖图》、马麟的《林和靖孤山图》《暗香疏影图》都图绘了林和靖与梅花、与西湖的这一段旷世因缘。

西湖的曼妙多姿，明明媚媚地照亮着人们的眼。云水澹澹的空濛、林壑清幽的静谧、碎月摇花的幽雅、波心翔影的空灵、湖上风月的雅致、烟寺晚钟的清悠，聚成独特的西湖的美。南宋画家们用绘画的行为，将艺术注入西湖的天然风华之中，为西湖陶冶出诗意的气质和精致的品位。这样一个艺术的西湖，在丝绢缣素之上，留下了她的岁月印痕。

南宋　夏圭《西湖柳艇图》

僧侣们的云山墨戏与艺术创新

南宋时期，出现了一种减笔作画、惜墨如金、不拘成法、意在墨戏自娱的绘画风格，创作题材涉及人物、花鸟和山水，创作者以僧侣画家为主，著名的有梵隆、法常、若芬、萝窗以及与他们关系密切的画院画师梁楷等人。他们的画作及其影响，当时已远至日本，至今遗韵犹存，构成了南宋绘画史上的一个独特亮点。

法常（生卒年不详），号牧溪，南宋理宗、度宗时居于杭州西湖边的长庆寺，是一位风格特异的画僧。作画多用蔗渣、草汁随笔点墨，虽只寥寥数笔，却以精到的笔墨画出花木鸟禽，形简神备，洒脱自然，栩栩如生，是一种笔墨简率粗放、颇具个人创意的新型绘画。法常是南宋高僧无准禅师的“法嗣”，他和当时日本派来中国学佛法的圣一国师是同门。圣一在宋理宗淳祐元年（1241）回国时，带去法常作品《观音图》《猿图》《鹤图》，至今仍珍藏在东京大德寺。法常的很多作品流传至日本，被称为“国宝”。其画风对日本产生重大影响，被评为“日本画道的大恩人”。

若芬的《潇湘八景图》体现了更为奔放简括和水墨淋漓的

南宋　法常《鹤图》

南宋　法常《观音图》

南宋　法常《猿图》

倾向。若芬号玉涧，婺州（今金华）人。曾居临安天竺寺，又遍游诸方，摹写云山以寓意。善画墨梅墨竹，后专意于山水，加之书法的独特面貌，被时人称为“三绝”。若芬作画不拘泥于琐碎细节的形似，而以水墨大笔挥洒，寄情寓意。云山墨戏，形简意备，与其洒脱的个性十分相符。他的作品和法常一样，很早就传入日本，《庐山图》《山市晴岚图》等均为日本收藏。明代僧人如拙渡海赴日本九州岛，住职于日本东福寺，成为日本水墨画初期的“伟大先锋”。如拙的画，就是以法常、玉涧为师的。

宫廷画家梁楷经常往来于西湖边的寺庙，与僧侣画家们过从甚密，他的画风以水墨、减笔的创意和形式，在画史上与法常一起深受推崇，并被视为僧侣画家们的同道。

梁楷中年以后，变法创新，另辟蹊径，富有创造力地在人物画中开出了草草

率笔、简练豪放的减笔画法和笔势粗阔、水墨晕染的泼墨画法。今传其《六祖图》《李白行吟图》，以简洁清淡的笔墨勾勒人物形象，表现出一种简练洒脱的风格。《泼墨仙人图》用粗阔的笔势和浓淡相间的水墨，将仙人的醉态泼洒得淋漓尽致，是水墨写意人物画的典型作品。这种运用于人物画的泼墨画法，是梁楷在绘画史上的重大贡献。

花鸟题材的《秋柳双鸦图》，以空濛山色为背景，用寥寥数笔描绘月下柳、鸦。柳是枯枝上的一二柳丝，在空中轻垂摇曳；鸦是双鸦，展翅飞鸣于枯枝柳丝的周围，毛羽丰满，形象生动。通观全画，简淡的山色、空疏的布局、细如游丝而又清劲柔韧的线条，营造出一个深秋日暮的幽淡境界。图中有笔墨，也有心境，更有一种禅意的体验，能使人的心绪平复、心境空明。

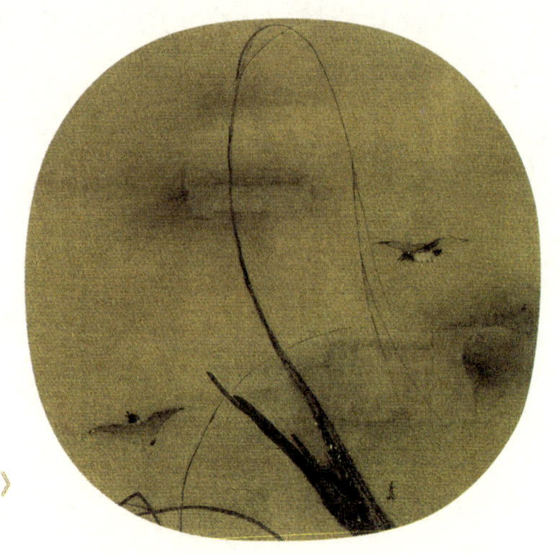

南宋　梁楷《秋柳双鸦图》

以法常等人的僧侣身份和梁楷与佛门的密切往来看，他们的作品都或多或少地浸染着佛法奥义、禅宗机锋。比如以简约疏淡的构图、空灵静寂的意境体会“空”和“无”的禅思，以脱略形似的“墨戏”体味自由自在的禅悦，以刚猛迅烈的线条表达电光火石般的顿悟等等。因此，画史上也有人将之称为“禅画”。

从中国绘画史的发展来看，在法常等人的绘画新风出现之前，已经不断出现水墨形制、简约构图、笔墨纵逸、追求空灵画境的绘画现象，比如苏轼、黄庭坚等人积极倡导的士人画；米芾、米有仁父子的墨戏云山；贯休、石恪、甘风子等画家的水墨、变形、减笔、泼墨人物画；项容、王默、顾况的江南水墨画；李唐、刘松年、马远、夏圭的山水画等等，逐渐汇聚成以水墨、简约为主要特征的发展趋势，为法常们作了历史性的铺垫。因此，法常们的绘画，并非横空出世的无本之木、无源之水，以独立的“禅画”加以简单论定，似非恰切。

元时，法常们的画风遭到批评和否定，《图绘宝鉴》《画继补遗》都指其“粗恶无古法”，“枯淡山野，诚非雅玩。仅可僧房道舍，以助清幽耳”。当时由于过于彰显个体的“心”对外物的决定作用、强调个体的直觉和顿悟、追求绝对自由的人生境界，使得佛门戒律松散，过激或极端的现象时有发生。比如禅师的偈语中，甚至有言称“饮酒食肉，不碍菩提;行盗行淫，无妨般若”“手把猪头，口诵净戒”，显然是借禅宗“棒喝”行一己私欲，心浮气躁，肆意妄为。

这种现象反映到绘画之中，出现了违背禅宗本义的虚骄、粗糙、浮躁之作。大量粗笔简墨的草率之作，或是故弄玄虚的“魍魉画”充斥画坛，野狐禅们以随心所欲的所谓“禅画”创作，将法常们的画风带进了走火入魔的绝境。

明代以后，法常等人的画风重获推崇，虚谷、八大山人、徐渭等以水墨写意见长的文人画家，都继承借鉴了水墨、减笔、简率、纵逸、形简神似、个性洒脱等等艺术创作元素，攀上艺术高峰。这种现象足以说明，法常们的画风得以画史留声、

阅读链接：

潘天寿：《中国绘画史》，团结出版社，2011 年版。

阮璞：《禅宗盛行影响绘画发展之说几成滥调》，见《画学丛证》，上海书画出版社，1998 年版。

林谷芳：《画禅》，中国青年出版社，2009 年版。

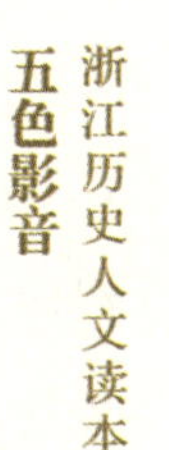

传承发扬、获得艺术生命的主要因缘，更多地在于内生于中国绘画传统的艺术因子。

禅宗确实对中国艺术产生非同小可的影响。“它关于个体的‘心’对外物的决定作用的强调，它对通过个体的直觉、顿悟而达到一种绝对自由的人生境界的追求，在唯心主义的神秘形态下，包含着同审美和艺术创造极为类似的心理特征的深刻理解。”（李泽厚、刘纲《中国美学史》第一卷）

就绘画而言，禅宗的影响应该主要表现在画家创作观念的主观层面。比如创作中画家心灵的主观能动性的发挥，对绝对自由的人生境界的追求等等。它可以在绘画上得到反映，但绝不是绘画的全部，更不能全盘替代艺术表现形式和手法。

智言慧思

凡有美术，皆是以征表一时及一族之思维，故亦即国魂之现象；若精神递变，美术辄从之以转移。

——鲁迅《拟播布美术意见书》

元代浙江的文人画意与情怀

和唐宋绘画相比，元代绘画尚意抒情，变化显著，是画史上文人画发展的重要时期。浙江画家于元代推进了文人画在浙江大地上走向成熟，并在中国艺术史上留下赵孟頫、黄公望和《鹊华秋色图》《富春山居图》等众多脍炙人口的文人画家与作品。

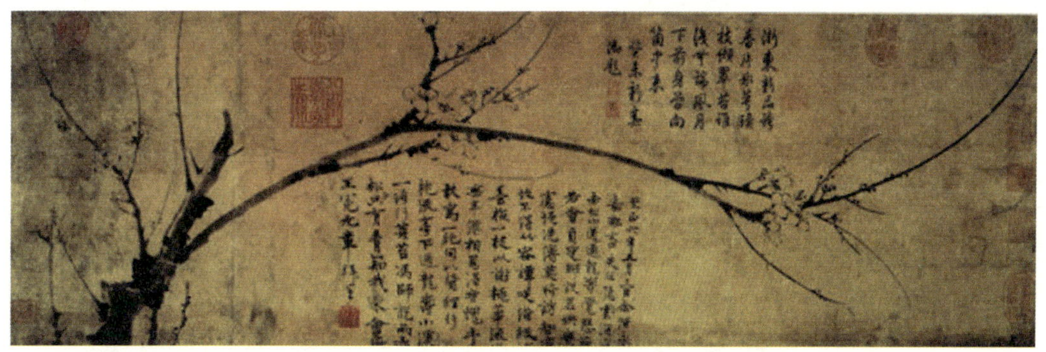

元　王冕　《墨梅图》

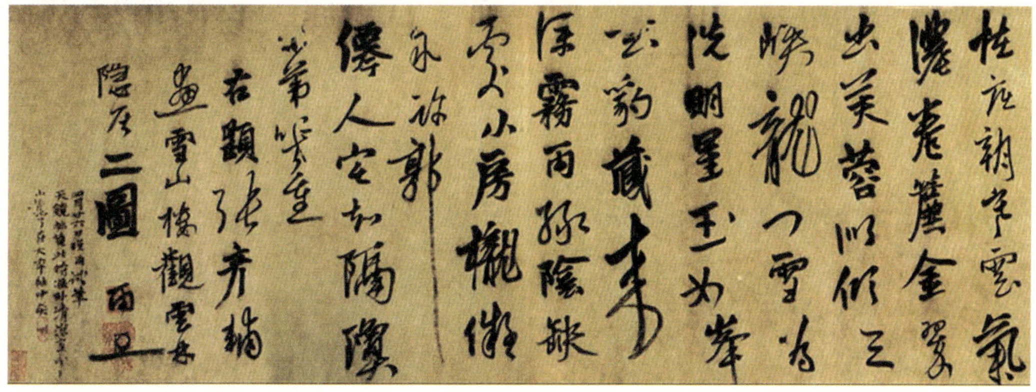

元　张雨　《题画诗卷》

什么是文人画？文人画有什么特点？学界对此有多种论述，至今未有确切定论。近代学者陈师曾的见解，受到比较多的认同。他说："何谓文人画？即画中带有文人之性质，含有文人之趣味，不在画中考究艺术上之工夫，必须于画外看出许多文人之感想，此之所谓文人画。"并且提出了文人画所应具有的四个要素："第一人品，第二学问，第三才情，第四思想；具此四者，乃能完善。"(《文人画之价值》)

文人画在历史上也被称为"士人画""士夫画"，指文人学士创作的、以自然山水梅竹为主要表现题材、不求形似求神似、不重设色重水墨、讲求笔墨情趣、重视气韵生动、追求超逸意趣、以抒发个人性情为尚的绘画作品，以此与宫廷职业绘画和民间绘画相区别。一般认为，文人画自唐代王维始创，经苏轼、米芾等人的极力推崇，至元代得到充分发展，臻于成熟。

元代之所以成为文人画的大发展时期，究其原委，既有绘画艺术发展的内在规律，更与元代特殊的社会环境、汉族文人士子的特殊处境以及由此形成的特殊文化心态和精神寄托关系密切。

元朝取南宋而立国，在传统汉族文人的观念里，是“异族”的统治，大都有“皮之不存，毛将焉附”的亡国之痛和忠烈守节的不合作态度。从当时的客观社会环境来看，蒙古族统治者在统一全国的战争中对汉民族实施野蛮杀戮和残酷镇压；统一之后实行民族歧视政策，汉族士人阶层尤其受到藐视，“八娼九儒十丐”的历史说法是他们社会地位低下的生动写照；而元前期科举制度的取消，使得饱读诗书的儒生们兼济天下的传统理念和人生热望遭到毁灭性的打击。几乎每个人都作出了种种不懈追求，经历了一番苦苦挣扎，最后的结果终究是徒劳。当外界的出路都已绝望时，自我心灵的归宿，就是一个最后的去处了。

元代文人们在现世的失望中，放弃了对人间世事变幻的关注，深深地回归沉潜于自己生命的本体，学道参禅，独善其身，退隐山林，诸艺并修。他们沉浸于诗文

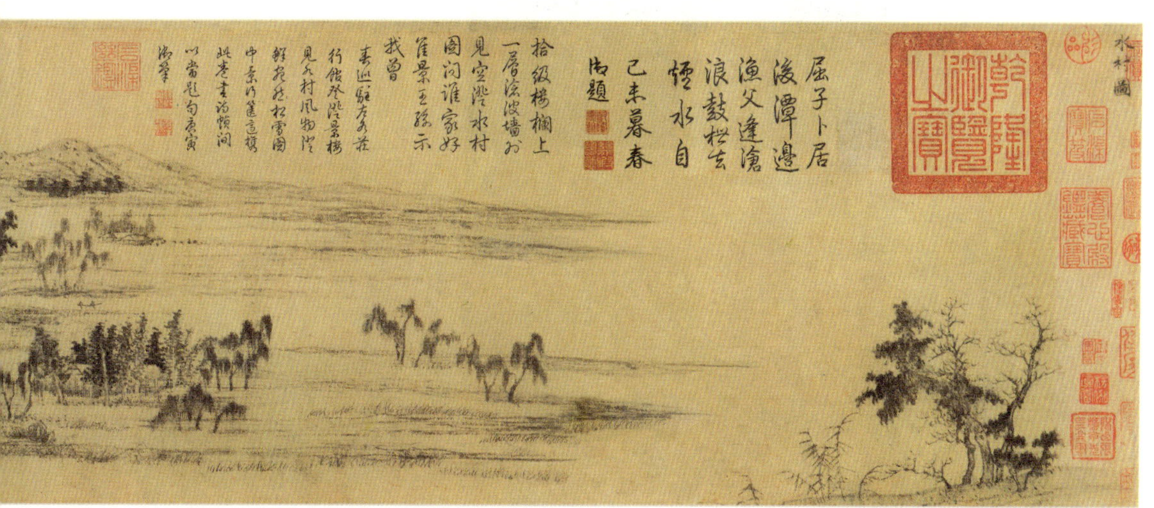

元　赵孟頫《水村图》

元　赵孟頫《松荫会琴图》

书画的创作，潜心于技艺的切磋，以广博深厚的艺术修养、人生体验感悟山川梅竹，以高逸简率、元气淋漓的笔墨书写心中逸气、寄托情怀。他们的作品强调“有我”的表现，藉萧条淡泊的意境抒发山林隐逸之思。

生来孤寂、敏感、多情的心，曾经躁动、不安、受伤的心，

在大自然的山水梅竹间得到安顿，重归平和、宁静的心境。文人画的传统和表现形式，契合了他们倾述与表达的需求，于是绘画艺术融合进浓郁的文学意味，尺幅之间承载起厚重的人生情结，文人画作因而大量涌现。

这一时期的文人画，不但继承了传统，而且以系统的理论、纯熟的水墨、抒情的写意，特别是诗、书、画、印“四美”合一的独特形式，将这种艺术形式推向了成熟的发展高峰，表现出鲜明的民族风格，将中国绘画艺术升华至全新的审美境界。

在中国绘画史上，元明清三代是文人画的兴盛时期。但对浙江来说，元代才是她的骄傲之所在，“人杰地灵”“钟灵毓秀”“大家辈出”“佳作如云”的赞词，在这一时期得到形象体现。元代浙江的文人画创作，几乎占尽全国画坛的春光。元前期的赵孟頫、钱选，山水画“元四家”中的黄公望、王蒙、吴镇，花鸟画中的李衎、柯九思、杨维翰、王冕，以及张雨、柯九思、杨维桢等，这些超越前代、书画皆善的名家，都是浙江人。

明人王世贞论述中国山水画的发展，认为到元代黄公望、王蒙这里，山水画又有“一变”。与南宋一样，这次的创新之变，又开启于浙江大地。而与南宋不同的是，元代文人画艺术成就的取得，并未沾溉皇恩，也不是全国各地艺术家的集体汇聚，而是浙江自己的创造。山水梅竹之间，凝聚着浙江的清丽山水、艺术天赋和文化个性，笔精墨妙，气韵悠长。

阅读链接：

刘建平：《中国美术全集（元代绘画）》，天津人民美术出版社，1997年版。

［美］高居翰：《隔江山色（元代绘画1279—1368）》，三联书店，2009年版。

陈野：《浙江绘画史》，杭州出版社，2005年版。

赵孟頫：唯余笔砚情尤在

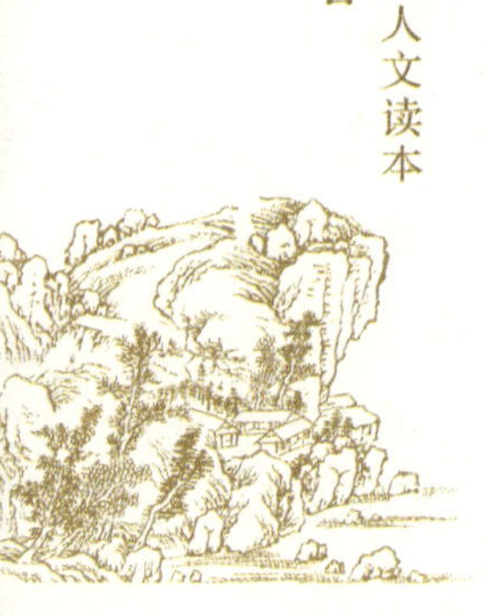

63岁那年，赵孟頫写下《自警》诗："齿豁头白六十三，一生事事总堪惭。唯余笔砚情尤在，留与人间作笑谈。"赵孟頫的聪慧敏锐，让他在生前看到了自己的身后事。

赵孟頫（1254—1322），吴兴（今湖州）人，字子昂，号松雪道人等，出身赵宋皇族。元灭南宋，其母告诫说："圣朝（元朝）必收江南才能之士而用之，汝非多读书，何以异于常人。"赵孟頫因此发奋勤学，在十余年间打下诗文书画的坚实基础。期间，他常赴杭州，与聚居于这座前朝都城里的才俊之士品文论艺，酬唱交游，既大获益于学识，更高扬了声名。

世事果如其母所言，"才能之士"赵孟頫在忽必烈搜访"江南遗逸"的行动中居于首选，元至元二十三年（1286）来到京城大都，开始仕宦生涯。对此，他曾有过最初的拒绝和抗争，但最后的顺从也绝非完全出于无奈。33岁的人生，正是甘受名缰利绳索缚的年华，建功立业的理想和抱负，炽盛的功名利禄之欲，加之母亲的教诲和希冀，促使他自觉自愿地走上元朝的仕途。

元代五朝帝王都对赵孟頫恩宠至极，认为他有常人不可及

者七：帝王苗裔，状貌昳丽，博学多闻，操履纯正，文词高古，书画绝伦，旁通佛老之旨造诣玄微。因此，他仕途畅达，一路加官进爵。数十年间，官至一品，荣际五朝，推恩三代，名满天下，妻子管道升加封魏国夫人。元帝的礼遇曾使他极度欢欣，以至发出美梦成真的欢呼："海上春深柳色浓，蓬莱宫阙五云中。半生落魄江湖上，今日钧天一梦同。"即使受到朝中大臣的猜忌和倾轧，仍然不改初衷："往事已非那堪说，且将忠赤报皇元。"

赵孟頫具有诗文、书法、金石、音律、鉴赏等多方面艺术成就，绘画上山水、竹石、人物、马兽、花鸟无所不精，尤以山水画的影响最为显著，王维、董源、巨然风格的画作，是他成就最高的作品，主要有《鹊华秋色图》《水村图》等。尤其引人注目的是，以赵孟頫为代表的赵氏一族，出现了管道升、赵雍、赵麟等著名书画家，足可与东晋王羲之家族相媲美。赵家的书房画室，一时成为元初文坛艺界的中心。

《鹊华秋色图》画的是济南的华不注山和鹊山，平坡缓缓，汀渚连绵，繁树林立，水草丛生，村舍散落，轻舟竞渡。平远的构图、山水芦草汀渚河泽的题材、山光水色的清润柔静、神思气韵的悠然淡定，都与传世的董源作品相近。《水村图》提炼了江南水乡村居特色，低峦连绵，湖泽苍茫，间以繁树杂草，点缀茅舍篱落，渲染

元　赵孟頫《鹊华秋色图》

出一派云山漠漠、生机勃勃的自然之趣和静谧安逸的田园生活意趣，将文人士子心目中山林隐居的理想，作了艺术的表现。画中渴笔皴擦的笔法、清润明晰的线条、水墨浅绛的设色、简括萧疏的画面、柔和恬静的氛围、自然放逸的意境，都开启了元代文人画的新境界，深刻地影响了其后黄公望、倪瓒等重要山水画家。

元　管道升《致中峰和尚尺牍》

作为艺术史上力开新境的扛鼎人物，赵孟頫强调“作画贵有古意”“书画同源”，在绘画理论上有重大建树。

“作画贵有古意”，是赵孟頫最有特色的绘画思想。当时，“南宋四家”的绘画已经走到极致，属于这个流派的大师已经逝去，剩下的只是在其余澜里抱残守缺的因袭者，在日复一日的线与色的机械反复中，将南宋绘画的辉煌生生地带进了死地。赵孟頫为此强调“古意”，师承目标直指北宋而上溯晋唐，意在拯救世风。他坚决地否定了南宋绘画：“李唐山水，落笔老苍，所恨乏古意耳。”这种否定不但出于艺术眼光，更有政治视角，

是他以宋室王孙之身出仕元廷、政治上谨慎自保态度在艺术创作上的反映。

书画同源，是文人画的核心。书法用笔可以增添画中的书法韵味，丰富中国绘画以线造型的形式美感，形成书画交融的民族特色。赵孟頫以《枯木竹石图》《秀石疏林图》等创作实践，首次将书法用笔引入花木竹石画中。他把以往散见的见解概括提炼为“石如飞白木如籀，写竹还与八法通。若也有人能会此，方知书画本来同”的论画诗（书《枯木竹石图》卷后），强调用书法的飞白、籀篆、八分等笔法笔意画石写竹，并以自己的成就地位确立了书画同源在中国艺术史上的地位。

元代艺坛盟主赵孟頫，却在身后受到责难和抨击。最典型的事例是，明代董其昌将他从“元四家”中剔出，而以倪瓒代之，此后遂成定论。此间原因，正在于赵孟頫出仕元廷，有违文人气节，在看重德性品行的中国艺术传统里，自然遭到唾弃。

元代初年，朝廷清晰强烈的民族观念，对待汉族的残暴、蔑视和戒备，激烈的民族冲突和对抗，汉族士人决绝抗争的悲愤压抑，九儒十丐的地位，隐居山林以求洁身自好的品行，都是客观的社会存在。赵孟頫在那样的时局和氛围里出仕元廷，

元　赵孟頫《秀石疏林图》

实在是一个轻率和过于功利的选择，既有亏于民族气节，也表现出个人品格上的欠缺。

其实，晚年的赵孟頫，随着年岁的增长、阅历的加深，兼济天下之少年雄心日渐消褪，日益清晰地看到了自己仕元行为的轻率，陷入深深悔恨之中："在山为远志，出山为小草。古语已云然，见事苦不早。""昔为水上鸥，今为笼中鸟。"(《罪出》)"从此放浪形骸外，何处人间有悔尤。"(《次韵弟子俊》）人间确实没有后悔药可买，每个人都不得不对自己的行为负责。赵孟頫的"留与后人作笑谈"，自是不可避免的了。即使他在艺术上造诣非凡，贡献卓著；即使他以自己的政治地位保护弘扬了民族文化传统，以当时相对先进的汉族文化对当时文化上相对落后的征服者进行了反征服，似乎都于事无补。"唯余笔砚情尤在"，这既是赵孟頫彼时心境的自况，也是他青史留名的缘由之所在。

阅读链接：

（元）赵孟頫：《赵孟頫》（中国古代名家作品选粹），人民美术出版社，2012 年版。

任道斌编：《赵孟頫文集》，上海书画出版社，2010 年版。

陈云琴：《松雪斋主赵孟頫传》，浙江人民出版社，2006 年版。

黄公望：山水间的归宿与永生

黄公望与浙江的渊源，至今还是一段尚无定论的关系。画史上一般的说法认为，黄公望本是姑苏（今江苏苏州）人（一说常熟人），姓陆名坚，幼年时过继给浙江永嘉（今温州）黄氏。黄家老人年九十得此子嗣，不禁感慨系之，叹曰“黄公望子久矣”，遂改姓黄，名公望，字子久。也有学者对此发表疑义，认为黄公望原本就是温州人，他晚年坚称自己为“平阳黄公望”，元明间的多数著作也并无陆氏子之说。故黄公望为继子的说法，实为臆测之辞。对浙江来说，无论哪种说法可靠，都脱不了黄公望与浙江的缘分，所以也就不必深究了。

与历史上许多文人画家一样，黄公望早年用心并不在画道上，着意的乃是求取仕途功名。然而直至中年，才谋得一个浙西廉访司书吏的差事。后来又到大都（今北京），在都察院张闾手下任职，“经理田粮”。不成想张闾却是个贪官，被治罪下狱，黄公望受到牵连，于元延祐二年（1315）被监禁，时年 47 岁。

获释后，他易名苦行，号净墅，又号大痴、一峰。从此了却了政治抱负而以卖卜授徒为生，入全真道，隐居山林、云游四方，放浪于江湖间，寄情在诗画中。和许多失意的文人一样，黄公望自然也是酒中豪客。他举杯邀月，放怀畅饮，临水独斟，对山醉卧，竭尽特立独行之能事，以致时人“望之以为神仙”。清丽明媚的杭州西湖山水，留住了居无定所的黄公望的脚步，他晚年筑庵隐居于杭州南山筲箕泉。元至正十四年（1354），在杭州去世，享年 86 岁。

从黄公望的本性和素养来看，这样的生活似乎更适合于他。据他的朋友钟嗣成说："公望之学问，不待文饰，至于天下之事，无所不知，下至薄技小艺，无所不能。长词短曲，落笔即成。人皆师尊之，尤能作画。"（《录鬼簿》卷下"黄子久传"）。以此看来，终究还是一个文章技艺中人。仕途上这场看似挫折的磨难，让他抛弃了虚幻的政治热望，促成了他于将近五十的年华而在绘画艺术中获得归宿，走向永生。

黄公望山水画的基本风格，大致有两种，一种为浅绛设色，笔势雄伟；一种为水墨，笔意简远。他久居江南，50 岁以后更是优游名山大川，纳自然山水于胸臆之中。他隐居富春江时，凡领略江山钓滩之胜，皆带纸笔作速写模记，"树树归画囊"。他的山水画素材，来自无数山水的佳胜之处。经过艺术加工后的千岩万壑，于笔墨意趣之中更显出或雄伟、或简远的情怀寄托。

黄公望流传至今的作品较多，有《九峰雪霁图》《天池石壁图》《富春大岭图》等，而最为脍炙人口、代表他最高艺术成就的作品，当数《富春山居图》，历来都是帝王和收藏家的珍爱之物。子明本和无用师本的真赝之争，流传中的火后余生，画分两段各藏大陆与台湾的两岸相望，温家宝总理以画作的合

成喻两岸人民的团聚，2011 年 6 月 1 日台北“故宫博物院”与浙江省博物馆所藏之两段《富春山居图》在台北的合璧特展，都为它增添了超越画艺的传奇色彩，获得社会广泛关注。

作此画时，作者已年近八十，为写出自然山水的奇丽，更为了表达他心中的佳妙意趣，黄公望常常云游在外，对山川林木作细细的观察揣摩，以至此图“阅三四载未得完备”。此图在构图和意境上，取法五代董源《夏山图》而又有变化，师从赵孟頫《鹊华秋色图》《水村图》而又有新的推进，构建了自己独特的风貌。画中表现的是富春江一带的初秋景色，峰峦起伏，江岸连绵，坡石汀渚掩映于蓊蓊郁郁的松林竹木中，村落、亭台、小桥、渔舟点缀于山间江中，云树苍苍、平沙漠漠、飞泉流响、溪山深远。山石用干而枯淡的线条写出，用松秀的大披麻皴淡擦，疏落有致，气势洒脱；画山林丛树，以浓墨、湿墨写干点叶，葱茏醒目，生意盎然；表现江景则借地以为江水，以浓枯墨勾出水纹，静中蕴动，境界开阔。山淡、树浓、江清，层次丰富多变，诗情画意交融，并至清润、雅秀、开阔的意境。

《富春山居图》堪称稀世之珍，“清四王”之一的王原祁，对之曾有评析：“想其吮毫挥笔时，神与心会，心与气合。行乎不得行，止乎不得止，绝无求工求奇之意，而工处奇处斐然于笔墨之外，几百年来，神采焕然。”（《麓台题画稿》）都是山水画人，都是画中大家，都是自然山川的挚爱亲朋，王原祁所言，可谓至论。

从绘画史的角度来看，黄公望及其《富春山居图》的重要贡献，在于发展了文人山水画的传统。继赵孟頫之后，黄公望彻底改变了南宋后期院画末流水墨粗疏燥

元　黄公望《富春山居图》

硬的画风，并在山水画上取得超越赵孟頫的成就。他将五代时董源、巨然一路平淡清远的江南山水画，推向画坛主流地位，并进一步发展为笔墨简淡、水气充盈、境界开阔、意境清远、具有强烈抒情意味的文人山水画。独具特色的元代文人山水画，至此臻于成熟，一代新风由此启程，黄公望也被列为“元四家”之首。

明清以后，沈周、文徵明、唐寅、董其昌、“清四王”等著名画家都对黄公望极为推崇，绘画创作受到他的深刻影响，文人画因此得到社会的充分认可，成为中国传统绘画中最具代表性的艺术形式。

阅读链接：

（元）黄公望：《富春山居图（合璧卷）》，凤凰出版传媒集团、凤凰出版社，2011 年版。

王伯敏：《富春江上画中行》，台北《故宫文物》，1991 年 4 月刊。

楼秋华：《〈富春山居图〉真伪》，浙江大学出版社，2010 年版。

吴镇：梅花丛里　看淡世事

元　吴镇《洞庭渔隐图》

与声名卓著的黄公望同被列入“元四家”的，还有家居嘉兴魏塘的画家吴镇。

吴镇（1280—1354），字仲圭，是一个性格十分独特的人。他的一生，既自称是书生，又自号作道人，还自许为和尚。他以“儒为本”“道为用”，后来进一步求“空门”。这种独特的性格让他一生贫困，也使他的声名不彰于时。因此，史料的记载也就十分简略，可供后人稽考的依据大多在他的诗画之中。这为我们今天的研究带来了困难，却让我们对他的真实心灵有更为直接的体悟。有时，浮华世事带来的繁复热闹的文字盛誉，往往掩盖了一个人的真实本相。

吴镇似乎是一个真正拒绝了世俗繁华的人。从少年时代起，他究心的就是“天人性命之学”。长大后一直隐居乡里，既不往仕途上去求显贵，也不从买卖书画的经营中去求豪富，从来没有结交达官贵人的意愿和举动。作为一个以画为生者，其画虽豪

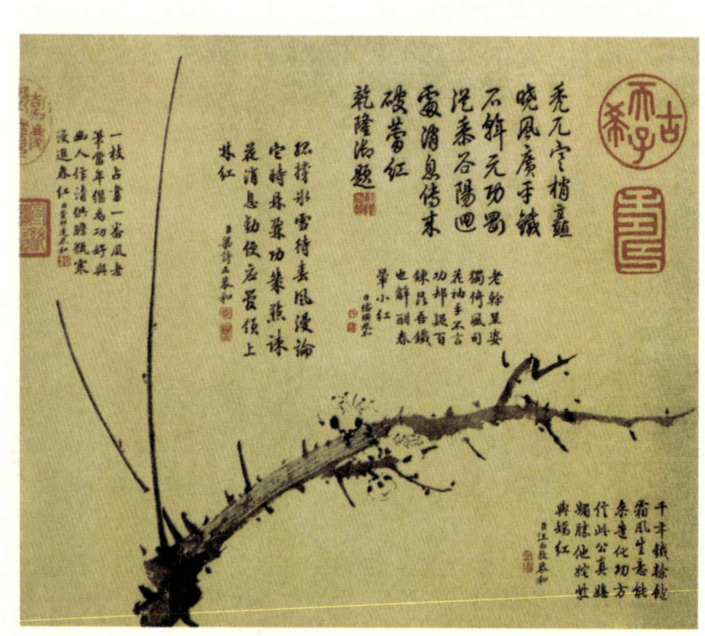

元　吴镇《墨梅图》

强巨富者也不能以势相夺，唯以佳纸善笔相赠，他才欣然就几挥毫，悉数满足。因此生活贫寒，便在家乡或前往杭州一带卖卜，以此养家糊口。

孤峭贫寒的吴镇，自我世界里的生活却是丰富充实。他酷爱梅花，自号梅花道人，也自称梅沙弥和梅花和尚，居家四周，遍植梅树。同为"元四家"之一的倪瓒，曾为他的山水画卷题诗，记下了他当时的生活："道人家住梅花村，窗下松醪满石尊。醉后挥毫写山色，岚霏云气淡无痕。"梅林中的吴镇，以赏梅自乐，以诗文书画自遣，甘于清贫淡定的生活。

吴镇的孤傲自洁和淡泊自乐，来自于他的自信。虽然他的

画名不为时人所重，却丝毫不能影响他的心态。明代海内文宗、书画大家董其昌在《容台集》中记到：

> （吴钟圭）本与盛子昭比门而居，四方以金帛求子昭画者甚众，而仲圭之门阒然，妻子颇笑之。仲圭曰：二十年后不复尔。果如其言。

可见吴镇拒绝的乃是身边的世俗，对于日后人们的认可和赞誉，他还是充满自信地在等待，所以晚年的“空门”并非彻底的“空”，因为对艺术，对生活，对自我价值的肯定，他都是大有期待的。他相信岁月之河的大浪，足以淘尽沙砾而使真金闪烁。

后来果然超越盛子昭而在画史留得大名的吴镇，绘画艺术造诣突出体现在山水画和墨竹画上，人物、花卉也自有意趣。他的山水画与黄公望一样，师从董源、巨然一路，却别有洞天，与黄公望的简淡清远相比，自有一派苍苍莽莽的林下之风。董、巨之外，吴镇对画史上的诸位大家都有悉心临摹，他也学李成、郭熙，还受到二米的影响，而马远、夏圭的一些用笔，也可在他的画中找到。于是，在晚年遂成润笔湿墨、苍劲沉郁的绘画风格。

像吴镇这样的一位画家，作品的取材自然会有隐居生活的清寂和松竹梅花的高洁，既是自况，更是寄托。他画了很多《渔父图》，各种“渔隐图”，十分著名。画面上，往往是墨气厚润的千重山，浓浓郁郁的万丛树，波平浪静的一湖水，云淡风轻。或是一叶小舟载着隐士垂钓其中，或是隐士顾自抱膝独坐，与山色湖光相看两不厌。

《洞庭渔隐图》是他的名作。画上有他自己的题诗：“洞庭湖上晚风生，风搅湖心一叶横。兰棹稳，草衣新，只钓鲈鱼不钓名。”画面取一河两岸的构图，近处苍松挺立，彼岸坡长汀远，河中芦草青青。笔墨清淡的隐者、孤舟，从水汽氤氲的梦中，悄然而至。

画中，水墨写意的画风和诗、书、画合一的形式，展示的是至元代而臻成熟的中国传统文人画的典型风格。而由吴镇始创的一河两岸的构图和空灵静谧的意境，则为倪瓒所取，并发展至更为简劲荒疏的境界，成为元代文人山水画重要而鲜明的标识性样式。

智言慧思

石如飞白木如籀，写竹还与八法通。
若也有人能会此，方知书画本来同。
——（元）赵孟频《书〈枯木竹石图〉卷后》

阅读链接：
（元）吴镇等：《元四家》（中国古代名家作品选粹），人民美术出版社，2011 年版。
杜哲森：《吴镇》，上海书画出版社，1999 年版。
陈野：《浙江绘画史》，杭州出版社，2005 年版。

砚田墨耕　写竹画梅

花鸟画中，“唐之边鸾，宋之徐黄，为古今规式，所谓前无古人，后无来者是也。”（元汤垕《画鉴》）汤垕说得不错，唐代的边鸾、五代的黄筌，代表了古典工笔重彩花鸟画的经典风格，确实是前无古人，后无来者。然而这个“后无来者”，一方面有艺术成就难以超越的因素，但最主要的，还在于艺术风格和审美情趣的转变。

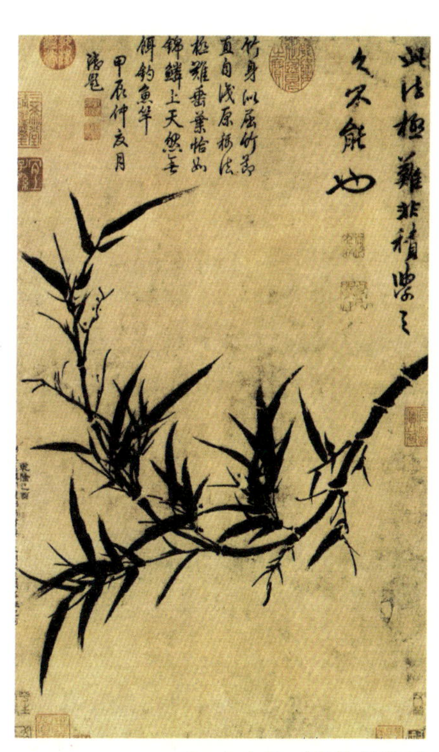

元　柯九思《横竿晴翠图》

元代，发端于山水画的文人画思潮，不可阻挡地影响到了花鸟画领域。精工细作、设色浓丽、婉约雅致的唐五代花鸟画世界渐行渐远，承续北宋文同、苏轼墨竹，南宋僧仲仁、扬无咎墨梅的水墨写意画蔚然成风。从赵孟頫以枯木竹石遣兴寄情开始，到管道升、柯九思、吴镇、王冕等，元代文人舞文弄墨的雅兴，几乎都离不开清淡晕染的竹与梅。墨竹、墨梅本在墨花之属，因其品格高洁的寓意而受特殊推崇，成为花鸟画中的专门一科，并有《松斋梅谱》这样专门的画谱出现。

柯九思与王冕，是分别代表了元代墨竹、墨梅绘画成就的重要画家。

36 岁时，柯九思游历建康（今江苏南京），因画名得到皇族图帖穆尔亲善，开始了他以书画受宠加官进爵的仕途。柯九思（1290—1343），字敬仲，号丹丘生，台州仙居人。自幼聪颖绝伦，及长才华横溢，尤以书画著名，故此得到喜爱书画的图帖穆尔赏识，也属正常。

1328 年，图帖穆尔即位为元文宗，柯九思被任命为典瑞院都事。不久，又升为奎章阁学士院鉴书博士，审定内府所藏法书名画。柯九思因此得以遍览古今书画珍品佳作，见识日富，技艺日进，名望日高，在诗文、书画和古器物鉴赏方面，都获得了种种成就。

然而，皇帝的恩宠也为他带来忧惧。柯九思以画竹这样的“文艺末技”而官居五品之位，自然成为元室子弟和朝中官僚的排挤对象。就是文宗本人，在宗室的内讧中，也不得不将柯九思“除外”以“少避”。偏偏这文宗皇帝做了不到四年，就驾崩了。失去庇护的柯九思，在短暂的荣华富贵之后，重回江南，抑郁而死。

但人生的短暂和不幸，并未遮蔽住他艺术上的光彩。柯九思画竹，在元代大家中独树一帜。他祖述文同，也曾师法李衎。最大的特点是以书法入画，受到同朝和后世文人的高度认同。他曾作《墨竹图》，自谓：“写干用篆法，枝用草书法，写叶用八分，或用鲁公撇笔法，木石用折钗股、屋漏痕之遗意。”集中表明了他的观点和画法。赵孟頫、朱德润、杨维桢、张雨、

黄公望、倪瓒这些文人画的倡导推崇者，都与柯九思诗词酬唱、互为题跋，以书入画的文人墨竹传统，就此得到阐发，为时所重。

柯九思流传至今的作品不少。《横竿晴翠图》画横枝翠竹，遒曲悬垂而又劲节向上，枝条的柔韧和蕴含其间的勃勃生机，表现得极为生动。虬枝撇叶间，足见书法用笔的意趣，没有深厚的功力和纯熟老辣的技巧，决不可能得之。柯九思对此也觉难能而不易，自题画曰："此法极难，非积学之久不能也。"

王冕（？—1359），绍兴诸暨人，字元章，号煮石山农、会稽外史、梅花屋主、梅翁等。出身农家，"状貌魁伟，美须髯，磊落有大志"（明宋濂《王冕传》）。自幼发奋苦读，一生的志向，是将一片忠义之心献明君，成就一番经天纬地的功名声威，以期青史留名。不料几番举进士不第，仕途无望，于是遍游大江南北，寻觅实现理想的契机。在年复一年的游历中，他见到了万千的世态、社会的不平、生活的不公，却无能为力。于是独善其身地隐居家乡九里山，筑室三间，名为"梅花屋"。

一如传统失意文人，冰清玉洁的梅花被他引作了知己。他以梅自况，云"不要人夸好颜色，

元　王冕《南枝春早图》

阅读链接：

（明）宋濂：《元史》，中华书局，1976年版。

宗典：《柯九思史料·年谱》，上海人民美术出版社，1985年版。

杜哲森：《中国绘画史（8）》（元代卷），北京师范大学出版社，2011年版。

只留清气满乾坤”（《墨梅图》自题诗）。在《点水老梅》图上，他题了一长篇《梅先生传》，赞其性高洁、骨坚硬，更是明志的自我表白。他在《南枝春早图》上题诗“疏笔个个团冰玉，羌笛吹他不下来”，其中“羌笛”二字，被视为影射游牧民族出身的元统治者。此诗被当做反元之作，为此王冕险遭入狱。

王冕画梅，继承前人画风，又自出新意。墨点梅花创自北宋崔白、米芾，王冕的墨色清淡明净，更见神韵；圈白梅花创于扬无咎，王冕以洒脱自然的勾花点蕊，更胜一筹。以胭脂作没骨体的朱梅，则全为王冕所创，用朱色点画，极受时人喜爱。他尤善用飞白，在画嫩枝时拉出长长的墨线，断而复接，气脉相承。这种极具书法用笔的韵味，也是他的创意。

王冕胸怀大志，命运不济，却永远不会妥协、不会灰心。与一般文人以瘦枝疏花表高洁之意的惯例不同，王冕的画面呈现出满目的晶莹和扑面的清气，漫溢出生的欢喜和美的意趣。他常以巨干密枝、似锦繁花，表现梅树的蓬勃生机，流露出他精进不息的期待心态。

光阴荏苒，转眼到了元末。朱元璋意欲攻打绍兴，置幕府，招王冕为咨议参军。一生的期盼果然不是幻想，因缘的会合原来就在这一天。王冕决然应招而去，仅一晚而病卒。

清代名吏、书法家伊秉绶，曾在一方砚台上刻铭云“惟砚作田，咸歌乐岁。墨稼有秋，笔耕无税”（清蒋超伯《南漘楛语》）。砚田墨耕，写竹画梅，也许是柯九思、王冕等最好的归宿。

王蒙：出世与入世

王蒙是湖州人，却与杭州余杭的黄鹤山结下不解之缘。黄鹤山在余杭星桥乡，山势险峻，山景清幽。王蒙在山中筑室而居，名曰“白莲精舍”，自号黄鹤山樵、黄鹤山人、黄鹤樵者。他隐居黄鹤山中，并非只是为了描山摹水、澄怀悟道，也不是富家子弟坐山观景的闲情逸致，实在是形势所迫。

元　王蒙《葛稚川移居图》

王蒙（？—1385），字叔明，赵孟頫的外孙，出身富贵家族，被明人杨维桢称为“王侯前朝驸马孙”（《铁崖诗集》丙集）。这样的家世加上自己的才华，结交了许多达官贵人，自然令他有往仕途上求发达的期望，他也果然谋到了一个理问的官职。可惜生不逢时，尚未等到显达，元末的战乱便硝烟四起了。各地农民纷纷暴动，目标直取各色官吏和大地主。乱世中的王蒙，不免担忧起身家性命的安危，这实在比功名更重要。于是他便抛弃官职，跑到了黄鹤山隐居。

他一边在山中诗画会友，与黄公望、倪瓒、吴

阅读链接：
（元）王蒙等：《元四家》（中国古代名家作品选粹），人民美术出版社，2011 年版。
陈连琦：《王蒙》，中国书店，2011 年版。
杜哲森：《元代绘画史》，人民美术出版社，2000 年版。

镇等人往来唱和；一边仍然难以忘怀仕途，时常出山活动，视时局的变化而调整自己或隐或仕。比如在至正十八年（1358）前后，他就下山在张士诚的手下做了一个长史的官；又在明洪武之初出任泰安（今山东泰安）知州。

王蒙的朋友们看着他在错综险恶的局势和官场里逐浪，实在为他担忧。“元四家”中，真正具有高蹈之心的，是倪瓒和吴镇。作为王蒙的朋友，倪瓒就曾对他有过真情的劝告：“野饭鱼羹何处无，不将身作系官奴。陶朱范蠡逃名姓，那似烟波一钓徒。”王蒙不顾朋友劝告，执意孤行。不久，即受胡惟庸之案的牵累，死在狱中。

王蒙终其一生，都不能决绝地舍弃世俗利禄之心，他受胡案牵累致死，就与他喜欢结交权贵的习性有关。其实出仕与否，倒也不是判定人生对错与人品高低的标准，只是审时度势与量力而行，实在是十分必要的。毕竟，政治争斗的谋略与画中山水的经营，其差距之大，实有万里之遥。

王蒙之所长，乃在于他的艺术天赋与才华。长年的山居生活为他积累了无数自然山川的素材和氤氲变幻的深刻印象。在元代画家中，王蒙是画山的高手。同样是在尺幅之间，他最能大胆取用重峦叠嶂、万壑千山的题材；最善细致经营峰回路转、曲径通幽的构图；最为成功地表现出了山川雄伟繁复的磅礴气势，他为世人所称许的“密体”画风，即因此而来。

王蒙在笔墨上有极深厚的功力，当时的文人山水画家，无人能与他匹敌。他十分注重笔力的锤炼，尤善以行草、篆籀笔

元　王蒙《青卞隐居图》

法作画，自称:“老来渐觉笔头迂，写画如同写篆书。”倪瓒赞其为：“叔明笔力能扛鼎，五百年来无此君。”他从披麻皴中变化创制出独具一格的“牛毛皴”，皴线短细绵密，在笔墨的融混中自有法度，意象清晰，特别有效地表现出了江南山石湿润厚重的质感。

《青卞隐居图》是王蒙的代表作。此图画湖州卞山大貌，取雄奇高峻的全境构图，表现气势磅礴的千岩万壑。先以干笔淡墨勾出山石轮廓，再以焦墨按石壁纹理反复加细而密的披麻皴、解索皴作短线皴擦，然后以淡墨微染，加焦枯墨的点苔和小攒点，笔墨变化丰富多彩，使得山色更显繁茂深郁，生意勃勃。画面全局几无空白，但却清新通透，不觉壅塞，充分体现了王蒙独具的艺术成就。董其昌题此画称：“此图神气淋漓，纵横潇洒。实山樵平生第一得意山水。”

这种画得密、画得满，而又密而不塞、实中有虚，具有深远空间感的特点，在《夏日山居图》《葛稚川移居图》《具区临屋图》等作品中，都表现得十分突出。王蒙对后世绘画艺术产生巨大影响，尤其是他重视笔墨技法的“刻画之工”，为一些自诩崇尚意趣逸气、实则缺乏笔墨技法的所谓文人画家，做出了十分正确的表率。

戴进：胸中事业多　画里笔意长

明代浙派山水画的奠基者、代表人戴进，是一个带有传奇色彩的画家。画史上关于他的三段记述，就是三个关于画与人生的故事，叙述了戴进一生的走向和成败。

第一个故事,关乎志向和道路的选择。戴进是钱塘(今杭州)人，出生于画工之家，从小受到绘画艺术的家庭熏陶。然而他早先的职业，却是一个铸造金银首饰的银工。他精心地制作着各种首饰，在金饰银器上镌刻熔铸自己的艺术才华，一心一意想着托此光彩熠熠的材质,成就自己不朽的声名。然而,有一天,他在市场上看到自己精心制作的首饰，被人随意地熔化，转瞬之间，就换成了其他的样式，成了别人的作品，不禁惘然若失。从此放弃银工职业,转而改学绘画,以期在缣素之上,重建功名。事实证明，戴进的这次转型，是一次十分明智和成功的抉择。

第二个故事，是天赋和才能的显现。戴进是确有绘画天赋的。他转行学画不久，即随父被征，入宫作画。初到南京，不经意间，行李被佣夫挑走。戴进临时雇他，不知其姓名、住址。但他并不慌张，借用笔墨纸砚，绘出这个佣夫的相貌示众，即刻被人识出，带他找到了这个品行不端之徒，拿回了行李。戴

进写真技巧的高超，于此可见一斑。

第三个故事，说的乃是世事难料、命运无常。戴进入宫后，向明宣宗进呈《秋江独钓图》。画中，有一个红衣钓者。红色在画中最难用得得当，戴进自认独得古法，妙用红色，正是得意之作。岂料同为宫廷画家的谢环起了忌心，说：画虽好，但恨鄙野。理由是大红乃朝官品服，画钓鱼人怎么可以以此着色。宣宗听了觉得有理，从此不看戴进之画。另一种说法是，戴进此时尚在宫外，有人将其画进奉于宣宗，意欲引荐入宫。宣宗召谢环来作评审，谢环出于嫉妒，对皇帝说：画中屈原与渔夫一幅，似对皇帝有不恭敬的意思，因为屈原是遇昏主而投江的；而七贤过关一幅，则画的更是乱世之事了。宣宗自是勃然大怒，画是不消说了，人也只是一个“斩”字了结。戴进闻讯连夜逃出京城，后隐居于杭州寺庙，以作道佛诸像为生。然而即使落魄如此，谢环仍不放过他，竟然派人追杀。戴进只好逃到云南，直到谢环死后，才得安宁。关于戴进此后的生活，一般的说法是贫困至死。但也有不同看法，说他自此淡于名利，专心作画，交友广泛，定居课徒，年纪愈高，声誉愈著，生活很安定，家境也不窘困。

然而不论是贫是富，戴进对自己的人生际遇，总的感受是不平与无奈，他曾经慨叹：“余胸中颇有许多事业，争奈世无识者，不能发扬。”最终只是在画中讨生活。

戴进（1388—1462），字文进，号静庵，又号玉泉山人，钱塘（今杭州）人。山水画继承南宋水墨苍劲一路，

明 戴进《春山积翠图》

阅读链接：

（明）戴进等：《戴进吴伟画集》（中国古代绘画名作辑珍），天津人民美术出版社，2000年版。

单国强：《戴进》，吉林美术出版社，1996年版。

《戴进与浙派研究》，上海书画出版社，2004年版。

受李唐、马远的影响较大，也吸收了董、范等诸家之长，宋元的传统都涉猎到了。在他的画中，很容易看到各种不同风格，既有南宋院体遗风，又有元人水墨画意，“行家而兼利家”。但是更多的则是他自己融会各家之后的独出机杼，妙笔生花。传世作品较多，《春山积翠图》《风雨归舟图》《夏山避暑图》《关山行旅图》等，铺叙远近，疏豁虚明，行笔顿挫，表现山石多用斧劈皴，水墨淋漓，足以代表他山水画的主要成就。

明时，戴进已享有很高的声誉。《七修类稿续编》称其为“画中之圣”，《两浙名贤录》谓其“真皇明画家第一人，足以照映古今者也”，《画史会要》赞为“真画流第一人也”。即使是认为“浙派”多“恶习”的董其昌，也很称赞他的作品。

戴进技艺高超，追随者极众，逐渐形成一派。董其昌在《容台集·画旨》中说：“国朝名士，仅戴进为武林（杭州）人，方有浙派之目。”因

明　戴进《葵石蛱蝶图》

他是创始者，又是浙江人，故名之为“浙派”。戴进之子戴泉、女戴氏及其婿王世祥都能传戴进画法，明中叶前的画家如钟钦礼、王谔、朱端、夏芷、方钺等，都属浙派。明代中叶以后，吴门派兴起，浙派虽有郭岩、仲昂等继其画风，但已是强弩之末，难以与之抗衡。

仲昂学戴进的佳作，颇能乱真，但多有草率之作。正是这种草率，成为明清鉴赏家、画家攻击浙派的理由。到了被视为浙派的江夏派吴伟、蒋嵩笔下，更多粗简燥硬的笔墨，愈加被文人画家或崇尚文人画的评论家视为“徒逞狂态”的“邪魔”“邪学”。以至浙派江河日下，名声不佳。

明　戴进《风雨归舟图》

浙派的这种结局，一方面受累于它盛大的声名，在它巨大的从学队伍中，未免鱼龙混杂，一班附庸风雅之士、抑或技法粗疏之徒，既不能体会戴进的胸中丘壑，也没有浙派的谨严笔墨，只以貌似笔墨淋漓的草率粗狂，扯浙派大旗而叫嚣于市，确实予人“徒呈狂态”的邪魔之感。浙派至此，岂能不衰。另一方面，明清文人画家、评论家也有他们自己的问题。这些崇尚以书法入画、以“墨戏”寄托“闲情逸趣”、以“利家”自居者，思想、识见不乏唯我独尊的偏狭之处，我们大可不必将他们的言论都拿来奉为金科玉律。

徐渭：闲抛闲掷野藤中

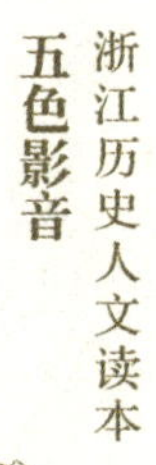

明嘉靖四十四年（1565），随着胡宗宪的被捕与自杀，山阴（今绍兴）才子徐渭的人生，便逐渐暗淡起来。这位豪拓不羁的天池山人、青藤道人，不仅保家卫国的满腔热望无处着落，还平添了恐受胡案牵累的担忧。加之多年举业不成、仕进无门，本性敏感、狷介、偏激的徐渭，于失望悲愤中精神失常，不断地自残其身，数次自杀，直至误杀妻子而被投入牢房。如此激烈癫狂、痛苦多舛的人生，世所罕见，“古今文人，牢骚困苦，未有若先生者也”（明袁宏道《徐文长传》）。

明万历元年（1573）大赦天下，53岁的徐渭出狱。此后二十年间，生活愈益潦倒，心境愈益压抑，处世愈益狷介，行为愈益狂放。“半生落魄已成翁，独立书斋啸晚风。笔底明珠无处卖，闲抛闲掷野藤中。”（明徐渭《题墨葡萄诗》）半世的落魄失意与孤独无奈，都于此中流露无遗。而艺术的才情却在不堪的境遇里生发，这个蓬首垢面的苦难老人，在诗、文、书、画、戏剧的世界里还原出他被尘世摧折的玉石光辉，才情恣肆，化为艺文，超逸有致，气格高华。

徐渭曾自评自己的创作成就，认为书法第一、诗第二、文

第三、画第四，可见他对自己书法的评价之高。徐渭的行草书方圆兼济，笔意奔放。他对王羲之法帖心摹手追，同时也取法宋人。狂草书气势磅礴，所有的不平之气都于汪洋恣肆的笔墨中宣泄而出，满纸狼藉，难为常人所理解欣赏。他曾说："高书不入俗眼，入俗眼者非高书。然此言亦可与知者道，难与俗人言也。"（《题自书一枝堂帖》）他的书法结字大小相间，墨色浓淡交替，章法正欹相依，节奏颇具韵律，初见有粗头乱服之拙，细读得苍古遒媚之致。真气淋漓，纵逸狂放，极尽生动变化，以强烈的个性和奇崛的笔墨，大大地强化了书法的表现力，开出一代书法新境。

但我们最为熟悉的，还是那个作为画家的徐渭。徐渭失意的人生，使他未能进入主流社会，却获得了观察评价时世人事的独特视角。他因不甘而尖刻，因不平而激愤，因不屈而发为大胆的嘲讽和批判。所有这一切，直接影响了他画作的立意和风格。在作品《田蟹图》上，他饱蘸浓墨，题诗一首："稻熟江村蟹正肥，双螯如戟挺青泥。若叫纸上翻身看，应见团团董卓脐。"讽刺的是如董卓一般的横行霸道之流。

他是一个绘画全才，擅长山水、花卉、人物、走兽、鱼虫、瓜果。画作豪放淋漓，洒脱不羁，追求的是本性的率真和自由。"虽一花一草，似乎都在诉说着他一生的坎坷不平，无一笔造作。配合题诗，更使观者深切感受

明　徐渭《墨荷图》

阅读链接：

（明）徐渭：《徐渭精品画集》，天津人民美术出版社，2000 年版。

俞守仁：《徐渭》，见《132 名中国书画家》，山东美术出版社，1984 年版。

郭晓飞：《颠沛的命运与不羁的灵魂——徐渭心理论》，《光明日报》出版社，2011 年版。

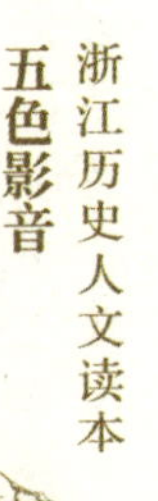

到那种难以抑止的愤激、孤傲以至凄绝、忧郁或冲动壮烈的情怀。”（俞守仁《徐渭》）。

泼墨大写意花卉是徐渭绘画的至高境界，可谓代表了明代绘画艺术的最高成就。明代花鸟画创作的基本轨迹，大体上可分为宫廷花鸟画和中期以后的文人花鸟画，风格多样，工笔、写意都有大家出现。沈周、陈淳、徐渭等人，将文人画的创作观念进一步带入花鸟画领域，极大地提升了传统花鸟画的美学境界。

徐渭大胆变革，别开生面，崇尚师法自然，追求真我表达，不以陈规法式为范囿，追求的是“无法”中的“有法”、似乱实不乱的效果。他作画大多随手为之，自由挥洒，以得神韵为要：“从来不见梅花谱，信手拈来自有神。”（徐渭《题画梅》）尤其善用墨法、水法，或用水破墨，或用墨破水，根据生纸不易凝水的特性，泼墨之后往往重新铺水，在水的自然渗透和与墨的自然溶和中，展现墨晕水渍的独特韵味和层次丰富的墨色变化，形成水墨氤氲的特殊效果。

《墨葡萄图》中，点、线、面巧妙自如的章法构建，极具匠心。茂盛的叶子以大块水墨破染而成，墨分浓淡，水汽充盈，风格疏放，不求形似；寥寥数笔勾出的虬曲枝干，粗枝苍劲，藤蔓飘逸灵动，笔势徐疾之间表现出丰富的运动轨迹；晶莹的葡萄串串垂挂，掩映于繁密的枝叶藤蔓中。墨葡萄又是寄予了他思想情感的艺术符号，蕴含着“笔底明珠无处卖，闲抛闲掷野藤中”的自我况味。因此，他在画中追求的不是单纯的形似，不是艺

术的法度，而是“不求形似求生韵”，重在似与不似之间，追求超脱物质形态的自我精神的实现。

作为一个书法家，书法用笔必然地融会于他的画作中。徐渭纵逸狂放的狂草笔法，赋予画作极为丰富的表现力和肆意变化的空间。在笔走龙蛇的倾泻中，时时可见凛然之气，勃然不可磨灭。正如张岱所言：“今见青藤诸画，离奇超脱，苍劲中姿媚跃出，与其书法奇绝略同。昔人谓摩诘之诗，诗中有画，摩诘之画，画中有诗；余谓青藤之书，书中有画，青藤之画，画中有书。”（《陶庵梦忆》）

徐渭深受后世画家的敬仰和推崇。清代郑板桥曾刻一印，自称“青藤门下走狗”。近代画家齐白石曾说：“青藤、雪个、大涤子之画，能横涂纵抹，余心极服之，恨不生前三百年，为诸君磨墨理纸。”吴昌硕说：“青藤画中圣，书法逾鲁公。”

生前英雄失路、托足无门、知音难觅的徐渭，在艺术世界里获得了高度认可。他的笔底明珠，超越了带给他无尽悲苦凄凉的彼时岁月，在历史的天空里熠熠生辉。

明　徐渭《墨葡萄图》

陈洪绶：奇拙高古真性情

陈洪绶（1598—1652），字章侯，诸暨人。出生于仕宦人家，传其出生前，有道人送给他的父亲一粒莲子，称："食此，得宁馨儿当如此莲。"（清孟远《陈洪绶传》）故其出生后，小名便唤作莲子，晚年因号老莲。曾从学于著名学者刘宗周、黄道周，科举入仕、兼济天下是他的向往。然而却一直举业不成，仕途无望。明崇祯十五年（1642）入京为国子监生，授舍人，召为内廷供奉，临历代帝王图像。但他向往仕途的抱负不改，不愿成为一个"画工"，因此辞而不受。

清兵进军江浙时，刘宗周绝食而亡，黄道周慷慨就义，其他许多师友殉国。陈洪绶也被捕获，清兵把刀架在他的头上逼他作画。他脱逃至绍兴山中，在云门寺削发为僧。明亡后，他因深悔未能以身殉国，陷于自我构筑的"不忠不孝"困境，心中交织着深切的悔恨之心、自责之情和亡国之痛，悲愤难抑，改号悔僧、悔迟、迟和尚、老迟。从此酗酒狂放，纵情声色。借此发泄心中郁闷，也影响到身体健康，以55岁的盛年离世。

亡国之恨使得陈洪绶绝意仕途，专心致力于艺术。在现实生活中无处可诉的强烈情感，凝聚在笔墨中，泼洒于画幅上。

明　陈洪绶《陶渊明像》

加之他与生俱来的绘画天赋，便形成了以追求形体夸张奇崛、形象高古、性情率真为风格的标新立异的人物画画风。当时即被称为“南陈北崔”，与北方人物画家崔子忠一起成为具有代表性的著名画家。其后更被认作是“明三百年无此笔墨”（清张庚《国朝画征录》）者。

中国的人物画具有悠久历史，早在周代，就已有人物壁画。据《孔子家语·观周篇》记载，孔子至周，在明堂见到有尧舜之容、桀纣之像、周公辅佐幼年成王南面以朝诸侯之图（南宋王应麟《玉海》）。魏晋时期的顾恺之、张僧繇，唐代阎立本、吴道子、张萱、周昉，北宋李公麟；南宋梁楷、苏汉臣等，都是著名的人物画家。宋元以来，随着文人山水画的兴起，人物画渐趋式微。人物画中，也以水墨写意人物风格为胜，晋唐时期人物画工笔设色的高古风格乏人问津。

陈洪绶画人物，一个十分突出的特点，就是强调回溯晋唐传统，从造型、技法和风格各个方面，着意发掘借鉴古代人物画。比如来自唐代仕女画的丰肥形象、大

阅读链接：

（明）陈洪绶：《陈洪绶》（中国古代名家作品选粹），人民美术出版社，2011 年版。

黄涌泉：《真实湖山今始见 老迟行过更依依——明末清初画家陈洪绶》，见《元明清名城杭州》，浙江人民出版社，1997 年版。

卢辅圣：《陈洪绶研究》，上海书画出版社，2008 年版。

头瘦身的造型，以及深受李公麟影响的衣纹线条。同时，他也从其他各家中学习借鉴，形成了自己的独特风格。

在人物形象塑造上，他破除了形的束缚，以写意笔法重视内心世界挖掘，在夸张奇异的形体中，蕴含了丰富的感情寄托。无论是峨冠宽袍、仗剑行吟的屈原，还是衣袂飘举、迎风而行的陶潜，神情之中，都带着我行我素、不屈不挠的执著。在技巧上，他重视用笔的金石味，有“森森然如折铁纹”的内劲。画面富有装饰意趣，通过画中的古器物、古纹饰和设色处理等手法，营造出古朴清雅的氛围。

明　陈洪绶《传道图》

陈洪绶人物画的代表作，至今流传的有《归去来图》《隐居十六观图册》《雅集图》等。《归去来图》为劝诫降清出仕的朋友周亮工而作，以陶渊明的《归去来辞》为题材，选择陶渊明生活中具有典型意义的11个片段，绘制而成，劝解周亮工于乱世之中清白自守，挂印而去。

陈洪绶作品中，还有一类刻成版画的作品，如《九歌》插图、《水浒叶子》《博古叶子》以及《西厢记》等戏曲、传奇、小说的插图，适应了明代市民文化发达的社会需求，推进了中国传统木刻版画的发展。

清顺治六年（1649）春天，陈洪绶从绍兴迁居杭州，呼朋唤友，雅居高歌，自在率性，旷达放任。有一次，有权贵以鉴定宋元古画为由，把他邀到西湖船上。船到湖中，却强要他作画。陈洪绶大怒，漫骂不绝，且欲投湖自尽，以示决绝。如此清高自重、率性而为的劲节傲骨，为世人眼中花红柳绿的柔媚西湖，增添了别样的风采。

智言慧思

我们所要求的美术家，是引路的先觉，不是“公民团”的首领；我们所要求的美术品，是表记中国民族知能最高点的标本，不是水平线以下的思想的平均分数。

——鲁迅《鲁迅全集》

蓝瑛：画中的富足人生

蓝瑛（1585—约1664），明代杭州地区具有创新成就的职业画家。他一生沉浸于画艺之中，善画山水，兼工人物、花鸟、兰竹。当时从蓝瑛为师者甚众，有陈洪绶、刘度、陈璇、王奂、冯湜、顾星、洪都、禹之鼎等人；蓝瑛之子蓝孟，孙蓝深、蓝涛，也得传家法。以此成为“武林画派”，蓝瑛被称为此派创始人，称誉画史。

蓝瑛时代的画坛，流行的是复古的艺术时尚。他也不能例外地从吴镇、黄公望等元画入手，笔墨秀润，意境萧散，浅绛设色，与当时董其昌及松江派画家的风貌大体相当，个人特色不明显。中年以后，一方面漫游南北山川的经历开阔了他的识见，另一方面也大量地接触学习了唐宋诸家，对郭熙、李唐、马远、夏圭及米家云山，都有研习，对沈周等人的画，也刻意师法。蓝瑛用功既勤，又加功力深厚，能从博采众长之中，突破当时崇南贬北的陈规，摆脱软赖甜俗的画风，形成清疏苍劲、笔力沉厚、水墨淋漓的个人风格，具有极深的艺术功力。

蓝瑛作品中，最具特色的是以《红树青山图》为代表的一类作品。此类画作大都作没骨法，树石山川均以极其鲜艳的红、

黄、青、绿诸色点写勾染，另以粉渲染出白云。画面鲜艳生动明丽，又清新通透爽利，予人极目所欲的生趣。这种画法，蓝瑛自称“法张僧繇画”，其实是他自己的独创。山水之外，蓝瑛也善花鸟竹石，有《拳石折枝花卉》册等作品传世，以萧散写意的笔墨绘出一派文人花鸟画的意境。

蓝瑛是西湖绘画的名家，现存最早的描绘西湖十景的作品就是他的《西湖十景图》。与南宋时候的刘松年一样，蓝瑛出生于杭州、生活于西湖边，他在自己的画作上，常以“西湖外史”、“西湖外民”题款。长年的西湖云烟供养，使他对西湖自有一番特别的情感，湖上风光与周边山川林麓的烟云变幻，都是他的胸中丘壑、笔底华章。

西湖十景是常见的绘画题材，蓝瑛却有自己的风貌。据《中国古书画图目》著录，蓝瑛的《西湖十景图》分为十幅，绢本设色，尺寸均为169厘米×45厘米。十景为花港观鱼、飞来洞壑、雷峰夕照、断桥残雪、曲院风荷、南屏晚钟、双峰插云、苏堤春晓、三潭印月和柳浪闻莺，与今所传之西湖十景略有不同。画面法度严谨，一丝不苟，笔力沉厚，水墨淋漓，显示出极为深厚的艺术功力。

在蓝瑛的绘画世家里，喜画西湖、善画西湖已是一个家族传统。其子蓝孟，孙蓝深、蓝涛，皆能传此家法，

清　蓝深《雷峰夕照图》

明　蓝瑛《仿梅花道人山水图》

明　蓝瑛《白云红树图》

是继南宋马远、马麟之后，又一个精心绘制西湖图的杭州职业绘画世家。蓝深绘过多幅西湖十景图，如其《雷峰夕照图》，螺青烘染，赭石勾罩，不出乃祖法门。蓝氏祖孙三代，一门画家，流连胜迹佳境，共写湖山烟云，西湖有此知音，也是幸事。

蓝瑛对杭州、对西湖都有深厚的感情，而杭州对蓝瑛，也深以为傲。就像绍兴、杭州等地流传有王羲之、苏轼为百姓赠画救急解难的佳话一样，在杭州的地方文献里，也有蓝瑛的相似记载。

据明人黎遂球《西湖杂记》记称，老年蓝瑛虽年迈体弱，却时常为故交穷人作画，以便他们急需时售卖以换取食物。有一次，黎遂球遇见一老人从衣袖中拿出一幅蓝瑛的山水便面（扇面的一种）求售。黎遂球感佩蓝瑛救济饥贫之善意，就用十倍于此画价格的款额赠于那位老人。蓝瑛得知此事，深感黎氏高谊，抱病前往黎家致谢。自此之后，蓝瑛经常为黎遂球作画，也常以得意的小幅作品寄赠。黎遂球笑称，自己所获，早已是百倍于赠那老人的款额了。

阅读链接：

（明）蓝瑛：《蓝瑛山水册》，天津人民美术出版社，2004 年版。

杨东胜：《武林画派》，江西美术出版社，2012 年版。

陈野：《明代杭州的绘画艺术》，见杭州市文史研究会编《明代杭州研究》（上），杭州出版社，2009 年版。

金农：布衣何以雄世

清乾隆元年（1736），仁和（今杭州）人金农（1687—1763）虚年五十，应博学鸿词科未中。这一场失败的考试，给他的人生带来两个根本性的重大转变。一是让他彻底放弃了科举入仕的念想，“五十始挥毫”，从此以鬻文卖画、写经刻砚、贩卖古玩等技艺为生；二是让他对功名难成的现实极为愤懑和不平，抱定了以“布衣雄世”的宗旨。

此次科考，全国各省共推荐176人，仅取15人，次年取4人。应试不中，本在常理之中。然而金农反映如此激烈，也是他久不得志和“迂狂”个性的集中体现。

这种个性加上不善自我经营，此后的金农一直未能过上富足安定的生活，大半在坎坷中度过。有时“岁得千金”，也是随手散去。在极端贫困时，不得不依赖贩古董、抄佛经，甚至刻砚来增加收入，还曾托袁枚求写彩灯度日。晚年更是寄居扬州西方寺，直至去世。

扬州的生活和创作经历，使金农列名于著名画派“扬州八怪”，成为一个声名卓著的画家，在艺术史上扬名立万。“扬州八怪”在当时具有冲决正统、独抒性情、积极用世以及诗书画

印结合的成就和特点。金农的为人处世和书画艺术，充分体现了这些特色。

在生活上，他性情逋峭，曾取崔国辅诗句“寂寥抱冬心”语意，自号“冬心先生”，完全是一副遗世独立、我行我素的做派。他在扬州鬻书卖画，晚年从不讳言弟子罗聘等人为其代笔作画，出售牟利。虽收入颇为可观，生活却穷困潦倒，四壁空空，无钱入殓，这与他放诞不羁的个性密切相关。

在艺术上，金农具有深厚的经史文学修养，著有《冬心诗集》《冬心随笔》《冬心杂著》等。他游历广泛，古迹、碑刻、书画过眼尤多，精于鉴赏收藏。而穷困不遇的生活经历，也给他的艺术创作注入了别样情怀，丰富了作品厚重的思想内涵和独特的审美价值。

清　金农《红绿梅花图》

金农善画竹石、鞍马、佛像、人物、花卉、蔬果、山水，尤精墨梅。他书法篆刻功底深厚，画作富有金石气，风格古雅朴拙。金农既画墨竹，也作双钩，自称画风同于郑板桥，有《墨竹图》《双钩竹图》等。与其他文人画家一样，他

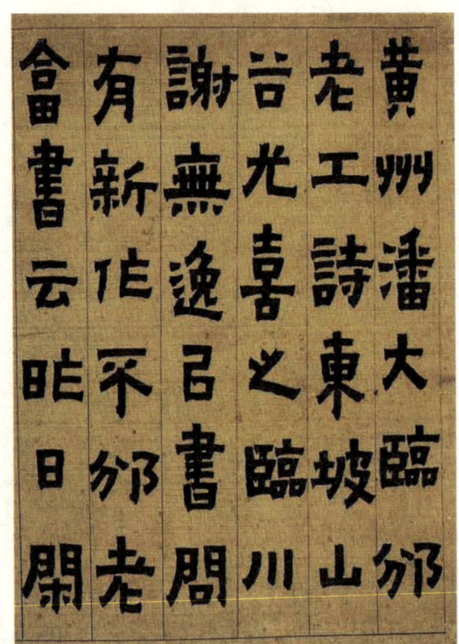

清　金农《隶书册页》之一

的竹画也是别有寄寓，其《画竹题记》曾言："平生高岸之气尚在，尝于画竹满幅时，一寓己意。"画梅师法白玉蟾，密枝繁花的构图则得自王冕。梅图之中，也是大有怀抱："数树梅花破俗，冷香恰称清贫，旧家门径不改，莫道此中无人。"传世作品有多幅，如《梅花图》《梅花三绝册》《双色梅花图》等。他画鞍马，隐喻的是自己的人生："今予画马，苍苍凉凉，有顾影酸嘶自怜之态，其悲跋涉之劳乎。世无伯乐，即遇其人，亦云暮矣。"不难体会其生不逢时的自况之意。

金农书法隶、楷皆工，楷兼隶意，从《天发神谶碑》《禅国山碑》《谷朗碑》变化而出，用笔方劲平硬，富金石味，浓

黑似漆，自称“漆书”。他善篆刻，得秦汉古意，尤其嗜好收藏金石文字，达千卷之多，对他独特绘画风格的形成，具有重要作用。

金农“布衣雄世”的豪言，让我们联想起为杭州写出“东南形胜，三吴都会，钱塘自古繁华”佳句的著名北宋词人柳永。

柳永本是仕宦人家的子弟，却仕途坎坷。几次赴京赶考不中。他压抑不住怀才不遇的郁闷，大笔挥就《鹤冲天》，其中有句称：“才子词人，自是白衣卿相。”“忍把浮名，换了浅斟低唱。”宋仁宗读到此词，于是也挥大笔，在功名的簿册上抹去了柳永的名字：“此人好‘浅斟低唱’，何要‘浮名’？且填词去。”柳永从此便以“白衣卿相”自居，扛着“奉旨填词”的名号行走江湖。

布衣金农、白衣柳永，两个失意落魄的旷世才子，何以雄世？又如何于江湖上成就“卿相”的事业？ 2009 年 12 月 19 日，西泠秋拍“中国书画古代作品专场”，金农的《花果册》以 3976 万元创下了当时西泠拍卖单件作品最高成交纪录。而柳永的事业，在当时便已炽烈于庙堂之外，“凡有井水处，即能歌柳词”。千年之后的今天，柳词依旧让我们因赏爱而歌咏不绝。由此可见，海阔凭鱼跃，天高任鸟飞。人生本是一段多姿多彩的旅程，政治上的建功立业之外，还有极为广阔的天地可供驰骋。

阅读链接：

（清）金农：《金农》，天津人民美术出版社，2011 年版。

齐渊：《金农书画编年图目》（上、下），人民美术出版社，2007 年版。

张郁明：《盛世画佛（金农传）》，上海人民出版社，2001 年版。

生于乾嘉时风中的西泠八家

清人张潮曾说："花不可以无蝶，山不可以无泉，石不可以无苔，水不可以无藻，乔木不可以无藤萝，人不可以无癖。"（《幽梦影》）花蝶山泉、蔓草波光之类的审美趣味，我们因游山玩水的切身感受，极易认同。然而"人不可以无癖"，怎么说？就张潮而言，此言必是出自他的生活感悟。然而如若我们放眼艺坛，却可见到，此言亦非他的独创。在他之前，明人张岱对此已经说得十分明白："人无癖不可与交，以其无深情也。"在他之后，同为清人的"西泠八家"，生动地演绎了嗜艺成癖、以癖相交的艺术人生。

在清人徐珂编撰的《清稗类钞》里，记了这样一件轶事：童生（习举业而未考取生员资格的人）奚冈参加获取科考资格的童子试时，乾隆南巡将至杭州，行宫内四面白壁，需以绘画装饰。知府王瑞派人将奚冈捆绑而来，命其即刻作画。奚冈笑答："哪里有让人画画却绑着来的！"居壁下三日而不画，说："头可断，画不可得。"绑他来的人说："尔非童生，乃铁生也。""童"与"铜"音同，故有此戏言。此后，奚冈即自号"铁生"，并从此不复应试，以画谋生。

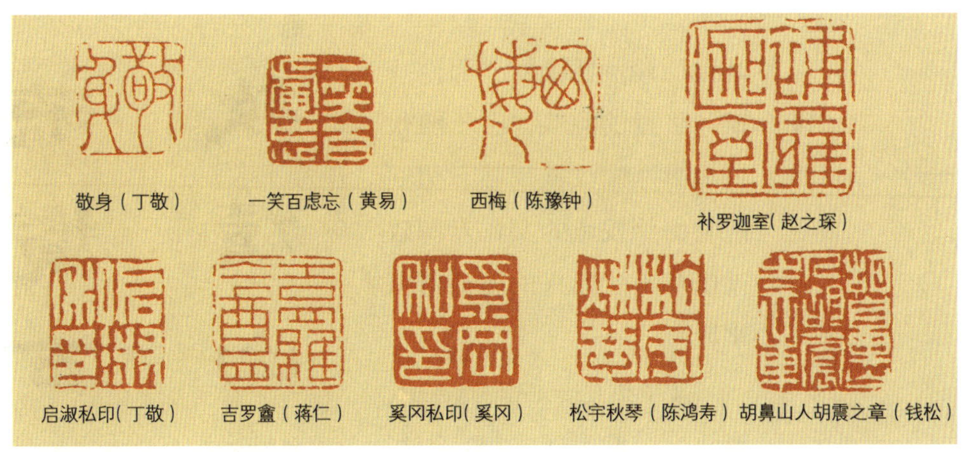

西泠八家篆刻作品

这个奚冈，即为“西泠八家”之一员。“西泠八家”为清乾隆时杭州篆刻家丁敬开创的一个金石篆刻流派，继起者有蒋仁、黄易、奚冈、陈豫钟、陈鸿寿、赵之琛、钱松。因八人均为浙江杭州人，故称“西泠八家”。

八家中，像奚冈这样拒绝仕途、沉醉艺事者，不在少数。丁敬被荐参加清乾隆元年（1736）博学鸿词科，不赴而归，以布衣自乐。蒋仁、赵之琛也都是一生不仕，鬻艺为生。他们八人不是结社为友的团体，也并非都是耳提面命的师徒，甚至，陈鸿寿、赵之琛、钱松都出生于丁敬过世之后。只是因为共同醉游于艺之癖，成就了跨越时空的深情，令他们以丁敬为宗主，互为知己，追慕私淑，同心向艺。他们在金石、篆刻、书画、诗词、收藏等众多艺术领域里，全力开拓，尤以金石篆刻的成就引世人瞩目，影响所至，及于数百年间，成为开启吴昌硕、海上画派、西泠印社等创作金石、书画相结合风格的先声。

嗜艺的癖好，是艺术家获得个人成就的重要缘由。而能成为称誉艺坛的著名流派，开启一代艺术新风，则决非个人之力即能把握。社会情势与风尚，决定时代潮流之所向，即使是以标新立异为品格的艺术，又有哪一朵貌似新锐的浪花，不是因

时代的潮涌所激？“西泠八家”生发的源头，在于清代统治者压制汉族反抗、树立清朝统治权威的文化专制政策以及因此而兴的乾嘉考据学风。

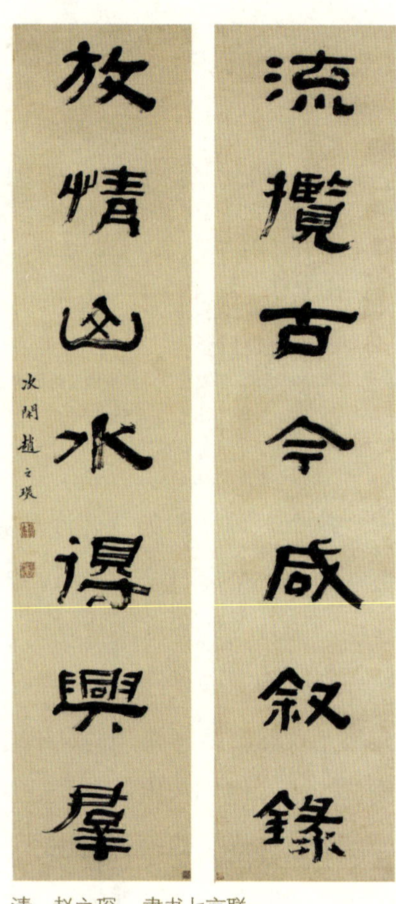

清　赵之琛　隶书七言联

文字狱是一种钳制思想、排除异己的专制手段，历代不绝，而以清代为甚。自称一生有“十全武功”的乾隆皇帝，大兴“文字狱”摧残文化的残酷行径，远非“十全”可数。那时，“文字狱”不仅针对文人学士，而且漫延至社会各个阶层，成为文禁最严、文网最密的时代，每个人都随时可能因为片言只语的疏失而招致杀身之祸、灭族之危。

这样的社会环境，导致文人学士们放弃了经世致用的抱负和作为，转而埋首故纸堆中，用训诂、音韵、校勘、考订等法，寻章摘句，整理古籍，施展无处释放的热情和被压抑的才华，将建功立业的梦想倾注在了蠹简遗编、残砖剩瓦中。乾嘉考据

学派由此产生，严谨质朴平实的学风、专精而重实证的方法，对历史文献典籍的大规模整理总结，都是此一学派的特色。

“西泠八家”即产生于这样的时风和学风之中，丁敬等八人，除钱松外，都生活于乾嘉时期。他们究心于金石资料的收集整理，具有金石学、文字学的深厚功底。在此基础上，形成了篆刻作品宗法秦汉参以隶意，讲究刀法笔意，具有苍劲质朴、古趣盎然的特色。

开创者丁敬治印平正、质朴、浑厚，常年流连于西湖的山水、寺庙、摩崖、碑亭、塔幢间，四处寻访，摹拓金石铭文，重金购买印谱，辑成《武林金石录》。奚冈以丁敬为师，以秦汉为宗，善治仿汉铜印，又能自出新意。黄易的一大贡献，也在搜集、整理、记录秦汉碑石，所作《访碑十二图册》既是画作，更是图画形式的文献。陈豫钟收集金石文字达数百本之多，其中不乏重金购得的善本佳作。赵之琛以深厚功力，为阮元《积古斋钟鼎彝器款识》摹写古器文字。钱松溯汉追秦，意境高古，韵味绵厚，所创切中带削的新刀法，即使在八家之中，也是标杆独树的大家。

以精深的篆刻功力为本，以书法笔意入画，是“西泠八家”的重要艺术特色，八人中更是不乏印、诗、书、画俱佳的艺术通才。八家中，陈鸿寿的书法造诣极高，篆、隶、行、草诸体皆能，他揣摩汉代摩崖石刻等的拙朴意味，融入书法用笔，成为当时的创新风格。陈豫钟精于小篆籀文，赵之琛工于篆、隶、行书各体。蒋仁善作行楷书，被推为“当代第一”。奚冈、黄易、陈豫钟等，都是八家中的善画者，他们以金石碑版之趣入画，开启了绘画创作上拙朴、古雅的金石派。奚冈画山水从沈周、文徵明及黄公望的画法笔趣中获益，尤得力于李流芳，是清代后期的重要画家。黄易以篆刻之法构图布局，章法森然。陈豫钟绘画，疏简的笔墨中，往往可见篆隶笔法。钱松曾摹汉印二千余方，治印中练就的刀法笔力，于山水画中透出功力，苍古而有金石气。

面对浩荡奔涌的时代潮流，芸芸众生大都是渺小的个体，随波逐流也好，逆流而上也罢，总体上都逃不脱被裹挟而去的历史命运。在严酷的时代文禁中，“西泠八家”的艺术嗜好际会了时代风云，个人才艺契合了社会风尚，可谓天纵其才，才尽其用，既是人之幸，也是艺之幸。

智言慧思

画有三：一、绝似物象者，此欺世盗名之画；二、绝不似物象者，往往托名写意，亦欺世盗名之画；三、惟绝似又绝不似于物象者，此乃真画。

——黄宾虹《黄宾虹画语录》

阅读链接：

西泠印社编：《西泠八家印谱》，西泠印社出版社，2010 年版。
西泠印社编：《孤山证印——西泠印社国际印学峰会论文集》，西泠印社出版社，2005 年版。
朱琪：《西泠八家伪印考—明清流派篆刻辨伪探赜》，《书画研究学刊》（台湾），2009 年第 7 期。

吴昌硕：艺坛领袖如何炼成

吴昌硕像

1913年暮春，杭州孤山上，一场纪念西泠印社创立十周年的数百人雅集，隆重举行。与会同仁落实立社之议，定名西泠印社，修启立约，征集同志。一时间，名流云集，吴昌硕被推为首任社长，艺坛领袖地位突显。

吴昌硕（1844—1927），湖州安吉人，晚清著名画家、书法家、篆刻家，与虚谷、蒲华、任伯年并称为“清末海派四杰”，是晚清民初最具代表性的艺术家，以诗、书、画、印熔于一炉、俱臻佳妙的艺术成就，独立时代艺术高峰，影响中国书画艺术至深且远。

吴昌硕的弟子王个簃曾评价其师曰：“人谓先生书过于画，诗过于书，篆刻过于诗，德性尤过于篆刻，盖有五绝焉。”（《吴先生行述》）

王个簃的话，说出了中国文化传统对艺术家的品评标准。诗、书、画、印“四美”合一，是文人画的基本特征和传统绘画的至高境界。而一个“德”字，更是至关紧要。在中国，早期善美一体、善即是美的儒家伦理型审美模式，为后世“人品即画品”“德艺双馨”的艺术价值取向打下了根基。诸艺皆精的赵孟頫，因出仕元廷、丧失民族气节而被逐出“元四家”行列；南宋遗民画家郑思肖以画无土露根之兰喻国土沦陷之痛，赢得历代景仰，其因全在一个“德”字。

吴昌硕是以怎样的成就、怎样的情怀、怎样的修为，集“五绝”之大成于一身，而让艺林折服、青史留丹呢？

吴昌硕年少时受其父熏陶指点，刻章治印，打下童子功，一生成就都从此中生出。他的篆刻从浙派入手，兼融皖派，近取邓石如、吴让之、赵之谦诸家之长，远归秦汉之本，融会变化，自成风格。书法上篆、隶、行、楷、草诸体皆能，而以篆书为善。“曾读百汉碑，曾抱十石鼓”，广泛涉猎于甲骨钟鼎以至汉魏石刻碑碣等金石文字，而集毕生之力于石鼓文，一生不离，自称“数十载从事于此，一日有一日之境界”。其书艺深思精研，根基深厚，每出新意，自成骨格苍老、凝重遒劲的篆籀笔意。

吴昌硕以篆刻、书法为基业，也以篆籀笔法作画。画史上说，他初见绘画名家任伯年，随意的几笔涂抹，就让任伯年拍案叫绝，因其落笔用墨间，已然显出不凡气势。中国画最讲究的不是光影比例，而在用笔用墨。吴昌硕铁笔刻镂的沉雄笔力和汉魏碑碣的凝重墨色，纵横老辣，力透纸背，非一般画人所能企及，故其日后在绘画上的万千气象、宏阔格局，已在任伯年的眼前昭然若揭。

吴昌硕绘画以花卉蔬果著称，梅、兰、竹、菊、松、荷、水仙、青菜、葫芦、南瓜、桃子、枇杷、石榴等等都是他的画材，富于生活情趣。笔法上，篆书狂草被用作绘画大写意的线条，“草书做葡萄，笔动走蛟龙”，功力异常深厚。构图喜用作书治印的章法布白，在均衡协调的基本格局中，奔放处不离开法度，精微处照顾到气魄，大开大合，出奇出新。其画作用色浓丽，

吴昌硕 《富贵神仙图》

吴昌硕 《秋艳图》

吴昌硕　临石鼓文中堂

常以红、黄、绿等对比强烈之色调入赭墨。画面上，生气盎然、鲜明浓丽的花卉蔬果，与篆籀笔意的藤蔓枝干、古朴印章、奇崛山石相承相合，既缤纷灿烂，又沉静蕴藉，自有一份来自汉魏的古意沉淀其间，隔绝了浮艳与浅俗。诗、书、画、印交相穿插，“四美”俱全，极尽变化之妙。

“四美”之中，最核心的乃是诗文修养。诗不仅是一种文学形式，更是与学问有关的一种独特的古代表述。会不会作诗，有没有学问，在古代，是区分艺匠与艺术家的界限。吴昌硕善作诗，喜用典，不通俗，如篆籀般古崛深致。他也写文，品评诗画与研讨治印的许多见解和创作体会，都于此中表达。

阅读链接：

吴昌硕：《吴昌硕》（中国近代名家精品集），天津人民美术出版社，2012年版。

吴昌硕著、吴东迈编：《吴昌硕谈艺录》，人民美术出版社，1993年版。

吴晶：《百年一缶翁——吴昌硕传》，浙江人民出版社，2005年版。

上述种种，使得吴昌硕成为一名杰出的艺术家。但离名满天下的艺坛领袖地位，则距离尚远。仅有艺术创作的个人修炼，不足以登上这个显要之位。成大业者，天时、地利、人和缺一不可。

吴昌硕的时代，国门洞开，旧传统在欧风美雨、商业大潮的激荡下飘摇，新气象在时风的飘摇中孕育。面对时势之变，每个人都必须做出抉择。王国维为一个旧时代的结束而自沉殉道，康有为为一个新世界的来临而维新变法；留学生林风眠从西方艺术中为中国绘画开新路，世家子潘振镛居于嘉兴淡定自若守传统。这个因分崩离析而机遇无穷的时代，赐予了吴昌硕无限的发展空间。

吴昌硕所生所长的湖州、嘉兴、苏州、杭州等江南之地，是中国文人艺术传统的渊薮，悠长绵密，温醇清丽。他数十年浸润其中，根基扎实，修养广博，积淀深厚。但他同时也是上海的常客，长期飘泊、居无定所的吴昌硕，比固守家园的传统文人思想开放，眼光锐利，而行走中的姿态，也更容易与时代趋势相吻合。他最终选择了走出江浙地，定居大上海。

上海作为开埠于近代的大都市，有新兴的市民阶层，有浓厚的商业氛围。商业都市的繁华和实利诱惑，吸引大批书画家来此寻找搏取名利的机会。遗老遗少在此聚集，富商大贾附庸风雅，文化掮客穿梭往来，艺术市场生机勃勃，龙蛇混杂，驳杂鲜活，气象万千，渐成中国书画重镇。其中，浙江人士积功甚伟，“海上画派”的中坚力量、头面人物，如“三熊”（张熊、

吴昌硕 《瑞木嘉卉图》

朱熊、任熊)、“三任”(任渭长、任阜长、任伯年)以及蒲华、王一亭等，无一不是浙江人。吴昌硕居于此间，凭借“四美”合一的艺术功力、研判时势的敏锐眼光、顺应潮流的积极作为、艺术市场的成功运作以及硕果独存的年长身份，在大上海的艺林里站稳了脚跟，声誉日隆。

吴昌硕是一个乐于交友与交游的人。他以温和大度的开放个性、包容兼蓄的豁达胸怀、广收弟子的授业方式，与同乡画友、文人士夫、政坛遗老、商界巨贾、后辈新秀、日本友人广结善缘。在他这里，同是举业不顺、仕进无门，却不似徐渭一般狂躁怨愤；同是埋首画桌、鬻画为生，也不像吴镇那样执守己见。他世事洞达，乐与时进，品行方正，德性圆融，及至众望所归，被推举为西泠印社社长、上海书画协会会长、上海题襟馆书画会名誉会长，终成一代艺坛盟主。

西泠印社：何以在孤山

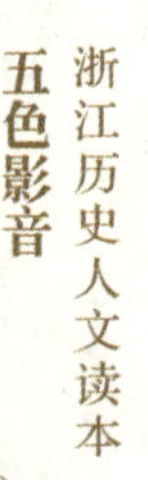

1904年夏天，丁仁、王禔、叶铭几位酷嗜篆刻的年轻人，相聚于西湖孤山，观赏各自收藏的古今印章、研讨印学。交谈中，感慨于印学的衰落之迹，渐起创建印社之想。商议于孤山数峰阁之侧，筑室为社，振兴印学。绍兴篆刻家吴隐得知此愿，欣然响应，力推其成。蜚声中外的西泠印社，就在这孤山之上，开启了她跨越世纪的艺术历程。

位于孤山之麓的西泠印社

此时，上海正式开埠已逾半个世纪，交接天下，商业繁华，成为近代中国经济、文化中心，云集了无数著名画家、书法家、篆刻家，由此催生“海上画派”，顿成江南艺术中心。一代篆刻宗师吴昌硕，此

时盛名已炽，为生计艺事而往返于苏沪两地。与“海上画派”因缘深重、以吴昌硕为第一任社长的西泠印社，却何以在孤山？

在曼妙的西湖天地里，孤山连着西泠桥，独擅胜场。要论孤山、西泠之美，且让我们回到南宋。初夏时节的孤山，西泠桥的薄暮里，南宋书画家赵孟坚的轻舟飘然而至。卸却了日间繁华尘衣的这一片湖面，天然的清华得以款款舒展。孤山草木繁密，深秀如黛。山前的湖面，堤桥相连，在芦苇与水草的丰茂里悄然静卧，湖水里有游鱼的生动，万里长天是与水一色的空濛。水天之际，林木森然，晚风轻拂而过，摇曳出满湖平远清淡的意趣。修雅博识的赵孟坚面对如此景色，不禁叹曰：“此正董北苑得意笔也。”

赵孟坚说到的董北苑，是五代南唐画家董源，善画江南云岚飘渺、花木扶疏之景。平远清润、静谧空灵的江南山水，与中国文人崇道尚禅的审美意趣相符相谐，引得无数文人墨客竞折腰。江南山水画的文化真谛，恰在于此。孤山、西泠、西湖水，正是此中好景。

孤山、西泠不独有自然的天韵，还有馨香文脉千年相伴，裹挟着人文造化，成就为一片精神的山水。

北宋高士林和靖于孤山北坡植梅养鹤，留下了中国最为著名的咏梅诗句：“疏影横斜水清浅，暗香浮动月黄昏。”这样一个花姿、湖水、月影交融的幽香淡淡的黄昏，在林和靖的笔下，定格成富有中国审美特色的经典画面，为孤山注入了清雅的气质和不朽的风骨。

清代浙江巡抚阮元于孤山南麓创办诂经精舍，其崇尚实学的教育改革之举，成为中国传统书院发展的转折。一代朴学大师俞樾踵迹其后，于此执掌教席三十余年。诸弟子为感师恩而建的“俞楼”，坐依孤山，面临西湖，成“西湖第一楼”，为孤山平添一段学问文章的厚重。

阅读链接：

余正：《西泠印社志稿》，浙江古籍出版社，2006 年版。

西泠印社编：《西泠印社历任社长印谱》，西泠印社出版社，2010 年版。

王佩智等编：《品味西泠丛书》，西泠印社出版社，2005—2010 年版。

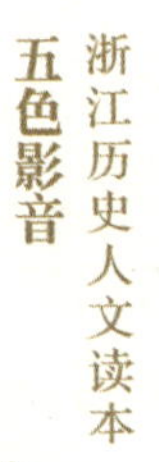

然而，最直接的渊源，还在篆刻本身。在中国篆刻史上声名显赫的浙派篆艺，其地位几由杭州一地奠定。以浙派创始人丁敬为首的“西泠八家”，均为杭城人士，他们的篆刻艺术开近代篆刻之先声，薪火相传，百代标程，对浙江印学产生巨大影响。流风所致，杭城书画、学问、诗词、收藏诸家乃至官宦之中，均不乏篆刻名手。城外人士也多来此地寻访名家，探讨印学。西泠印社树立的丁敬石像，即表明了印社与西泠八家相承相续的内在因缘。

但凡一项事业有成，尤以得人为要。术业有专攻、精通业务固然重要，最难得的是尽心勉力，竭诚奉献。丁仁之于西泠印社，正是这样一位难能之才。

西泠印社里的丁敬坐像

西泠印社创始人丁仁像

丁仁（1879—1949），字辅之，号鹤庐，浙江杭县人。出身富商之家，又是书香门第。丁家世代嗜好藏书，祖辈中的丁颤、丁国典、丁丙，均以藏书闻名海内外，入列清代四大藏书家，其藏书楼则入列清代四大藏书楼。他们尤以地利之便，收藏大量“西泠八家”之印。西泠印社创建之地的孤山数峰阁，即由丁丙移建。

丁仁承家族遗风，致力艺术文化，热心公益事业。与王禔等人议定创建西泠印社后，将之视为已任，力挑重担。不但出资建造楼舍，明其永为社产，不作私有；而且对印社建筑和园林布置，亲加修整增建，曾将白堤锦带桥的旧石栏搬回印社做成锦带桥，“虽一石一木，必期尽善而后已，心力所寄尤巨”（余正《西泠印社志稿》）。

草创既成，丁仁等四位创始人不居首功，不图名利，公推吴昌硕为首任社长。他们痴迷事业、慷慨奉献、胸怀磊落的精神气度，深受印社同仁称道，却已为今人所鲜知，特此表出，以怀先贤。

1913 年，印社正式成立，“人以印集、社以地名”，因名“西泠印社”，明确以“研究印学、保存金石、兼及书画”为宗旨。海内外书画篆刻名家云起响应，纷纷加盟。数代人的努力，积功至巨，西泠印社遂成金石篆刻界的“天下第一名社”，声名卓著。

2009 年，由西泠印社领衔申报的“中国篆刻艺术”入选联合国教科文组织“人类非物质文化遗产代表作”。如此佳讯，丁仁、吴昌硕等为印社筚路蓝缕，开启山林的先辈们，设若地下有知，必当颔首微笑，欣然而喜。

西泠印社，是从浙地空灵山水、绵长文脉和浙人艺术痴迷中生长出来的文化奇葩，但愿她如孤山上至今已 500 年仍葱茏如新的香樟树，日日新，又日新。

人生三层楼：从李叔同到弘一法师

弘一法师（1880—1942），俗名李叔同，生于天津，祖籍浙江平湖，是卓越的艺术家、教育家、思想家、革新家，具有极高的国际声誉。

李叔同出身官宦富商之家，家境殷实，生活优裕。祖父李锐经营盐业与银钱业，父亲李世珍为清同治四年（1865）进士，曾官吏部主事，后辞官承父业而为津门巨富。李叔同才华横溢，集诗、词、书画、篆刻、音乐、戏剧等才能于一身，开多项中国近代艺术之先河。他是我国最初赴日本学习西洋艺术并将之传到国内的新文化运动先驱者之一；主编了中国第一本音乐期刊《音乐小杂

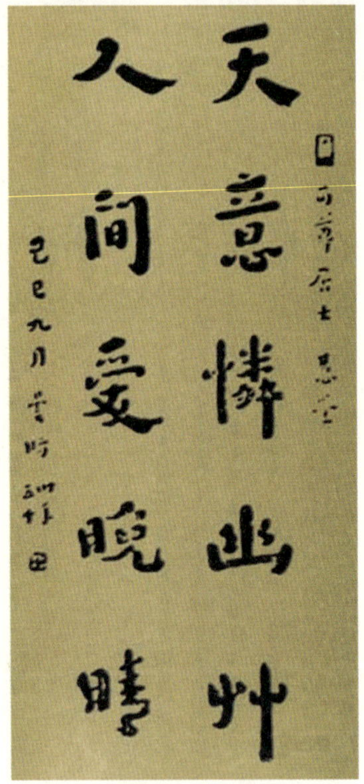

弘一法师书法作品

弘一法师篆刻作品

志》；在国内第一个用五线谱作曲、最早推广西方“音乐之王”钢琴；是将西方乐理传入中国的第一人；创作的经典名曲《送别》历经几十年传唱不息；作为中国话剧奠基人，是中国第一个话剧团体“春柳社”的主要成员，在国人上演的第一部话剧《茶花女》中扮演女主角玛格丽特；在中国开绘画教学中启用裸体写生之首例；撰写《西洋美术史》《欧洲文学之概观》《石膏模型用法》等著述，皆创下同时期国人研究之首。

1912 年秋，李叔同应经亨颐之聘，到杭州浙江省官立两级师范学堂担任图画和音乐老师。丰子恺在此成为他的学生，并在他的悉心教导下走上艺术道路，师生结下了一生情谊。李叔同于此实践着他的艺术理想，也在这里完成了他绚丽至极归于平淡的人生转换。1918 年阴历七月十三日，李叔同了结一切俗务，皈依佛门，法名演音，号弘一。此后一意研究与弘扬律宗，深研苦行，著书说法，成为备受尊敬的律宗大师。

1942 年 10 月 13 日，弘一法师圆寂。生前于泉州晚晴室写下最后一偈：“君子之交，其淡如水。执象而求，咫尺千里。问余何适，廓而忘言。华枝春满，天心月圆。”临终书“悲欣交集”四字，是为绝笔。

10 月 18 日，受国立艺专之聘、正在准备行装的丰子恺，得知此讯。他在窗前沉默了几十分钟，发了一个为法师画像一百幅勒石纪念的愿，便照旧启程前往重庆任教。当时，许多人来信怪他，说以他与弘一法师关系之深，何以没有一点表示，

岂不太冷淡了吗?

对丰子恺与弘一法师来说，任何表面形式的追悼或纪念，都不足以表达出两人在精神气质上的相契相融。即使是丰子恺自己，领悟恩师的人生意义与价值，也需得经过一段长长的思索。1948 年 11 月 28 日，丰子恺在厦门佛学会以“我与弘一法师”为题发表演讲，道出了自己对恩师一生的理解和评价：

我以为人的生活，可以分作三层：一是物质生活，二是精神生活，三是灵魂生活。物质生活就是衣食。精神生活就是学术文艺。灵魂生活就是宗教。“人生”

中央美院美术馆发现的似李叔同代表作《半裸女像》

在虎跑寺出家的弘一法师（中）

就是这样的一个三层楼，懒得（或无力）走楼梯的，就住在第一层，即把物质生活弄得很好，锦衣玉食，尊荣富贵，孝子慈孙，这样就满足了，这也是一种人生观。抱这样的人生观的人，在世间占大多数。其次，高兴（或有力）走楼梯的，就爬上二层楼去玩玩，或者久居在里头。这就是专心学术文艺的人。他们把全力贡献于学问的研究，把全心寄托于文艺的创作和欣赏。这样的人，在世间也很多，即所谓知识分子、学者、艺术家。还有一种人，“人生欲”很强，脚力很大，对二层楼还不满足，就再走楼梯，爬上三层楼去。这就是宗教徒了。他们做人很认真，满足了物质欲，还不够，满足了精神欲，还不够，必须探求人生的究竟。……弘一法师的人生欲非常之强！他的做人，一定要做得彻底。他早年对母尽孝，对妻子尽爱，安住在第一层楼中。中年专心研究艺术，发挥多方面的天才，便是迁居在二层楼了。强大的人生欲不能使他满足于二层楼，于是爬上三层楼去，做

阅读链接：

王志远编：《弘一大师文汇》，华夏出版社，2011 年版。

金梅：《悲欣交集：弘一法师传》，福建教育出版社，2010 年版。

陈野：《缘缘堂主丰子恺传》，浙江人民出版社，2003 年版。

和尚，修净土，研戒律，这是当然的事，毫不足怪的。

（《丰子恺文集》第六卷）

一代翩翩公子、艺术大师遁入空门，绝非有人所说的是消极避世、从时代潮流中退身落荒的行为。就中原因，确有时代、社会、环境和个人遭遇的客观因素，但更深刻的缘由，在于弘一法师的内心。准确地说，这是他为自己在艺术之外寻找的一片足以“行大丈夫事”的宏阔天地。

李叔同是一个终身沉浸于心灵生活、执著追求善美世界的天才人物，他在艺术上的一切作为，既是天赐禀赋的自然流露，也是自我人格、心灵修炼和人生价值的艺术化实现。艺术境界关乎人的精神，与宗教同属人类文化的精粹，两者之间的距离是如此接近，以至于成为一对如影随形的姐妹。“在文明社会中，艺术和宗教的密切关系是一件很平常的事。宗教和艺术都是人类深邃的情感启示。”（英马林诺夫斯基《文化论》）因此，如果将艺术的爱好与需要推向极致，是很容易与佛法接轨的。

李叔同最后走向佛门，就是他精神生活需求的一种结果。当多才多艺的禀赋在世俗生活层面发挥到了极致以后，他在现实生活中的路，也就走到了尽头。他要继续满足精神上的需求，继续自我心灵的修炼，就需要有一番新的开拓，于世俗生活之外另寻天地。这个新的天地，就是从李叔同转身为弘一法师之后的人生。

林风眠的西湖印象

西湖的无边风月和淡淡云水，为每个走近她的人，变幻无定地演绎出一段段多姿多彩的印象。然而，自从旅游演出项目《西湖印象》在苏堤边的湖湾里夜夜上演以来，声光电色与华丽衣衫的交织，似乎就成了“西湖印象”的定格，没有了山岚雾霭、云水烟波，没有了平坡远渚、长堤短桥，没有了花草杂树、早莺新燕。这样的印象，是一个技术复制时代呈现给我们的西湖幻影，它游离于西湖底子里的精致诗意和烟波里曼妙的风姿，在不知属于谁的夜空里张扬。

林风眠（1900—1991），广东省梅县人。1918 年获政府资助赴法勤工俭学，热衷西方现代派艺术，如后印象主义、野兽主义等等。1925 年回国，任国立北平艺

林风眠 《湖岸春柳图》

林风眠 《理鬓图》

林风眠 《双鹭图》

术专科学校校长。后受蔡元培之邀，赴杭州创建国立艺术院并任校长，长期致力于美术教学，为中国当代美术教育创始人之一。曾任上海美术家协会主席、上海中国画院画师，1977年移居香港。年轻时提倡“走上十字街头”的艺术运动，晚年却截然相反地回到艺术的“象牙塔”。 林风眠以开拓创新的精神，糅合中西，画作以西方艺术的视角切入本土绘画，而又具有鲜明的中国审美情趣和文化精神，开创了迥异于古人与他人的崭新画风。

林风眠是最早进行国画改革的画家之一，努力探索将西方油画与国画的美感相结合。他的画多用正方构图，既习惯于用大块面有如水彩或水粉的涂染之法画风景，也善用修长而富有力度的线条造型，传达生命的活力和音乐般的韵律。他采用的表现形式在很大程度上是“西方化”的，画面效果和作品所体现的意境却又体现了东方诗意，空旷、含蓄、抒情，具有一种令人感动的孤寂之美。

这样的艺术既来自于画家的心灵深处和诗意情怀，也与西湖的云水相关。因为我们总是可以“把西湖同林先生联系起来，把孤山的林和靖和林先生联系起来。西湖给人的印象是青春的，林先生即使逾九十，他的作品，无论是雅淡调子，还是浓艳调子，也都是青春……是不是杭州这一段时光给林先生留下了一生印象呢？”（黄苗子《西子湖恋情》）“在他在来到西湖之后，几乎就停止了回国之前和初期的气势磅礴、悲天悯人的主题性绘画，而更倾向于追求诗化的境界。那成为他本人生动写照的

林风眠 《芦荡飞雁图》

林风眠 《芦塘飞鸟图》

'孤雁'，就是取材于孤山内侧和西里湖那一派空濛的水天泽国。在层层仰天伏地的寂寥的墨色后边，林先生是在意写'无边静寂'的浪漫诗景。这诗景，正是林先生的天性与西湖冷寂之美神秘勾联的佳证！"（许江《中国美术学院院庆讲话》）

林风眠 1927 年到杭，1934 年在玉泉马岭山下建造了一幢拥有客厅、卧室、画室、露台、地下室和草地的西式私寓，一直住到 1951 年离杭赴沪（抗战时期随校西迁）。这是一处与西湖极近的住所，举步之间，便可到得。

江南的烟雨温润，造就了一个草木丰沛的西湖，四季时花绽放的锦簇花团，盛开在湖畔的园圃和湖里湖外的汀渚堤岸间。堤中树、陌上花、水边的芦苇与蔓草，都在西湖天地的和风细雨、清岚朗月里自由生发，清丽的风姿与耀眼的绚烂交织成一片花木掩映的湖光山色，触目皆景、举笔是画，西湖的秀雅、西湖的灿烂、西湖的风骨，尽在其中。

林风眠曾说，在杭州时天天到苏堤散步，饱看了西湖的景色，并深印在脑海里，

阅读链接：

林曦明编：《林风眠美术作品精选集》，四川美术出版社，2011 年版。

林风眠：《林风眠论艺》，上海书画出版社，2010 年版。

郑重：《林风眠传》，东方出版中心，2008 年版。

但是当时并没有想画它。直至后来到了上海、香港，西湖的山峦、堤岸、睡莲、风柳、舟船、亭阁、大雁、孤鹜，从记忆的深处翩翩翻飞而至。西湖独特的风姿，助成了他迥异于他人的艺术风格。

《西湖》《湖岸春柳图》等作品，以青绿水粉画西湖春色，与他具有代表性的雁画系列作品的孤寂风格迥然不同，明亮悦目，清丽可人。简括淡远的构图意境来自南宋绘画传统，方形的画幅也是受到了宋画方形册页的启发；用色则是西方绘画的着色手法，用翠绿、深绿的水粉厚抹，色中带墨，墨上加色，艳丽的色彩中带着淡淡的墨痕，色墨交融，呈现出丰富的肌理、层次与厚重感，将西湖的春天表现得生气勃勃、生机盎然。

《芦荡飞雁图》是典型的林氏画风，画了湖中一排排的芦苇和水面上掠过的两三只雁鸟，白粉的运用表现出浓重阴云间隙里透射出的天光和湖面的水色。天空、堤岸、湖水、芦苇在画面上平行排列，雁鸟皆从右向左进入画面。雁鸟的画法是中国传统的飞禽造型，芦苇是传统水墨的笔法，色彩的基调也以水墨为主，整个意境具有中国传统绘画的特征。画中白、绿等水粉色彩的运用和光影的表现，则是西方绘画的技法。在画家着意渲染的云水淡淡、蒹葭苍苍、空旷静谧的诗意美感中，自有一种孤寂与神秘的气质，摄人心魄。

林风眠的西湖印象，生发于西湖水墨氤氲的传统，融入了世界的印迹，抹上了独具性灵的光与影，是真、善、美的和谐统一，实现了他一贯的艺术主张："介绍西洋艺术，整理中国艺术，调和中西艺术，创造时代艺术。"

西风东渐中的美术新声

蔡元培像

“五四”新文化运动给我国书画传统带来了巨大冲击，也带来新生的机遇。美术观念的革新，美术社团的兴起，美术学校的创立，继清末之后更多学子远涉重洋赴欧、美、日等国留学，油画、水彩画、素描的引进等等，都是风行当时的重大变革。

浙江在这其中扮演了重要角色。绍兴人蔡元培倡导“美育”，在思想观念上促进了当时美术革新运动的发展。适应全国性的发展潮流，浙江也出现了一些美术社团。如杭州地区的西泠印社、西泠书画社、莼社，湖州嘉兴地区的双林石湖书画社、槜李金石书画社等。早在 1912 年，以经亨颐为校长的浙江两级师范学堂即创办了图画、手工专修科，李叔同执艺术教育的大旗于其中，丰子恺、潘天寿均出身于此校。1928 年，中国第一所国立艺术学院——国立艺术院在杭州诞生，创始人蔡元培，首任院长林风眠。该校中西交融，各派共存，堪称我国艺术教育的摇篮，为振兴中国美术作出重大贡献。

民国时期的中国书画，以京、沪、岭南为三足鼎立，浙江画家则多集居于上海，如清末民初的三任、吴昌硕、蒲华等人。著名画家潘天寿，曾任国立艺专校长，作

画尤多巨幅，高峻奇崛，气势磅礴，名重一时，被誉为画坛俊杰。著名花鸟画家陈之佛也曾任国立艺专校长，作品雍容典雅，与北京的于非闇南北呼应。常书鸿为保护、研究敦煌石窟艺术，于1942年赴兰州创立“敦煌艺术研究所”，常年工作于石窟之中，为弘扬民族文化历经艰辛。黄宾虹、林风眠等虽非浙人，但以自己的艺术成就和艺术教育成就，为浙江贡献多多。

民国时期浙江画家在油画创作上也取得了较大的成绩。著名者如倪贻德，在油画创作和西方美术史论研究上都有突出成就。常书鸿早年留学法国巴黎美术学校，作品《两姐妹》获法国里昂艺术家沙龙金奖。其他油画家在学习西方油画传统的同时，也都融入了中国民族文化和自己的个性，并取得不凡成绩。

民国时期的版画，主要是指木刻，且大都以进步与革命的战斗姿态出现。20世纪30年代，鲁迅极为关心左翼新兴美术运

设在西湖边的国立艺术院

倪贻德 《风景》(油画)

动，积极倡导和扶持以木刻为中心的青年美术活动，培养了一大批卓有成就的青年美术家，为抗日救国和反对国民党黑暗统治作出贡献。浙江本地的木刻青年也很活跃，先后成立过“浙江战时木刻研究社”“木铃木刻研究会”等。著名的“一八艺社”由杭州国立艺专进步学生组成，在鲁迅指导帮助下开展活动。作品以鲜明的斗争倾向，反对国民党政府的腐败统治，受到社会好评。沃渣、野夫等都是当时著名的木刻家。

随着新闻报刊的发达和社会需要的增加，漫画在民国时期得到迅速发展。浙江以漫画家多且作品成就大而著称于此一领域。民国初年有张聿光、钱病鹤、沈伯尘、丁涑等，三四十年代尤为群星璀璨，有丰子恺、叶浅予、张乐平、米谷等。他们大都集聚上海，其中丁涑等人参与了中国第一个漫画团体“漫画会”和刊物《上海漫画》的创办。漫画家们在宣传抗日、讽刺揭露当局黑暗统治、反映社会生活方面都有佳作出现。

民国时期的书法基本上是清代书风的延续，书家多为清代遗老及其弟子，遵循的是传统的模式与路子。同时，新文化运动的影响也是明显的，比如印刷技术的进步，使原来的孤本秘帖得以大量印制出版，促进了书法的普及。而中西文化的交流也使得许多珍贵的中国书法墨迹、碑拓墓志流向国外，尤其是日本，对它的书法发展产生重大影响，也逐步对西方现代绘画产生一定影响。浙江著名的书法家有以甲骨文写书法的罗振玉、篆书家章炳麟、专攻行书的沈尹默等人。篆刻家则有著名的吴昌硕、丁仁、赵时棡、王禔等，其中吴、赵、王被时人誉为三足鼎立。

阅读链接：

李铸晋、万青力：《中国现代绘画史》（1—3 卷），浙江大学出版社，2012 年版。

阮荣春、胡光华：《中华民国美术史》，四川美术出版社，1992 年版。

阮荣春、胡光华：《中国近现代美术史》，天津人民美术出版社，2005 年版。

纸上传奇

纸上传奇，指历代浙地小说、戏剧，也指它们多传奇内涵。浙地历史文化悠远丰富，多传奇性与戏剧化变迁转折，于是诞生于其间并对其有所反映的『传奇』里，常出现传奇人物、传奇故事。

引 言

传奇作为名词，指情节奇崛、人物思想行为不同凡响的故事。作为形容词，指事或人、物奇特、不寻常。

中国文学史上，“传奇”在不同时期曾指示代表小说、戏剧等不同文体。

小说方面，著名的“唐传奇”是成熟的文言短篇小说，一开始是参加科举考试的考生为得到较大名声、有助于顺利地在考试（唐代科举考试和宋以后不一样，是不糊卷即不匿名的）中得到好名次，写了送给考官和文坛领袖看，展现才华的文字。为吸引读者，唐传奇的故事多引人入胜，人物多个性鲜明，文笔也力求华美精妙。这个“传奇”是传播奇闻妙事、奇人异行之意。后来因为很受欢迎，唐文人大量采用这一文体进行创作，延续以爱情、神异故事为主的主题，名篇有《莺莺传》(《西厢记》前身)《柳毅传》《霍小玉传》《枕中记》等。唐传奇的确多“奇”，如《柳毅传》写人与龙女恋爱、《霍小玉》写女子死后报复负心人、《枕中记》写人生如梦。后来的小说多“传奇”的影子。

戏剧方面，浙地最早萌发成长，也就是中国最早的成熟戏剧形态宋代“南戏”，也有别名“传奇”。到了明清时，传奇又

成为杂剧以外的戏剧的总称，就是“明清传奇”，名著有《牡丹亭》《长生殿》《桃花扇》等，也多传扬奇事，如《牡丹亭》里的起死回生、《长生殿》的梦游仙境。

所以“传奇”可兼指小说、戏剧。而唐传奇、宋传奇（宋南戏）、明清传奇也是中国小说和戏剧的典型代表。本专题名用“传奇”是一语双关，既指小说也指戏剧，重点是历代浙地优秀小说、戏剧作品。而清初浙地著名小说家兼戏剧家李渔曾说小说是“无声戏”，也道出两种亦雅亦俗文学体裁的相通处。

欽定四庫全書
欽定校正淳化閣帖釋文卷一
歷代帝王法帖
夏后氏大禹書 舊標夏禹列卷五今從史例改題並移此
出令聶子星紀齋春其尚節化
謹案右一帖篆書二行十二字
後漢章帝書 舊止標漢今從史例增後字
辰宿列張盈昃海鹹河淡鱗羽翔龍師大帝鳥官人皇

清《四库全书》书影里隐现的大禹传奇史迹，浙地多大禹遗存。

至于取“纸上传奇”之名，是因为本专题写的传奇都是案头文本，如戏剧是剧作家创作的剧本文本，而非舞台表演形式。

“纸上传奇”还指历代浙地小说、戏剧多传奇内涵。浙地历史文化悠远丰富，多传奇性与戏剧化变迁转折，诞生于其间并对其有所反映的“传奇”，便常出现传奇人物、传奇事迹。

浙地小说方面，先有孕育了浙地最早小说雏形的浙地本土史书《吴越春秋》，中国最早的志怪和志人小说集《搜神记》《世说新语》及《续齐谐记》，充盈着勾践、范蠡等传奇历史人物的瑰意奇行，神话传说人物的诡异奇闻，文人名士的奇行逸事。唐传奇如浙籍小说家沈既济的《枕中记》、沈亚之的《秦梦记》和杜光庭的《虬髯客传》，一写如真如幻黄粱美梦，一写如诗如梦飘渺爱情，一写英雄侠客江湖儿女，也都是世间传奇。后来诞生在浙地的《三国演义》《水浒传》，更是历史传奇

阅读链接：

韩国举、韩洪举：《浙江古代小说史》（浙江文化研究工程成果文库·浙江历史文化专题史系列），杭州出版社，2008年版。

韩洪举：《浙江近现代小说史》，杭州出版社，2011年版。

聂付生：《浙江戏剧史》，中国戏剧出版社，2008年版。

小说和英雄传奇小说的典范，被列为“明代四大奇书”和“金圣叹评第五才子书”。还有《剪灯新话》是中国首部禁毁小说，拟话本高手凌濛初的《初刻拍案惊奇》《二刻拍案惊奇》写尽俗世奇事奇人，才子佳人小说《玉娇梨》成为黑格尔关注的小说，《子不语》是清代三大志怪小说之一，《绿野仙踪》是世情小说大成，《再生缘》写闺秀入相出将，蔡东藩的《中国历代通俗演义》可谓千秋史笔，都深具传奇色彩。

浙地戏剧方面，宋代的《张协状元》是第一南戏、“戏曲活化石”。还有元“四大南戏”，南戏中兴之祖《琵琶记》和清初传奇《长生殿》，也是平朴或典雅中见奇崛不凡。明曲第一徐渭的《四声猿》杂剧更是写尽奇人异事。

历代浙地的很多小说名篇、戏剧佳作，都无愧“传奇”之名。

当然，浙地多“传奇”，是因为浙地历史上有许多“作意好奇（指喜欢记录、传播奇异之事）”的小说家、戏剧家，如《搜神记》的作者干宝，写《续齐谐记》的吴均，“十部传奇九相思”创作了多部爱情传奇的李渔，写了历史传奇《长生殿》的洪昇，写《子不语》的袁枚，还有早年创作过《狂人日记》和《阿Q正传》等奇特“畸人”故事、晚年以中国历史上的著名神话和历史传说为题材创作小说集《故事新编》的鲁迅，及身世传奇的宋春舫，在苦难中孕育传奇的朱生豪等。

浙地小说、戏剧的传奇色彩，充分体现了浙地人和浙地文化的开拓性和创造力。

小有大观：瓜棚豆架下

《纸上传奇》的小说部分记叙了历代浙地著名的小说作者，包括浙籍的和长期寓居浙地的，还有写于浙地，或写浙地内容的著名小说。

古籍里较早出现"小说"字样是战国时《庄子·外物》说的"饰小说以干悬令(悬令，高而美的意思),其于大达亦远矣"。当时思想界百家争鸣,很多人宣扬自己的思想时，为了让王侯霸主感兴趣，往往在游说时引用历史故事、神话寓言、生活趣事为例子进行比喻，甚至虚构故事。因此，小说一开始是先秦诸子著作里那些为说明道理而存在的真假参半的有趣小故事。庄子看不起"小说家"们美化琐碎言论以求得到高名美誉，认为和玄妙高远的真理相差太远了，虽然他自己也讲了不少小故事。孔子一派对"小说"和"小说家"的态度温和些，但实质一样。东汉史学家班固在《汉书·艺文志》中引用了孔子（一说子夏）评论"小说家"的话"虽小道，必有可观者焉"，说"小说"虽琐碎却也值得注意，但要实现远大目标就有所拘泥了。"小说"仍被看作"小道"。

东汉时"小说"地位有所提高。哲学家桓谭《新论》一文说"小说"虽然只是综合了凡夫俗子的琐屑言语，但能像孔子说的"近取譬"，就是由一己的经验感受推及身边他人乃至世间众人普泛的思想情感、生命体验。写成后，能给更多读者以感动和感悟，还能借讲道理有助于人们"治身理家"，对修身养性、管理家族都有重要的教化作用和启示意义。这明确了小说概念，也奠定了小说为人生的现实主义本质。

小说早就生长流传于民间和百姓口耳间。班固说古代有专门在市井坊巷、道路驿站等处搜集新闻趣事供帝王参考的小官“稗官”，就和“诗经时代”摇着“诗铎”（古乐器，似铃）到各地乡野采风、收集诗歌的官员一样。小说最初的诞生地也是永远的灵感发源地，是充满“街谈巷语、道听途说”的民间，尤其是那些聚集了民间讲故事者的“传奇”（传播奇闻）中心。后世也是这样，只不过场景从村间地头换到了城镇、城市的娱乐中心，讲故事的人变成瓦舍里专业讲故事的艺人。

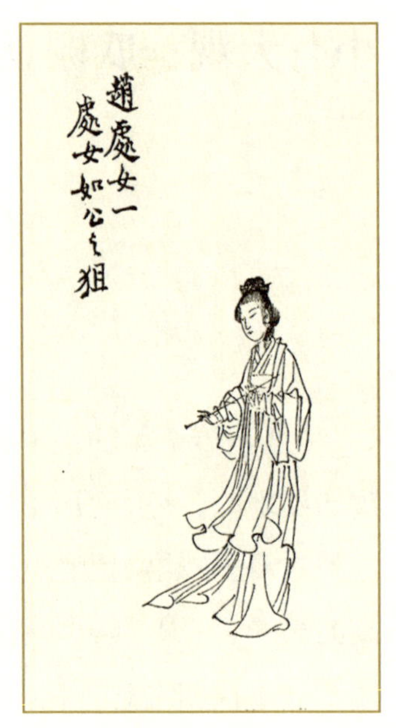

中国侠客鼻祖“赵处女”像，清代浙地画家任薰（字渭长）画的就是当代浙地小说家金庸小说里的春秋越国女英雄“越女剑”原型

“讲故事”对后世的小说一样重要。文人创作文言小说除了参考书籍外也要从民间故事里汲取素材、灵感。白话小说更和民间故事关系密切，唐宋时“说话”（讲故事、说书）底本“话本”就是白话小说的源起，宋元时文人们模拟“话本”写的“拟话本”是文人白话小说的开始。到清代，诗人王士禛给山东同乡、小说家蒲松龄的文言小说《聊斋志异》的题诗仍说“姑妄言之姑听之，瓜棚豆架雨如丝”，“瓜棚豆架”是个惹人遐想的诗意所在，指民间乡里那些上面悬着丝瓜、爬着豆藤的空地，百姓农闲或者傍晚时在此聚会聊天、交流消息。

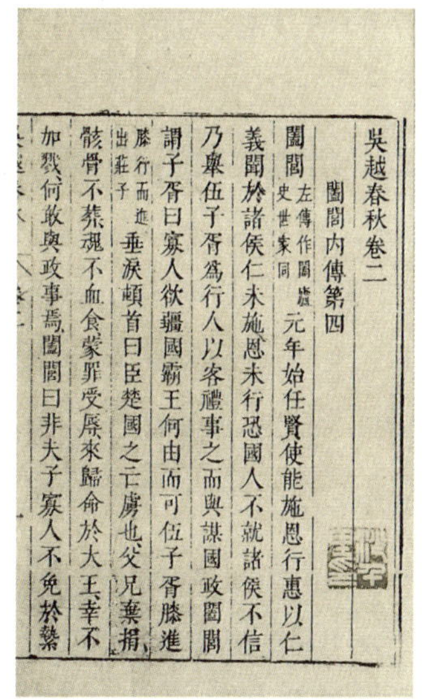
吴越春秋卷二

闔閭內傳第四

闔閭（左傳作闔廬 史世家同）元年始任賢使能施恩行惠以仁義聞於諸侯仁未施恩未行恐國人不就諸侯不信乃舉伍子胥爲行人以客禮事之而與謀國政闔閭謂子胥曰寡人欲彊國霸王何由而可伍子胥膝進（膝行而進 出莊子）垂淚頓首曰臣楚國之亡虜也父兄棄捐骸骨不葬魂不血食蒙罪受辱來歸命於大王幸不加戮何敢與政事焉闔閭曰非夫子寡人不免於縶

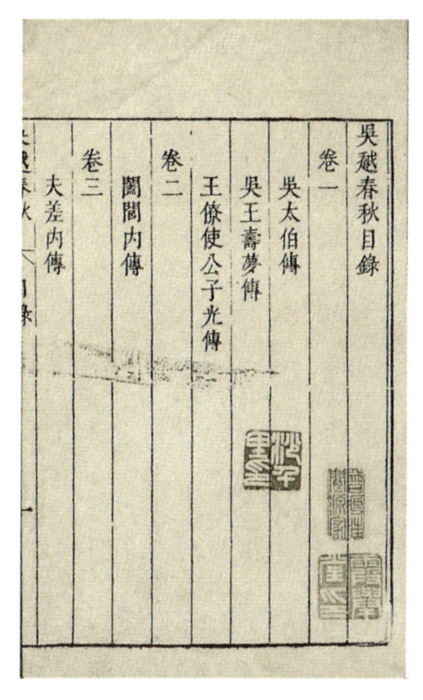
吴越春秋目錄

卷一

吴太伯傳

吴王壽夢傳

王僚使公子光傳

卷二

闔閭內傳

卷三

夫差內傳

东汉浙地作家赵晔写的《吴越春秋》书影

“蒲松龄们”笔下的很多趣事异闻、奇思妙想都来自“瓜棚豆架”下乡人的闲聊乱侃，他们的小说变成故事后也在这里得到最早的传播。

正因如此，小说身上带着与生俱来的雅俗共赏意味、现实性和传奇性兼备的色彩，它的生命力也源于此。也因如此，先秦诸子文里许多拿来证明“大道”的“小说”如生动有趣的寓言小故事在那些“大道”被人淡忘后仍为人津津乐道，还成为后世小说的重要母题和常用素材，被摹写，被化用。尤其一些想象较丰富、描写较详细的神话及地理乡土典籍、杂家著作里生动优美有文采的片断描写被认为是小说雏形。如东汉浙地会稽（今绍兴）文人赵晔记叙春秋吴越两国历史的《吴越春秋》被认为是浙地小说的源头。

《吴越春秋》和东汉会稽文人袁康、吴平记叙越国历史地理的《越绝书》，是了解浙江历史文化不可或缺的两本书，都可算是历史散文，不过《越绝书》内容风格更朴实，《吴越春秋》情节更奇幻，语言更华美。《吴越春秋》是吴越争霸传奇历史

的“好奇”（喜欢写奇闻异事）的记录者，被认为介于史书和历史演义小说、志怪小说之间。

《吴越春秋》是浙地小说也是历史演义小说的雏形。除了描述波谲云诡、悲欢离合的历史，塑造人物的高超艺术对后来《三国演义》《中国历代通俗演义》等浙地历史小说也有很深影响。如书中写的伍子胥等的鲜明形象与独特个性，和《三国演义》里令人印象深刻的诸葛亮之“智”、关羽之“忠”相比，都不逊色，虽简略，却不面谱化。

《吴越春秋》也开志怪小说的先河，充分展现了越地历史文化奇丽恢弘的特色，尤其是其中富于传奇色彩的部分，是后世历代浙地诗歌、小说、戏剧的重要素材来源。如《吴越春秋》里白猿化成的“狙公”和“越女”（范蠡请来，定居越国，教越国军民剑术武功的赵国善击剑女子赵处女，也是“卧薪尝胆”的功臣之一，和勾践夫人、西施等共同构成亦虚亦实的“越女”人物系列）比剑的生动奇特描写就影响了当代武侠小说家、海宁人金庸的武侠小说《越女剑》。

阅读链接：

鲁迅：《中国小说史略》，《鲁迅全集》（第9卷），人民文学出版社，1998年版。

（东汉）赵晔：《吴越春秋》，江苏古籍出版社，1999年版。

钱笠：《吴越春秋》（“历史原本不枯燥”系列之一），江苏人民出版社，2012年版。

干宝搜神：小说鼻祖、鬼之董狐

东晋南朝最出色、颇具开创意义的两部小说集，即志怪小说集《搜神记》和志人小说集《世说新语》（原名《世说》）都与浙地文化大有渊源，《搜神记》的作者干宝是浙地人，《世说》里写到了很多发生在浙地的人与事。日后也是浙地绍兴（《世说》里众多家族和文人的聚居地，如谢氏）文人鲁迅提出了志怪、志人小说的概念。

东晋海盐人（干家也是南迁浙地、后寓居海盐的北方士族）干宝的《搜神记》是历史上最出名的志怪小说之一，也是最早成熟的志怪小说、小说集。一说 1986 年发掘出土的战国秦简《墓主记》是最早的志怪小说，但现世太迟，对文学影响甚微，文学价值也远不如《搜神记》。

干宝（？一说 283，似过早—351）祖籍河南。一说其父出仕三国吴国，举家南迁，定居海盐。一说干宝来浙地为官，因逢西晋灭亡、东晋鼎立，便迁家到海宁、海盐之间；干父去世后下葬澉浦青山，干宝在此守孝三年，干氏后定居海盐。

干宝多写志怪小说，和时代大有关系。两汉、魏晋南北朝时，带有神异色彩的志怪小说兴起、盛行，这和先秦的原始宗教、巫术，秦汉兴起的神仙方术，尤其是兴于汉代、流行于魏晋南北朝以“阴阳五行”为核心、宣扬“天人感应”的谶纬之学关系甚深。如原始宗教的诸神体系、创世纪神话；巫术的占星与祈福施祸；神仙家理想中的天上人间、列国仙境；方士苦苦上下求索的海外名山、海市蜃楼，还有谶纬的迷信、诡思如圣人感生、祥瑞灾异预兆等等，都为汉魏六朝志怪小说的繁盛

提供了丰足的创作氛围、素材来源。

干宝写志怪小说，也和地域大有关系。志怪小说继承了萌生在中国南方的“古之语怪之祖”《山海经》还有《楚辞》《淮南子》的传统，渗透着“万物皆灵”的原始思维，是一种极具初民思想、神秘主义色彩的文学形式。汉代后的中原地区，受儒家思想和史学思想影响深刻，如孔子的“不语怪力乱神”说、司马迁《史记·大宛传》里说的“至《禹本纪》《山海经》所有怪物，余不敢言”，虽是进步，却使神话过早消亡，文学的想象力大大减弱。而在遥远的浙地山海一隅的民间，仍流传着许多朴素而奇异、富于地域特色的原始神话、万物灵异传说。身为曾受东晋名臣王导推崇、写过国史《晋纪》的史学家，干宝曾长期寓居吴越之间，又曾为大禹封地越地山阴令，一直身处民间巫风极盛的浙地，对此间神话传说很熟悉，便有心加以记录。

干宝会写志怪小说，还和他自身的独特经历有关。《搜神记》的很多故事都有干宝的感慨甚至身影在其中。干宝可称魏晋间的通才，博雅之才多性情通达，加之他本性喜好阴阳术数，于《周易》造诣极深，所以对“怪力乱神”并不反感。而他个人的遭遇更加深了他对“鬼神飘渺”之事的笃信。干父生前有宠婢，被干母嫉妒。干父去世时，干母把婢女活生生地推到墓穴里。当时干宝兄弟年纪都小，不知此事。10多年后，干母去世。干家人打开干父的墓准备合葬，据说居然看到那个婢女伏在棺材上，容貌如生。婢女几天后醒了，说干父常拿食物给她吃。还有，

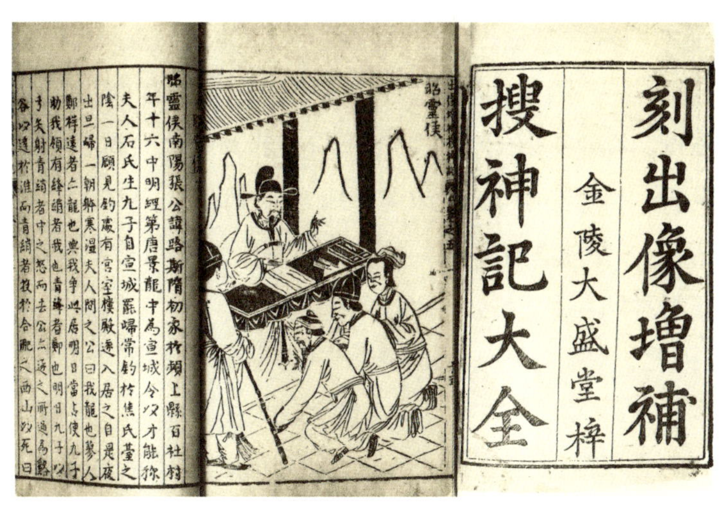

昭靈侯南陽張公諱路斯隋初家於潁上縣百社村
年十六中明經第唐景龍中爲宣城令以才能稱
夫人石氏生九子自宣城罷歸常釣於焦氏臺之
陰一日顧見釣處有宮室樓殿遂入居之自是夜
出旦歸一朝躰寒濕夫人問之公曰我龍也蓼人
鄭祥遠者亦龍也與我爭此居明日當戰使九子
助我領有絳綃者我也青綃者鄭也明日九子以
弓矢射青綃者中之怒而去公亦逐之所過爲谿
谷以達於淮而青綃者投於合肥之西山以死曰

刻出像增補
金陵大盛堂梓
搜神記大全

《搜神记》书影

干宝兄长曾病重到气绝，但多日身体不冷，后来又活过来，好像睡觉醒了，说并不知道自己死了，还说病中看见天地间的鬼神。这些事都发生在浙地，如干父的墓就在澉浦。古杭州湾边、今已消失的河流澉浦旁，应该确曾发生过这样看似奇诡实则惨烈的一幕。婢女复生不是重点，干宝碍于孝道不敢质疑母亲的杀人行为、以神异事件掩饰真相才是实情。

志怪不只是写神异之事，而是透过这些异事怪事的表象记录剖析内在蕴藏的真实的世态人情，从不寻常中见常态、常情、常理。

干宝将浙地民间流传的神话、传说、民间故事中的神奇异闻共400多篇记录下来，集成《搜神记》三十卷。他把《搜神记》拿给名字常出现在《世说》里的名士刘惔看，刘赞美他是“鬼之董狐”，说他是秉笔直书鬼神故事的“古之良史”、春秋晋国太史董狐。

《搜神记》今存二十卷，有后人加工痕迹，不全是干宝原著面貌，但他的功绩不可轻视。《搜神记》是魏晋志怪小说中成就最高的代表作，名篇甚多，保存的古代民间传说尤为珍贵。如《干将莫邪》《韩凭妻》《董永卖身》《李寄斩蛇》《嫦娥》《紫

玉》《东海孝妇》《宋定伯卖鬼》《刘阮入天台》等，都是后世诗歌、小说、戏剧的重要素材。以小说为例，如《搜神记》的《胡母班》就是唐传奇名篇《柳毅传》的雏形；《干将莫邪》源自《吴越春秋》，又是后世鲁迅新历史小说集《故事新编》里《铸剑》一篇的原型。以戏剧为例，《董永》是《天仙配》的原型；元杂剧《窦娥冤》源于《东海孝妇》。

《搜神记》对后世的志怪小说影响也大。多有“搜神后记”之类名字的作品。著名文言短篇志怪小说集《聊斋志异》就是一部清代的《搜神记》，或者可以说《搜神记》是东晋时的《聊斋志异》。清代浙地文人袁枚的《子不语》也是。

阅读链接：

鲁迅：《古小说钩沉》（鲁迅古小说研究著作四种），齐鲁书社，1997年版。

（东晋）干宝：《搜神记》，中州古籍出版社，2010年版。

王国良：《魏晋南北朝志怪小说研究》，台北文史哲出版社，1984年版。

续齐谐记：人间何事不鹅笼？

所谓“既生瑜，何生亮”，南朝梁代吴兴故鄣（今湖州安吉）人吴均（469—520）也许会常感郁闷：他是各文体都擅长的文人，可惜诗歌上名气不如同时同乡沈约；散文方面名气稍逊另一位同时同乡丘迟；比小说，他的名声又被较早的浙地同乡干宝掩盖了。吴均的《续齐谐记》也是著名的志怪小说。《齐谐》是古时记传奇故事的书，《庄子·逍遥游》里就说“齐谐者，志怪者也”，可见吴均在传奇小说创作方面有继承前贤并有所开拓的宏愿。

重阳节古画：重阳登高避灾的风俗，《续齐谐记》里有记录

现今《续齐谐记》虽只存17条，但都是很有名的故事。如田真三兄弟分家而家中紫荆枯死，他们感而复合于是紫荆复活。还有五月五日做粽子祭屈原、七月七日织女渡银河会牛郎、九月九日桓景登高避灾即端午、七夕、重阳节的起源，都是后来人们非常熟悉、常用的典故。书中最出名、常被后世诗歌小说戏剧化用、也富于浙地特色的两则名篇是《青溪庙神》和《鹅笼书生》，后者尤出名。

《青溪庙神》写会稽书生与清溪女神人神相恋。说书生在青溪中桥秋夜步月，

阅读链接：
刘秋叶：《历代笔记概况》（大家小书），北京大学出版社，2011 年版。
王耘：《从〈外国道人〉到〈鹅笼书生〉——论佛经故事向志怪小说的叙述范式转型》，《中国文学研究》，2007 年第 4 期。
王国良：《〈续齐谐记〉研究》，台湾文史哲出版社，1987 年版。

怅然思乡，唱《乌飞曲》，有清溪小姑为他鼓箜篌伴奏，结下一段悱恻迷离的恋情。次日两人分别后，书生在青溪庙中见到小姑像才知遇仙。《青溪庙神》远承浙地远古大禹和九尾仙狐相恋的《候人歌》，近承《搜神记》里的《董永》，奠定了中国古代文学里“愿作鸳鸯不羡仙”的仙凡爱恋模式。仙女向往尘世的爱、追求感情温暖，主动下凡与凡人结合，安于平凡生活，最后却受外界因素影响，仙凡永隔、怅然若失。这其实是人间爱情因为各种原因被阻隔的缩影、折射。《青溪庙神》不世俗、不势利、不物质、不功利的纯美爱情对后世影响很大，和后来流传浙地的著名的《梁祝》《白蛇传》等故事一脉相承，是很多文学作品的诗意素材来源。

《鹅笼书生》一文源自佛经《旧杂譬喻经》，可见此时吴均等南朝文人深受佛学思想影响，对世事、人生百态的多样性和共通性的思考认识日深。而且，《譬喻经》故事，佛说“一花一世界，一叶一如来”的哲理正和孔子认为小说能“近取譬”即以小见大、由此及彼的特性相符合。《鹅笼书生》改写佛经故事，以一个小小鹅笼，一篇“小说”篇幅，令人窥见一切世态人情，可谓奇妙之极。小说里写东晋一文人挑着装鹅的笼赶路，遇到一书生要求借鹅笼憩息。奇异的是，书生进入鹅笼后也不觉得笼子狭小，和两只鹅安然相处。途中休息时，书生从嘴里吐出一桌宴席，又吐出一名女子，与之共享。书生入睡后，女子又吐出自己的情人。女子也入睡后，她的情人口中又吐出一名女子。他们都要求文人保密。此后文人又旁观了他们陆

续把吐出的人吞了回去。这个故事写的不是戏法魔术，而是显示了此时人们受外来思想文化影响，形成较开阔的时空观念，对复杂时空的切换、时空具有弹性有了更多理解和认识。这个故事还隐喻象征了另一种人生的可能，道出了人们心底对理想的向往和追求。和同时东晋大诗人陶渊明笔下的理想国“桃花源”，还有《搜神记》里《刘阮入天台》篇写文人入天台山遇仙，都展现了“山穷水尽疑无路，柳暗花明又一村”的“异度时空”。中国文学包括小说自此进入一个更丰富，更复杂的立体，不再简单地描述一个非善即恶非左即右的世界。

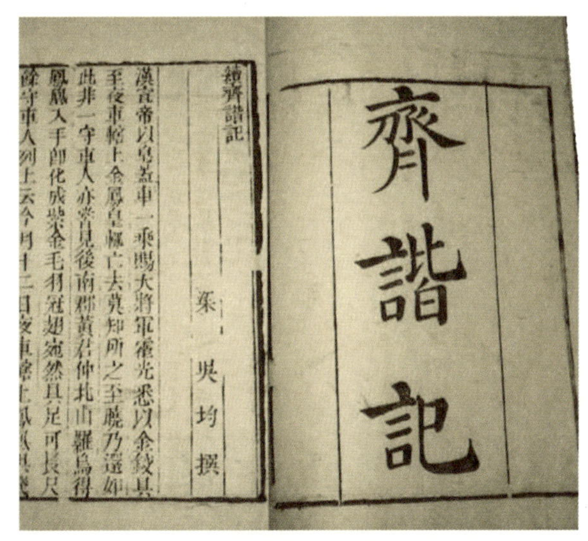

《续齐谐记》书影

《鹅笼书生》还初次展现了后来当代学者钱钟书提出的“鹅笼”意象，渲染了幻中生幻、变化无常、令人惘然的情境氛围，对世情、历史、人生提出富于哲学意味的思考疑问。后人常有提到“鹅笼”意象，如清代两位写志怪小说的高手《聊斋志异》作者蒲松龄和《阅微草堂笔记》作者纪昀（纪晓岚）都受《续齐谐记》的影响，蒲松龄就说过“人间何事不鹅笼？”说《聊斋志异》从“瓜棚豆架”的现实世界里选取的世态人情即奇幻又真实，和《鹅笼书生》一样，世间、人生无处不是一个个鹅笼，每个人都有自己的鹅笼，值得深思。小说能“以小见大”，“鹅笼”的比喻正合适。

《世说》别解：浙地文人浮世绘

关于《世说新语》(原名《世说》)，可说的有太多，也已有先哲说了很多。这里只关注书中对东晋南朝浙地文人群像的成功塑造，还有通过他们的言辞行为，对当时浙地世相人情的生动形象描述。

《世说》诞生于南朝的第一个王朝宋，主要记录了魏晋到南朝历代名士有关清谈高论、瑰意奇行的种种传闻轶事。有认为它是据实而记的笔记散文，更多人认为它是笔记体短篇小说。的确，虽然《世说》写的都是历史上实有的文化名人，但不少事与人的细节有虚构，不尽符合史实。不过作为群像、世态图，《世说》敏锐捕捉和成功营造了真实的时代文化氛围，体现了高度的艺术真实。

《世说》里的故事有不少是杂采前人记载，再经艺术创作处理，如剪裁、润色、整合而成的，为了让他们的言行更有趣和个性更鲜明，能更深广流传、引人入胜。一些与作者同时或稍早的故事，就直接采自知情人的亲历亲见和世间流传之说。只是不像《吴越春秋》和《搜神记》的故事多来自民间市井乡土，而多来自文人们书斋中的风雅闲谈。这个传统后来也很深远。

后世模仿《世说》的笔记层出不穷，有数十种之多，不少也用“好奇（喜爱奇特）”的“小说笔法”，记录一时文坛士林的奇人奇事。就以书名也有“世说”两字的笔记为例，著名的就有清初杭州文人王晫写同时同乡文人旷达风采的《今世说》，清末女子严蘅记录清代才女的《女世说》等。一直到近代汪辟疆的《光宣诗坛点将录》和现代郑逸梅的《近代野乘》、当代陈巨来的《安持人物琐忆》等，都继承了《世说》风范。这一被后世人喜闻乐见的独特文体，中国文化史上自成一体的“世说”一系，生命力绵延不绝就源自其作者也是文人，所以才能对文人言行有“同情之理解”，对这些看似奇异实则合乎情理的言行之后的历史现实原因，有深刻通达而不迂阔或偏激的见解。

《世说》有小说“传奇”的特点，如追求趣味，多巧合、戏剧化等因素。不过，仍真实反映了当时名士的思想风貌、生活常态，尤其是清谈放诞风采的鲜活面目，符合小说在来自传闻外的另一要素：现实内涵。

元代寓居杭州画家张渥的《雪夜访戴图》

《世说》的作者，历来都认为是南朝刘宋宗室、临川王刘义庆（403—444），鲁迅在《中国小说史略》书中更明确指出是刘义庆以名望财力组织天下名士、手下门客等众文人，广泛采集史书及相关杂著如世家家谱，还根据亲身见闻，精心编辑而成的。后来南朝文人刘峻（刘孝标）对《世说》的影响也很大，他学裴松之注《三国志》，借注解对《世说》进行了拾遗补缺和纠偏改谬，也可看成是《世说》有机组成部分。

今存的《世说》分为德行、言语、政事、文学、方正、雅量等 36 门，共 1200 多则小故事，出现过 1500 多个人物，评点一代士人的名气真伪、才华高下，记录他们清谈玄言、敏捷应答中的妙语睿思。这千余故事、人物中，东晋年间栖居于浙地会稽（今绍兴）间的那些名士的畸行异举，可能是最引人注目也最有趣味的部分了。他们感到会稽山水的清远灵秀，隐逸其中，遐思飘举，造就了“一往情深”“情之所钟，正在我辈”的“魏晋风流”“山水情怀”。

东晋会稽名士的核心成员包括谢安（谢安石）、王羲之（王逸少）、王献之（王子敬）、王徽之（王子猷）、支遁（僧人支道林）、许询（许玄度）、戴逵（戴安道）等，都热爱山水、诗歌和隐逸生活，之间多交往，也都是“兰亭山水雅集”的主要成员。他们最出名的言行轶事有谢安的“高卧东山”、王羲之等的“兰亭雅集”、王献之的“山阴道中”、王徽之的“雪夜访戴”、支遁的“支公养马养鹤”、许询的“幽居永兴（今杭州萧山，古时属于会稽）”、戴逵的“不改（山水隐居）其乐”等，背景

都在会稽，都有越地山水的底色，这些名士的形象更宛如越地山水的峻拔飘逸，形成《世说》中的名士风度典范。

谢安是会稽东山谢氏家族的中心人物，他 40 多岁出山为大臣之前都和王羲之等人在家乡高谈阔论，游山玩水，自得其乐。《世说》里的《雅量》《识鉴》《赏誉》等篇里都有对谢安年轻时在会稽山水中隐逸的记录，特别是《排调》篇里描述谢安“东山高卧”的情志和后来顺应时势“东山再起”时又期待又忧惧的复杂心情，让人印象深刻。魏晋南朝人喜欢将名士比作山水，说他们的清风高节和不羁人格如青松、似玉山，与谢安及谢家子弟匹配的就是那峨峨会稽东山。谢家和会稽山水（包括自然和庭院风光）的因缘很深，如谢家子弟被赞为“阶下芝兰玉树”，谢安侄女、女诗人谢道韫“咏雪如絮”，背景也都是会稽。

王羲之的王氏家族也曾定居会稽。王羲之是《世说》里除了谢安和桓温被提及次数最多的人。王羲之年轻时和谢安等人悠游越地山水，后来他的儿子们和媳妇谢道韫也继续了对越地诗意山水的热爱和追寻，塑造了更富传奇性的言与行。如王献之有“从山阴（今绍兴）道上行，山川自相映发，使人应接不暇”的领悟感慨，与王氏诸名士相匹配的山水底色就是山阴道上山川、兰亭曲水流觞。再如《任诞》篇里记录的两则王徽之（子猷）故事，也都关系会稽山水，体现了魏晋风度，是《世说》重要意象内涵。一则是写名士爱好庭院清雅风景，借以修身励志怡情养性的日常风雅生活，说王徽之在家中种竹，啸咏良久说：“何可一日无此君？”借浙地常见的竹子比喻文人的高雅情趣与追求。还有一则是体现名士们特立独行思想行为的“雪夜访戴”，说王徽之住在山阴时，在一个大雪夜想起当时在剡溪的隐士友人戴逵，连夜乘舟前往探视，但当他到了剡溪，也许是已在“从山阴道上行”的山水中得到心灵满足，他没有见戴逵就驾舟返回了。有人不理解，王徽之的回答是：“吾本乘兴而行，兴尽而返，何必见戴？”“何必见戴”这样没有功利目的的诗意审美思想

行为正是魏晋南朝名士脱俗品格的基础。这也发生在越地的“过门不入”，和当年大禹的行为相映成趣，成为浙地文化既进取又超脱的最佳隐喻。

后来又一位越地文人鲁迅把《世说》的艺术概括为“记言则玄远冷隽，记行则高简瑰奇”（《中国小说史略》），说书中善于运用比较、比喻、夸张等文学技巧，记录的名士语言玄妙清远、冷峭隽永；行为高古简略、瑰伟清奇，正如越地山水，一派生动气韵。一地山水、一方人物，恰与一代风气结合得天衣无缝，尽在《世说》中，可谓风云际会、千古奇遇。

阅读链接：

（南朝宋）刘义庆著、沈海波评注：《世说新语》插图本（中华经典丛书），中华书局，2007年版。

（清）王晫：《今世说》，东方出版中心，1996年版。

陈巨来：《安持人物琐忆》，上海书画出版社，2011年版。

有意为小说：好奇而作幻设语

“志怪”的《搜神记》和“志人”的《世说新语》是浙地小说领先一时的重要标志，不过仍不算真正成熟的小说。因为两书的作者虽有“好奇（喜欢奇人奇事）”的主观意愿，心里却还是觉得自己是在记录实际发生过的事，创作少而记录多。到了唐五代时，文人们才真正有意识地开始在创作小说时主动虚构，此时出现的小说形式“传奇”，与文人笔记渐行渐远，有所区分。这才是小说的正式问世登场。

唐传奇出现的内因是小说自身发展趋于成熟，从据实随手记录发展到“作意好奇”“尽幻设语”（见明代著名文论家、金华兰溪人胡应麟的《少室山房笔丛》第三十六），就是鲁迅说的“有意为小说”（《中国小说史略》）。

《搜神记》和《世说新语》是笔记实录的高峰，也是终结。小说作者们不再满足于复述或改写来自民间或古书的有趣传闻，而是渴望加入更多自己的想象和构思，甚至想只借一个由头或一点素材重起炉灶，写一个新的、自己想说的故事。“作意好奇”就是指小说作者决意主观创造，以求更好地满足对喜欢奇特事物（好奇）的追求；“幻设”就是“虚构”，唐五代的小说开始出现更多作者有意为之的虚构成分。“作意好奇”“尽幻设语”是中国古典小说发展到唐五代时出现“唐传奇”的两大主要标志，即主观创作意识的增强、小说虚构成分的增加。此时的小说形式也从早先的短小、“粗陈梗概”即类似内容简介的篇幅发展到篇幅较长、内涵较详尽，情节铺叙之外，还富于“文采和意想”，即文字求诗意华美，内容富于构思和内涵。此区别可见于鲁

迅《且介亭杂文二集》里的《六朝小说和唐代传奇文有怎样的区别》一文。

“传奇”出现的外在催化原因，是经济的发展、城市的繁荣使人们的眼界胸襟更开阔、心灵思想更丰富。中国古代文学以往最主要的背景是山水林泉，内容是隐士生涯，如《世说新语》里的会稽山水和啸傲其中的名士们。到了唐代，社会生活的日渐丰富，文化的汇合交流，反映在文学中，使其内涵更丰满。此时的小说也呈现更绚丽奇幻的面目，宛如《鹅笼书生》里打开的一层层魔幻境界。在浙地，中晚唐江南的经济发展，五代吴越国的长期和平、纳士归降，使得杭州等城市在唐、五代、宋持续繁荣发展，形成宏大市井格局、庞大市民阶层，有了丰富成熟的城市文化，都对此时的浙地小说有较大影响。如市民阶层的趣味，普及的说书艺术，都使小说的形式内容更多样，

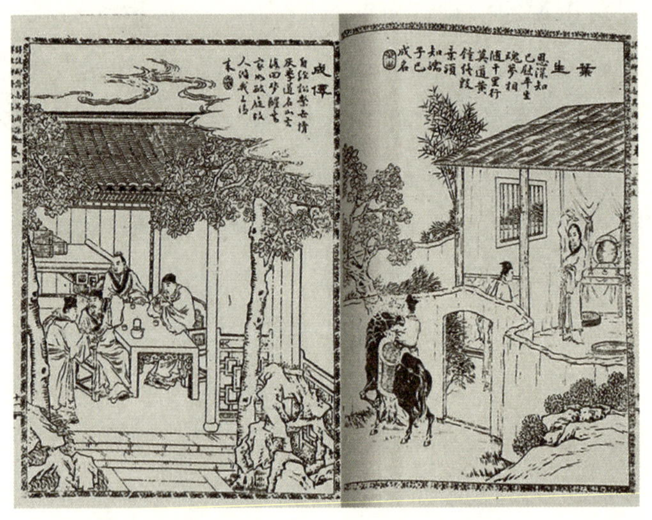

《聊斋》古画

也更通俗。还有唐宋诗词爱情题材的发达、辞藻的华美、情感的委婉也对爱情小说有帮助。

后来南宋学者、《容斋随笔》作者，因其父洪皓被宋高宗赐第杭州而曾寓居浙地的洪迈曾对唐传奇有一段精妙评价："唐人小说……小小情事，凄惋欲绝……与诗律可称一代之奇。"（《唐人说荟》例言引）说唐传奇（唐人小说）的好处就是写普通人的寻常感情故事，有充满诗意、深切微妙、耐人寻味的一面，又有适宜百姓的近情近理，可谓雅俗共赏。此时小说已和诗歌平分秋色，共同成为唐代的文学传奇。

中晚唐浙地吴兴（今湖州）文人沈既济和沈亚之以爱情为题材的传奇《任氏传》和《〈湘中怨〉解》，沈既济体现市民阶层豁达人生观的《枕中记》，晚唐五代括苍（今丽水）人杜光庭以历史侠义和爱情为题材的《虬髯客传》，都是唐传奇的精华和光彩所在，可和李杜的诗一同列入唐代文学之"奇"。

阅读链接：

江晓原：《想象唐朝：唐人小说》，文化艺术出版社，2010年版。

（北宋）李昉：《太平广记》（全十卷），中华书局，2008年版。

鲁迅校录：《唐宋传奇集》，北方文艺出版社，2006年版。

浙地唐传奇：人狐恋、黄粱梦

鲁迅晚年校录的《唐宋传奇集》收录了最具代表性、文学成就最高的唐五代宋传奇小说 48 篇，多有浙地文人的杰作。唐代是文言小说的首个高峰，出现了很多传奇小说经典，如《长恨歌传》《柳毅传》《李娃传》《莺莺传》等。鲁迅一向重视浙地文学的研究，《唐宋传奇集》当然不会忘了关注此时的浙地传奇作家们。

中晚唐时，出过南朝沈约的吴兴（今湖州）沈氏家族再次才人辈出，沈既济、沈亚之都是传奇圣手。

沈既济（约 750—约 797），研究天下名门望族姓氏的《元和姓纂》里说他是吴兴武康人。他的《枕中记》和《任氏传》是唐传奇中较早的名篇，也标志着唐传奇进入全盛期。特别是《任氏传》借写人狐相恋展示了对超越社会阶层的真挚情感的赞赏，《枕中记》借以通过人生、世事如梦的感慨表达了对社会变迁的深刻思考，深刻影响了后世重要小说《聊斋志异》“人狐（鬼）相恋”和《红楼梦》“繁华终如黄粱一梦”的主题模式。

《任氏传》里的任氏是狐狸所化的美丽女子，她爱上穷书生郑六，只因郑六不嫌她是妖，两人情感纯真。郑六亲戚、豪

门子弟韦崟想占有她，任氏宁死不屈。韦崟被她的忠贞感动。后郑六到外地为官，让任氏随行。任氏虽预感此去有大祸，但不忍拂郑六之意，答应同行，结果被猎犬所杀。沈既济感慨任氏虽非人类，却能遇到暴力不丧失节操，为爱情不惜殉身，比很多人更具坚贞品格。

在中国古典文化里，狐女是个特殊意象，一般象征大胆坚强、敢爱敢恨的社会下层女子，包括风尘女子。她们往往被与她们分属两个世界的书生所吸引。这样的爱情隐喻了真实世界里那些门不当户不对的感情，结局一般都是悲剧。《任氏传》借人狐相恋塑造了一个性格执著坚强的女子形象。小说开头就说任氏是“女妖”，却一反传统典籍里多写狐鬼害人的陈腐观念，赞美了身份低下的任氏（韦、郑都是唐代的高门大姓）的不势利、不爱慕虚荣，对爱情的一往情深，对后代小说如《聊斋志异》里那些“狐尤胜人”的正面狐女形象、纯真爱情描写有重要的示范作用和深刻影响。虽然《山海经》里已有关于狐仙、狐妖的记载，如大禹夫人女娇就是九尾狐，但较完整地叙述狐女美好形象、人狐真情故事的，《任氏传》是第一个。

任氏傳

任氏傳　沈旣濟撰　據太平廣記校錄

任氏，女妖也。有韋使君者，名崟，第九，信安王褘之外孫。少落拓，好飲酒。其從父妹壻曰鄭六，不記其名。早習武藝，亦好酒色，貧無家，託身於妻族。與崟相得，遊處不間。天寶九年夏六月，崟與鄭子偕行於長安陌中，將會飲於新昌里。至宣平之南，鄭子辭有故，請間去，繼至飲所。崟乘白馬而東。鄭子乘驢而南，入昇平之北門。偶值三婦人行於道中，中有白衣者，容色姝麗。鄭子見之驚悅，策其驢，忽先之，忽後之，將挑而未敢。白衣時時盼睞，意有所受。鄭子戲之曰：「美豔若此，而徒行，何也？」白衣笑曰：「有乘不解相假，不徒行何爲？」鄭子曰：「劣乘不足以代佳人之步，今輒以相奉。某得步從，足矣。」相視大笑。同行者更相眩誘，稍已狎暱。鄭子隨之東至樂遊園，已昏黑矣。見一宅，土垣車門，室宇甚嚴。白衣將入，顧曰：「願少

35

《任氏传》书影

沈既济还说写传奇尤其爱情传奇要“著文章之美，传要妙之情”，就是文笔要美，感情要细腻缠绵，《任氏传》就是文风细致委婉、富于诗意情韵的典范，对后来《聊斋志异》等小说的绮丽风格也有影响。

《枕中记》一开始写了书生卢生在客舍中因科举失意功名不遂而叹息，道士吕

翁给了他一个瓷枕。卢生靠着枕头，恍惚中梦到和当时最高门阀望族“五姓”之一的清河崔氏成婚，并中进士，又屡建功业，历任显官，名列国公，名望和恩宠一时无二。这正是唐人的普遍理想。其间他也曾两度被贬岭南，大起大落。后来子孙满堂，且结亲名门，富贵显赫。最后年过八十，享尽荣华，安然而逝。卢生悠然醒来，他入睡前客舍主人正蒸黄粱（小米）作饭，此时，黄粱饭还没有熟呢。所以才有“黄粱一梦”之说，比喻权势富贵都如梦，短促而虚幻，是否值得追求见仁见智。《枕中记》中说卢生醒来，茫然若失，急问吕翁自己这50年的荣悴悲欢是否只是一场梦，吕翁回答“人生之适，亦如是矣”，说人生真正经历的辉煌也不过如此啊！真是犀利。卢生怅惘了很久后说“宠辱之道，穷达之运，得丧之理，死生之情，尽知之矣”，说经过这一梦，无论荣宠或屈辱的遭遇，困窘或通达的命运，得失的道理，生死的情感，我全知道了。他还幡然醒悟，对吕翁说这是先生你要借机遏止我的欲望，我怎么能不接受教诲呢！

一说《枕中记》受《世说》作者刘义庆的另一种笔记《幽明录》里的《杨林》篇影响，一说是受干宝《搜神记》里的《焦湖庙巫》篇影响，也是浙地文学传统。《枕中记》的“人生如梦”并非消极虚无，而是对唐代人过于入世趋俗、过度沉迷功名富贵的否定，很有警世之意，宛如一帖清凉剂，可以遏制消解过分膨胀的不良欲望、戾气，使人生、人世间得到平衡和谐，难怪曾被称为“学庄子寓言”，确有庄子寓言的讽世之意。还与“鹅笼书生”意蕴

相通。《枕中记》在后世的影响很大，不但“黄粱一梦”成为文人诗间文中富于哲学意味的常用典故，还屡屡被改为戏剧作品，可能“一梦一生”的场景确实非常戏剧化，如元曲大家马致远的杂剧《黄粱梦》。尤以明代剧作家汤显祖的“临川四梦”里的《邯郸记》最为著名，剧中将吕翁改为八仙之一的吕洞宾，特别迎合百姓趣味。“枕中一番黄粱梦”，可谓雅俗共赏。

阅读链接：

陈文新：《文言小说审美发展史》，武汉大学出版社，2007 年版。

唐施瑛选译：《唐代传奇选译》，上海古籍出版社，1980 年版。

唐燮军：《六朝吴兴沈氏及其宗族文化探究》（浙江文化研究工程成果文库），中国社会科学院出版社，2007 年版。

吴兴才人沈亚之：传奇如诗

也许现在很多人对沈亚之（字下贤）不熟悉。不过，在中晚唐时，沈亚之是一位很出名的文人。他与古文家兼诗人韩愈及诗人李贺、贾岛都有交往，是中唐古文运动主将和著名诗人。他的独特诗体被称为“沈下贤体”，晚唐诗人杜牧、李商隐都很景慕，多有学习。

还有，鲁迅晚年专注整理古籍，身为小说大家的他特别注重整理古代小说，就是同为越地文人的蔡元培为鲁迅作挽联时说的“著述最谨严，非徒《中国小说史》；遗言太沉痛，莫作空头文学家”。在《中国小说史略》中，鲁迅更着意宣扬其中浙地前贤和浙地文化的影响，多提及浙地小说、小说家，沈亚之便在其中。在鲁迅费尽心力辑录的古籍中，历时最长、费力最多的是他的越地老乡、原籍会稽上虞的魏晋名士嵇康的《嵇康集》（10卷），而花费时间第二的就是他的浙地老乡、湖州沈亚之的《沈下贤文集》（10卷）。足见鲁迅对沈氏其人其小说的看重和称许。

沈亚之（781—832），字下贤，吴兴（今湖州）人。是沈既济的族人。出身于这样一个具有悠久深厚文学传统的世家，

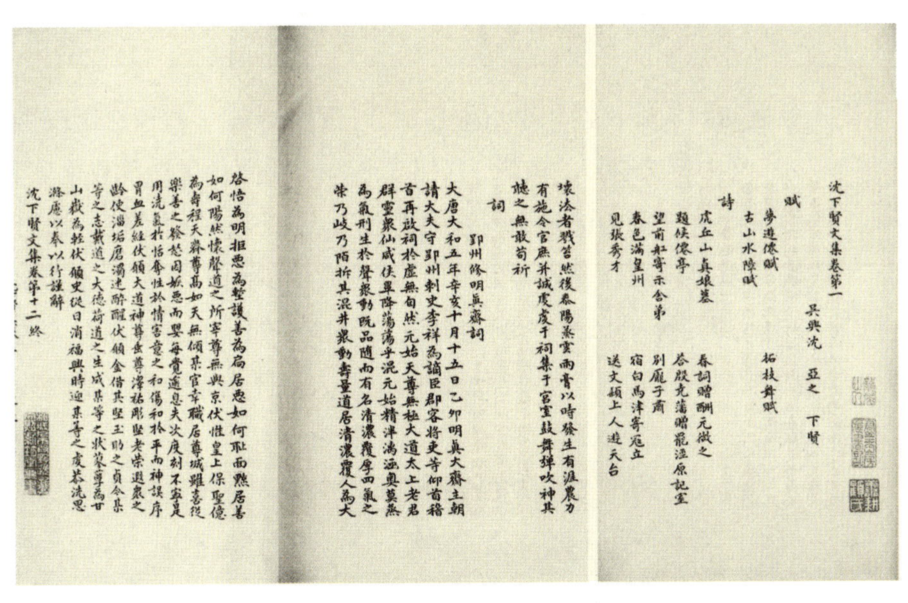

沈下賢文集卷第一
吳興沈　亞之　下賢
賦
夢遊僊賦　柘枝舞賦
古山水障賦
詩
虎丘山真娘墓　春詞贈酬元微之
題候僊亭　答殷堯藩贈罷涇原記室
望前軒寄示舍弟　別鹿子齋
春色滿皇州　宿白馬津寄寇立
見張秀才　送文穎上人遊天台

壞汰者戮苔然後春陽蒸雲雨膏以時發生有涯農力
有施令官庶并誠虔虔于祠集于宮室鼓舞彈吹神其
聽之無敢苟祈
詞
郢州修明真齋詞
大唐大和五年辛亥十月十五日乙卯明真大齋主朝
請大夫守郢州刺史李祥為謫臣郡客將吏等仰首稽
首再啟祠於虛無自然元始天尊無極大道太上老君
群靈衆仙咸俟畢降蕩蕩乎混元始精泮渙涵奥莫烝
為氣刑生於聲衆動既品隨而有名清濃覆孕四氣之
柴乃歧乃陌析其混并衆動壽量道居清濃霞人為大

啓悟為明拒惡為塹護善為扃居惡如何恥而黜居善
如何陽然懷馨道之所寧尊無與京伏惟皇上保聖德
為壽程天齊尊高如天無傾某官幸職居尊城雖喜從
樂善之發楚因嫉惡而嬰每覺適息夫次度刻不寧是
用流氣於恬奪性於情害意之和傷和於平而神誤序
胃血羞經伏願大道神尊垂尊澤祐彫豎老崇遐衆之
齡使淄垢屠滌迷醉醒伏願金借其堅玉助之貞令某
等之志載道之大德荷道之生成某等之狀慕尊為甘
山嶽為輕伏願史從日消福與時迎某等之虔恭洗思
滌慮以奉以行謹辭
沈下賢文集卷第十二終

沈亚之的《沈下贤文集》书影

使得写作诗文成为沈亚之的宿命。沈写作了在唐传奇中颇具盛名的《〈湘中怨〉解》《异梦录》《秦梦记》等传奇，都写人神相恋，和《清溪庙神》《任氏传》内容相似，还很有《楚辞·九歌》的韵味，得到过鲁迅“以华艳之笔，叙恍惚之情”（《中国小说史略》）的评语，说其文字风格华美明艳、情感格调朦胧悱恻，与小说内容正相符。

沈亚之的传奇小说呈现奇丽风格，和他是韩愈门生有关。

沈亚之投身提倡刚劲质朴散文，改革南朝柔媚文风的“古文（与骈文相对的散文）运动”领袖韩愈门下，从学十多年，长期濡染韩愈高古清奇的散文风格，又继承了家乡湖州散文风（丘迟、吴均等人秀美文风），写得一手既清新峻拔又秀丽华美的古文。

在诗歌上，沈亚之和韩愈、孟郊、李贺、贾岛等人都属于中唐的“韩孟诗派”。沈不但受到诗派领袖、老师韩愈奇崛险怪诗风的影响，也受到诗派另一位重要人物、湖州同乡孟郊的影响。沈还和同为韩愈追随者的两人，浪漫主义诗人、诗风奇艳、好写仙鬼之词的“诗鬼”李贺，诗风平中见奇的“苦吟”诗人贾岛交游友善。沈

亚之初到长安，就和李贺相知相惜。后来沈在《叙诗送李胶秀才》文中赞美李贺的诗风“怨郁凄艳”。李贺也有《送沈亚之歌》称赞沈诗“工为情语，有窈窕之思”，说他善于写感情，情思婉转幽怨。同样爱好《楚辞》、好写游仙梦幻的两人可谓互为知音、同道，诗风都有凄艳华美、奇诡浪漫的一面。贾岛有《送沈秀才下第东归》就是写给沈的，两人诗风也有幽奇寒僻的共同点。

沈亚之的诗文和韩愈及韩周围一些文人一样呈现奇崛浪漫风格，喜欢使用不落蹊径的词汇，写幽渺顽艳之事，营造险崛氛围。传奇小说主要由诗与文组成，所以沈的传奇也呈现奇幻优美面貌。就是鲁迅在《唐宋传奇集》中说的“(沈)亚之好作涩体”，“涩”指喜欢不平凡、奇崛深刻。这也和沈说自己传奇风格是“怪媚”相符。

此外，沈亚之作为“吴兴才人”(李贺的赞美)，一个生长于吴越中心之一湖州的才华横溢的诗人小说家，还有他科举仕途不顺的生涯，也都对他的传奇创作大有影响。

湖州一地，向来是诗意文华之地，从沈亚之的先祖沈约等开始，地域文化就充满风雅的诗性思维。到了唐朝，湖州著名诗人钱起、孟郊等人写出清雅飘逸、耐人寻味的山水诗篇。沈亚之科举坎坷，仕途也一直不顺，曾多次被贬谪到与吴越文化声气相通、一脉相承的富于诗性文化的楚文化地区，所以他对屈原《楚辞·九歌》感伤的审美趣味产生共鸣，就像他的好友李贺被评价为“骚之苗裔(屈原《离骚》的继承者)”一样，

沈亚之的多部传奇尤其代表作《〈湘中怨〉解》就受《九歌》诗意影响。《〈湘中怨〉解》写郑生遇到一个能吟诵《九歌》的女子“汜人”与之相爱，最后却无奈分离的诗意悲剧故事。淡化小说情节、注重酝酿诗意、追求迷离幽渺意境情韵，沈亚之的传奇就是小说中的诗。

还有，沈亚之因现实遭遇不顺，和李贺一样喜欢写梦境，还继承了《鹅笼书生》《枕中记》里人生如梦、人生有无限可能性的主题，并反映在他的另一代表作《秦梦记》里。沈写自己在梦中“穿越”到春秋，遇到秦穆公小女弄玉的丈夫箫史（“乘龙快婿”神话的主角）去世了，就娶了弄玉。后来弄玉也去世了，沈很伤心，写了很多优美的悼诗。《秦梦记》也是一篇诗意传奇。

由于年龄关系，沈亚之和晚唐诗人杜牧、李商隐应没有直接的酬唱交往，但这并不妨碍小李杜对沈的推崇。杜牧的《沈下贤》诗，文笔清丽，传诵很远，“斯人清唱何人和？草径苔芜不可寻。一夕小敷山下梦，水如环珮月如襟”，是来到湖州为官的杜牧凭吊前贤故地，表达了对诗坛前辈的倾慕和斯人已逝、诗迹不可寻的惆怅。“水如环珮月如襟”形象象征了沈亚之的诗和小说学《楚辞》的飘逸之美、诗意梦幻情怀。李商隐也是沈的崇拜者，有《拟沈下贤》诗学沈的诗风，“千二百轻鸾，春衫瘦著宽”也可隐喻沈亚之人如其诗文小说的飘逸诗意格调。

沈亚之，是当之无愧的诗意传奇高手。

阅读链接：

程毅中：《沈亚之及其〈秦梦记〉》，《唐代文学论丛》（总第五辑），陕西人民出版社，1984 年版。

鲁迅辑录：《沈下贤文集》，《鲁迅辑录古籍丛编》（1–4 卷），人民文学出版社，1999 年版。

（唐）沈亚之著、萧占鹏注：《沈下贤集校注》，南开大学出版社，2003 年版。

虬髯客传：武侠小说之祖

历来乱世、末世多出奇人。晚唐五代时的浙地括苍人（今丽水人，鲁迅说他是缙云人）杜光庭的身世就非常传奇。他不但是隐士、小说家，还是道教徒，更是不同寻常的“道门领袖”。词语“杜撰”的意思是子虚乌有的虚构，据说就和杜光庭想象力丰富，喜欢写虚构情节较多的唐传奇有关。

杜光庭（850—933），早年科举不中，到天台山隐居入道，成为唐代著名道士司马承祯的五传弟子。唐末僖宗时，杜入朝任职，为天下第一“道门领袖”。僖宗避黄巢起义军逃入蜀地，杜也来到蜀地，他感到中原乱局难以收拾，便留在蜀地。后入前蜀王建朝廷为官。王建很信任杜，封国公，赐号“广成先生”。晚年杜辞官隐居四川青城山潜心修道。

杜光庭是道教文化史上承前启后的重要人物。他著述很多，其中传奇很受鲁迅赞赏。鲁迅在《中国小说史略》中特别提到“杜光庭之《虬髯客传》流传乃独广”。“道门领袖”的传奇当然和道教思想、道家文化有关。小说本就和道家、道教奇异瑰丽的意象体系和丰富张扬的想象力有很深渊源，唐传奇的力作《枕中记》《秦梦记》都充溢了道教奇诡飘逸的意

象和道家天马行空、奔放不羁的想象，还有淡泊名利、豁达超脱的思想。《虬髯客传》更是深刻体现了道家顺应时势、达观大气的历史观，这来自浙地文人的历史敏感性，也来自乱世文人特有的历史感悟，更来自“道门领袖”深沉超逸的时空意识。

《虬髯客传》写了隋末时书生李靖到长安拜见司空杨素，杨素的家伎红拂对李靖的才气志向一见倾心，夜里私下投奔李靖。两人前往太原去见秦王李世民，途中结识了豪侠——张姓虬髯客。虬髯客和红拂结为兄妹。虬髯客本也有逐鹿天下之意，见过李世民后，觉得李才是真龙天子，于是毅然放弃对中原霸业的追求，还倾其家财帮助李靖辅佐李世民成功。最后虬髯客漂洋过海，到扶馀国自立为王。传奇虚实参半，李世民、李靖是历史人物，红拂女、虬髯客是虚构人物。最出彩的部分并非传奇所着力标榜的李世民是真命天子、唐王朝是正统的主旨，而是虚构人物的性格刻画，如红拂女的果决豪迈、虬髯客的胸襟开阔，还有曲折的故事情节、生动的语言，使《虬髯客传》成为唐传奇中的力作。

清末浙地著名画家任薰（字渭长）的《风尘三侠图》

李靖、红拂女、虬髯客，后来民间将他们合称为“风尘三侠”，侠义形象深入人心。他们的“侠”，和晚唐一些刺客游侠小说如《聂隐娘》等不同，没有局限在武功，没有暗杀、阴谋等阴暗面，主要表现为侠义心肠，还有广阔的历史视野、豪迈的人生意气。《虬髯客传》在后世多被改编成戏剧作品，如明清时湖州文人凌濛初就写了杂剧《虬

髯翁》。

从《吴越春秋》里的“越女”和“狙公”大战，到《虬髯客传》里的红拂夜奔，红拂和虬髯客、李靖的江湖儿女情，浙地文人的传奇作品奠定了后世武侠小说的基本格局。当代武侠小说名家、海宁人金庸认为《虬髯客传》是武侠小说的鼻祖和雏形，还说唐传奇是影响他武侠小说创作最深刻的奇书。金庸不少小说都借鉴、化用了《吴越春秋》和《虬髯客传》等浙地前贤作品的情节和思想，如侠客形象、江湖情境和历史意味、哲学内涵等。

鲁迅在《中国小说史略》中认为“叙述宛转，文辞华艳”即情节曲折、文字优美，还有“有意为小说”即有意识虚构创作是唐传奇的三大基本特征。唐传奇是中国小说真正的开端。以浙地为例，东汉的《吴越春秋》准备了小说的素材，东晋南朝的《世说》和《搜神记》奠定了小说的雏形。而《虬髯客传》《任氏传》《枕中记》正好对应唐传奇的三大题材“豪侠”“爱情”和“神怪”，见证了小说的成熟。还有，《虬髯客传》和《枕中记》注重历史底蕴，也为后来兴盛的历史小说作了铺垫。

阅读链接：

上海古籍出版社编：《唐五代笔记小说大观》，上海古籍出版社，2010年版。

陈平原：《千古文人侠客梦》，百花文艺出版社，2009年版。

姚岚：《从唐传奇中的“侠”到金庸小说中的武侠——以独立人格的确立为中心》，复旦大学2006年中国古代文学硕士论文。

容斋随笔：小笔记大能量

到了宋代，随着唐代浪漫文风的消歇，铺陈华美、诗意盎然、多虚构的传奇开始退潮。从鲁迅的《唐宋传奇集》看，宋传奇明显不如唐传奇文采出众，只有一些历史题材的作品如写杨贵妃的传奇流传较广。同时，偏于实录的笔记小说开始回归，历史题材也有增加。由此可知，宋代小说尚实的历史内涵大有发展，如文言的历史传奇、历史笔记小说，还有白话的讲史话本，取代以往出现较多的世情、爱情、玄幻、豪侠等主题而后来居上，成为日后小说的主流。

文言的笔记小说始于东晋而盛于唐宋，涵盖了志怪、志人、传奇、杂录、琐闻、传记、随笔等各形式内容，汪洋恣肆、包罗万象，被誉为“有容乃大”，兼具据实而记的“笔记”、衍生发挥的“小说”两重特征，既扎实可信又灵动可读。

宋代的著名笔记小说作者里，浙籍和寓居浙地者的身影处处闪现。如北宋时苏轼有《东坡志林》；杭州沈括有《梦溪笔谈》；南宋时绍兴陆游有《老学庵笔记》；祖籍江西，后寓居临安，还成为杭州洪氏家族始祖的洪迈有《容斋随笔》《夷坚志》，其内容多记录历史。

南宋，都城在临安（今杭州），浙地成为文薮，也应运成为笔记小说的中心。如南宋初，因父亲洪皓被赐宅西湖边，自己也入朝为官而定居临安多年的洪迈，他著名的笔记小说《容斋随笔》（共五笔 74 卷 1220 则），就开始创作于临安，持续写了 40 多年。《容斋随笔》作为笔记，多涉及读书所见历史奇闻、文人逸事，也多写

亲身经历的当时民间奇事、百姓声音。洪迈又是词臣出身，文字流利生动，所以《随笔》一出，便受到朝野上下欢迎，一时洛阳纸贵，连登基不久的孝宗皇帝也被吸引。最早写成的《容斋初笔》在孝宗淳熙年间传入凤凰山边的宫中，因为很多内容都关系现实重大问题，即使是写历史也往往隐喻当代之事，孝宗读后感觉颇有所得，很是喜爱，忍不住赞了声“煞有好议论”，就是说书中议论很有见解。

毛泽东同志也很喜爱《容斋随笔》，此书一直是他的床头藏书之一。这不但因为《容斋随笔》内容广博，是典型的“百科全书”式的笔记，还因为《随笔》行文自由，有见地、有趣味，读来能令人会心一笑、欣然有得，而且和《随笔》多有史笔、史识颇高有关。洪迈学问富、文字好，更难得见解超逸而不偏激。《容斋随笔》后来得到“南宋说部，终当以此为首焉”(《四库全书总目提要》) 的赞誉，说它是南宋笔记小说（说部）最佳者，算是名至实归。

再看白话的讲史话本齐头并进的发展。

由宋入元，话本小说更趋成熟，浙地仍是中心。话本是民间“说话（说书）”人讲故事的底本，历史题材的“讲史”占很大比例。其中就有对后来的古典四大名著之一的《三国演义》产生过深刻影响的讲史话本《三国志平话》;《水浒传》的蓝本、讲史话本《大宋宣和遗事》也出现了，书中故事从北宋一直讲到南宋在临安建都。“平话”的“平”是指话本只说不唱、平铺直叙的特点，也是评论之意，还有说白话、平易通俗之意。

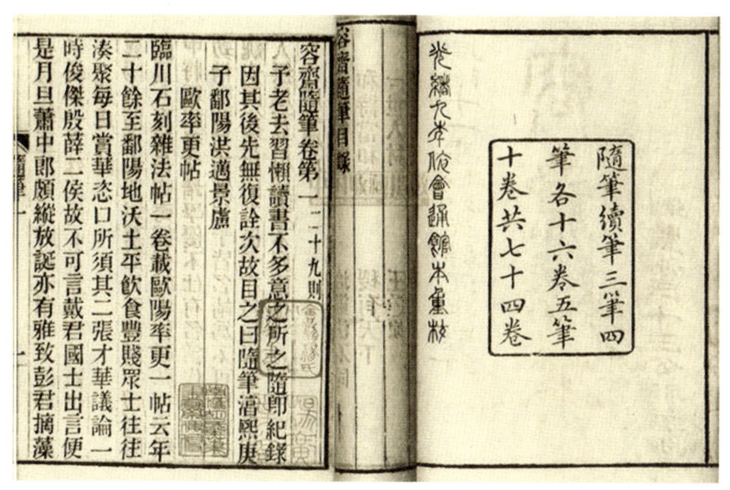
隨筆續筆三筆四筆各十六卷五筆十卷共七十四卷

容齋隨筆卷第一 二十九則

予老去習懶讀書不多意之所之隨即紀錄因其後先無復詮次故目之曰隨筆淳熙庚子鄱陽洪邁景廬

歐率更帖

臨川石刻雜法帖一卷載歐陽率更一帖云年二十餘至鄱陽地沃土平飲食豐賤衆士往往湊聚每日賞華恣口所須其二張才華議論一時俊傑殷薛二侯故不可言戴君國士出言便是月旦蕭中郎頗縱放誕亦有雅致彭君摛藻

《容斋随笔》书影（《随笔》包括《初笔（即随笔）》《续笔》《三笔》《四笔》《五笔》）

《三国志平话》《大宋宣和遗事》都曾在南宋临安的市井中传播。宋元白话话本小说的发端，和此时商业经济发达、都市繁荣、人口增多、市民阶层壮大、文娱需求增加有密切关系。

从南宋到元末明初《三国演义》和《水浒传》出现，杭州一直是文言小说和白话话本小说的高潮迭起之地。明中叶嘉靖年间，杭州西湖边吴山下的仁孝坊（清平巷）的“清平山堂”，还诞生了最早的宋元明话本小说集《清平山堂话本》，成为《水浒传》之外，杭州和话本关系密切的另一重要见证。《清平山堂话本》是洪迈后人、杭州洪氏家族文人洪楩编刊的，曾称《六十家小说》，有 60 篇，现仅存 27 篇。《话本》保存了宋元明各时期话本的原貌，从中可了解话本的变化发展。集中的小说来源、风格各有千秋。《西湖三塔记》是浙地民间《白蛇传》的故事原型。《董永遇仙记》是承浙人小说《搜神记》中的《董永》。《蓝桥记》源自诗意的唐传奇，表面是志怪或爱情小说实都是世情小说。《快嘴李翠莲记》也是世情小说，体现了强烈

的市民文化色彩和思想自由解放倾向。其实,《清平山堂话本》写的也是历史,无非是民间“瓜棚豆架”下的历史而已。《话本》后有不少篇章被收入明人冯梦龙著名的“三言”。

宋、元、明的文言笔记和白话话本，曲折而忠实地记录了浙地的历史变迁和现实社会生活，雅俗互补。

阅读链接：

上海古籍出版社编：《宋元笔记小说大观》，上海古籍出版社，2007 年版。

姜凌：《白话历代笔记小说大观——宋金元明》，文化艺术出版社，1995 年版。

（明）洪楩编辑、石昌渝校点：《清平山堂话本》，江苏古籍出版社，1990 年版。

三国演义：历史演义开山作

元末明初的《三国志通俗演义》即为人熟知的《三国演义》是古代文学史上第一部长篇章回体小说，也是历史演义小说的开山之作和高峰。它也是古典小说中的四大名著之一，名声显著。不过，知道《三国演义》作者罗贯中曾南迁客居浙地（主要在杭州）多年（参见明代杭州人田汝成《西湖游览志余》）的人可能不算很多。

罗贯中（约1330—1400），名本，字贯中，祖籍太原，生平不详，明人贾仲明的《录鬼簿续编》有少许记载，其他大都是民间传说，多不可信。有说罗贯中是慈溪人或曾在慈溪从师学习，有待再考。他是著名的小说家、戏剧家，章回小说鼻祖，《水浒传》和《三国演义》作者，四大名著作者独占其二，地位不可谓不重要。

生逢元末乱世，罗贯中和同时的杨维桢、王冕、刘基、高明、马致远等文人一样，并非书斋象牙塔里的一介清高书生。他和很多因元代一度废除科举而仕途无望的社会中下层文人一同，也和前辈柳永等曾漂泊江湖的落魄文士一样，在市井里沉浮一生，所以又自号“湖海散人”。他曾和伶优们为伍多年，是当时著名的书会才人（指宋元时专门从事编写戏剧剧本、曲艺脚本、说话话本的正统文化圈外的非主流文人），还曾因写作通俗文学作品并以此谋生被视为“下九流”。也正因此，他能创作出大量体现时代文化氛围、符合市民阶层口味的平话（小说）和剧本。虽然罗贯中一世布衣，正史无传、身世难明，但由他的作品可知他是具有新思想的新型作家，而且他的思想变化正因为他努力体验历史大变迁而显得与众不同。他对历史多有既新奇

又平实的见解主要源自对现实生活的真切深刻理解，且得益于他努力磨合身边一切、企图融合现实理想落差的柔韧坚强个性。

罗贯中创作的小说很多，《三国演义》之外，还有《隋唐两朝志传》《残唐五代史演义》《平妖传》等。《水浒传》一说是他和老师施耐庵合著的。还有剧本《赵太祖龙虎风云会》等，都是历史题材，可见他对历史的关注和熟悉。罗贯中文化素养和史学功底比一般的书会才人要高超深厚，社会阅历比一般的书斋腐儒丰富，所以他的史观通达而不迂腐。《三国演义》等小说或剧本其实是罗贯中深刻史学见解的通俗有趣表达，如《三国演义》第一回的总括“话说天下大势，分久必合，合久必分”，和前人“兴，百姓苦；亡，百姓苦”的感慨一样通俗而精确、浑然而精妙，真是放诸千秋四海而皆准。这无疑融入了罗的人生体验，也受到浙地文化豁达自在的历史观的濡染。

由于东汉末年、三国、西晋历史的复杂性，正史记载也较少，具有浓厚传奇色彩的“三国”历史在民间一直有大量好奇者。唐代就有说“三国”的；北宋都城汴梁（今开封）勾栏瓦舍（指宋元都市里的民间演艺场所）的众艺中多有“说三分”的；到了南宋临安瓦舍，仍多说“三国”故事的，并开始出现书面的“三国”讲史话本——“三国”平话，虽然文字与结构还很简陋粗糙。到宋元之际，历史变迁、社会动荡，历史题材受到空前关注，乱世“三国”故事更成为热门，除了出现多达30多种的戏剧剧目，元代还出现了较完整的讲史话本《三国志平话》，就是后来罗贯中创作《三国演义》的蓝本。还有，讲史平话一般篇幅较长，

建安虞氏新刊
新全相三
國志平話
至治新刊

《三国志平话》书影

张飞像

一次不能讲完，为吸引听众下次再来，说话人常故意停在故事发展最关键的地方，用“欲知后事如何，且听下回分解”吊住听众的胃口，这就是后来章回小说分章的由来。这也影响了罗贯中的《三国演义》。

《三国志平话》出自民间书会才人之手，多虚构，用元杂剧中“三国”戏的素材，还多引入野史、民间传说，既有口头文学的灵活通俗，又有志怪、传奇小说的奇异丰富想象。故事情节虽和后来的《三国演义》多有不同，但都继承了北宋说话艺术贬曹褒刘的主题，这对《三国演义》影响深刻。

罗贯中就是在《三国志平话》基础上，不拘一格地综合正史如陈寿《三国志》和裴松之注，还有关于“三国”的野史、民间传说，以及戏剧、话本的内容，并注入自己对社会、历史、人生的体会见解，创作了《三国演义》。《三国演义》现存最早刊本是明嘉靖年间的“嘉靖本”，共 24 卷 240 则，每则前有七言条目，是最早的

章回体小说。万历年间刊印的明代大思想家李贽（字卓吾）的《李卓吾先生批评三国志》评本，合并为120回，回目也变为两句14字，基本确立了后世章回体小说的形式。到清初康熙年间，毛纶、毛宗岗父子对李贽的评本进行了修正增删并加以评点，成为今通行的120回本《三国演义》。

为什么身为精英士大夫的李贽会评点并高度评价一本通俗小说呢？大约和李贽评点《水浒传》为《忠义水浒传》一样，他认为《三国演义》虽是小说，却能宣扬忠义思想。《三国演义》的确不是一本普通的通俗文学作品，由于罗贯中胸中丘壑甚广，他的《三国演义》从平庸历史演义中脱颖而出，成为“明代四大奇书”（李渔语），即《三国演义》《水浒传》《西游记》《金瓶梅》中的第一种。

《三国演义》之“奇”，主要在于自成体系、豁达自在的历史观，雅俗共赏、生动有力的文字，类型化却性格鲜明的人物塑造等，都符合中国人的审美心理，也适宜于民间传播。正如鲁迅在《中国小说的历史变迁》里说的：“因为三国的事情，不像五代那样纷乱；又不像楚汉那样简单；恰是不简不繁，适于作小说。而且三国时代的英雄，智术武勇，非常动人，所以人都喜欢取来做小说底材料。”“三”在中国文化里颇多神奇微妙含义。

而为何能成为“四大奇书”里的“第一种”，不仅因为《三国演义》成书年代较早，更由于中国人对史书的崇拜心理。《三国演义》在民间的影响程度可谓是古典小说里空前绝后、独一

无二的，它在史实上虽是七虚三实（这是今人根据史实研究所得见解。虽然鲁迅沿用清代浙地学者章学诚的见解曾说《三国演义》史实为“七实三虚”，影响很大，但未必准确），所谓“演义”就指根据正史、融合野史、经艺术加工敷衍而成的通俗长篇小说，《三国演义》高超的艺术真实却使它在一般中国人心里占据重要的可信地位。甚至很多文人学者都常误记《三国演义》故事为史实。《三国演义》实是传奇的一本书。

最后，也许还需要纠正一下不少人的先入为主，《三国演义》不是白话，而是浅近文言，就是半文半白，语言很经典耐读，且平实易懂。

阅读链接：

（明）罗贯中著，（清）毛纶、毛宗岗点评，《三国演义》（四大名著，名家点评），中华书局，2009年版。

易中天：《易中天评三国》，上海文艺出版社，2007年版。

上海古籍出版社编：《三国志平话》（据建安虞氏刊本影印《古本小说集成》），上海古籍出版社，1990年版。

水浒传：英雄传奇绝唱

古典小说四大名著《水浒传》里的108将和《三国演义》的“五虎将”“三英”等形象一样在中国历代民间都脍炙人口、深入人心。《三国演义》是历史演义的翘楚，《水浒传》是英雄传奇的绝唱，都算唐侠义传奇的延续。两书还有密切血缘，《水浒传》作者就是施耐庵、罗贯中师徒。罗贯中虽长期寓居杭州，但《三国演义》和浙地关系似不明显，而施耐庵则不但被认为是杭州人，他、《水浒传》和杭州的关系也显然密切得多。一说《水浒传》就是在杭州完成的。还有，《三国演义》是第一部长篇章回体小说，《水浒传》是第一部白话长篇章回体小说，都值得注意。

施耐庵（1296—1371或1372）和罗贯中一样生平不详，虽然他的生平资料较多，但很杂乱。一说他就是元代剧作家、杭州人施惠，后被否定；还有人认为施耐庵是子虚乌有之人。施耐庵一说是江苏人，应和罗贯中是太原人一样是指原籍；另一说是元末杭州人，见明嘉靖年间高儒说的“《忠义水浒传》100卷，钱塘施耐庵的本，罗贯中编次”，同时杭州郎瑛也说“此书为‘钱塘施耐庵的本’”，万历年间金华学者胡应麟《少室山房笔丛》也说“武林施某所编《水浒传》，特为盛行”。

《武松打虎》古画

施耐庵本名彦端，别号耐庵。35 岁曾中进士，同榜进士就有刘基，这一榜也算龙虎榜。施是正统文人出身，后写小说，其中自有故事。一说施曾任钱塘（今杭州）县尹，因不适应官场，得罪了上司，两年后便辞官归隐。一说元末朱元璋和张士诚都曾想邀请施做幕僚，一被谢绝，一是施自己及时抽身离去。元末政治朝云暮雨，复杂奇诡异常，施避开了很多文人被卷入旋涡的可悲命运，实属幸运，也体现了他有明智的历史观。

施耐庵隐居在家时（一说就在杭州），感慨当时天下形势和北宋末年的相似，开始研究、收集传说中北宋梁山好汉的生平和历史背景材料，一开始定名《江湖豪客传》，最终成了《水浒传》。和施耐庵一起写作《水浒传》的还有他的门徒罗贯中。两人还一起对《三国演义》进行了修改。《水浒传》最后形成有罗的功劳，《三国演义》也有施的心血。

《水浒传》后来被明末清初奇人才子金圣叹列为“第五才子书”，和正统经典《庄子》《离骚》《史记》、杜甫诗及元杂剧大家王实甫的《西厢记》一同为“六才子书”，占据了金圣叹心里通俗经典仅有的两席，可谓评价极高。为什么会这样，也许明代大思想家李贽在《〈忠义水浒传〉序》里说的“施罗二公，身在元，心在宋”能道出部分真谛，说施、罗师徒是南宋遗民，身在南宋故都临安（杭州），内心常多感慨，

所以借《水浒》故事中众英雄破辽国表达了对南渡苟安的愤恨，传达了深挚的爱国忠义思想情感。

曾混迹市井多年、一说曾在浙地从商的罗贯中身上民间通俗艺术家的味道较重。施耐庵中过进士，也做过官，有才华也博学，诸经诸子、诗词歌赋、天文地理都通，而且有见识有抱负，难怪李贽和金圣叹从他的《水浒传》里看出那么多寄托，还把《水浒传》和《离骚》《史记》、杜诗归在一起，认为其中有微言大义、孤愤郁闷。《水浒传》无论思想还是艺术的确都比《三国演义》的“奇”更高一筹，不只有“忠义”“正统”，思想上不平庸、更异端复杂，人物更“圆形”多面而不类型化。

关于《水浒传》有很多“传奇”。一说《水浒传》成书、在民间传播后，明代统治者不喜欢这个“倡乱”主题，施耐庵便遭了无妄之灾，入狱一年多，出狱不久就去世了。关于施如何脱离牢狱之灾，也多说法。一说他狸猫换太子，在狱中快速写了一本《封神演义》给朱元璋，朱一看全是“怪力乱神”的志怪之说，不关世事没有隐喻就放了他。另一说施耐庵在狱中写了后五十回的招安情节。《水浒传》和施耐庵的命运交错难分，令人感慨。后罗贯中在老师去世后，曾修改《水浒传》，但仍难以出版。直到嘉靖年间，宛如宿命，罗贯中后人把《水浒传》献给北宋抗金名将宗泽后人、明代“后七子”之一的金华人宗臣，大约宗臣也为之感动，一代奇书才得以出版。

还有，关于《水浒传》和浙地尤其杭州的渊源，很多是确实的，如浙西征方腊，还有鲁智深、武松、“浪里白条”张顺

和六和塔、古涌金门等处的关系，都值得深入研究。再如《水浒传》和杭州地名的关系也可存一说，毕竟施是杭州人，《水浒传》可能诞生在杭州。但一些说法可能还需斟酌。如说书里多有杭州话影子是否因果倒置了？《水浒传》故事起源于北方，出现北方话很正常，而杭州曾是南宋都城，多北方移民，所以杭州话里多北方口音影响痕迹。

《水浒传》之后，也许是对梁山众好汉的悲剧命运不满，意犹未尽的续书甚多，化名“古宋遗民”的清初乌程（今湖州）人陈忱的白话小说《水浒后传》可能是最好的《水浒传》续书了，以明遗民视角、现实主义格调、冷静态度对充满英雄主义情结、浪漫主义悲剧的《水浒传》进行了反英雄的解构。此后清代山阴（今绍兴）文人俞万春争议极大的《荡寇志》也可归为“水浒系统书”。

人人都有英雄情结、侠义情怀，尤其在乱世，《水浒传》是影响极大的。四大名著之一的《西游记》其实也可归入“英雄传说”。明乌程（今湖州）文人董说的长篇章回体白话神魔小说《西游补》是《西游记》的三大续书之一。到了清初，浙地又出现一种英雄传说，仍是写“说不完的宋代”的，就是杭州文人钱彩的《说岳全传》，写墓地和武松、鲁智深一样在西湖之畔的英雄岳飞。《水浒传》《说岳全传》也有历史演义的成分。

阅读链接：

（明）施耐庵著、（清）金圣叹评：《金圣叹批评本〈水浒传〉》，凤凰出版社，2008 年版。

（清）陈忱著：《水浒后传》，凤凰出版社，2008 年版。

（清）钱彩著，（清）金丰编著：《说岳全传》，中华书局，2009 年版。

剪灯新话：影响跨国界的“禁书”

瞿祐（一作“佑”，1341—1427），元末明初杭州人，也是个长期被低估的文学家。瞿祐很有才情，诗词文赋、经史笔记无不精，尤其他模拟唐传奇的文言短篇小说集《剪灯新话》，15世纪起就在东亚的日本、朝鲜、越南等地流传，是中国古代文学史上最早跨越国界的小说集，以引人入胜而深刻有内涵的故事、典雅优美富于诗意的人文情怀，一度深刻影响了东亚各国的文学发展。只可惜，在中国本土，《剪灯新话》反而因为成为禁书而名声湮没。

虽然20世纪初在日本重新发现了《剪灯新话》，却又因鲁迅先生在《中国小说史略》中对它评价不高，以致后来的文学史多忽略瞿祐其人其书。其实，《剪灯新话》并非只写男女之情和鬼怪之事，多有对明代现实的转折变形反映。《剪灯新话》会成为“中国十大禁书之首”，只因为不巧恰好成为政治斗争和明代统治者文化禁锢的牺牲品。它并非惊世骇俗的不良书籍，可以说是伪“禁书”。

瞿祐少年以诗词成名，很得元末诗坛领袖杨维桢赏识，被称为瞿家“千里驹”。少年有才必傲气，瞿祐后来的人生也因此

多坎坷，尤其在明初大兴文字狱时。明初文人被杀最有名的例子就是诗人高启卷入政治斗争被腰斩的惨酷下场，瞿祐就在《剪灯新话》首篇《水宫庆会录》里以龙王礼遇文人含蓄影射高启之死，反讽了明代文人现实的低下地位和无辜被杀，显示了他对统治者的不合作态度。他的人生不顺遂也可由此可见端倪。

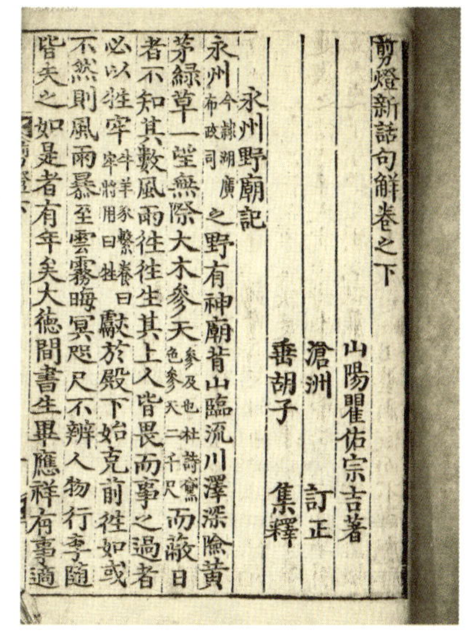

剪燈新話句解卷之下
山陽瞿佑宗吉著
滄洲 訂正
垂胡子 集釋
永州野廟記
永州 今隸湖廣布政司 之野有神廟背山臨流川澤深險黄
茅綠草一望無際大木參天 參及也杜詩黛色參天二千尺 而蔽日
者不知其數風雨往往生其上人皆畏而事之過者
必以牲牢 牛羊豕繫養曰牢特用曰牲 獻於殿下始克前往如或
不然則風雨暴至雲霧晦冥咫尺不辨人物行李隨
皆失之如是者有年矣大德間書生畢應祥有事適

《剪灯新话》书影

瞿祐在明初朱元璋洪武年间出仕，在家乡杭州任小官，认识了宗室周王，后任周王府长史。此后明成祖朱棣废建文帝登基，瞿祐卷入政治之争，而他的华美文风又和朱棣要重振“儒学”和“颂世”文学的主张相违，因此“因诗获罪”下狱，被拘锦衣卫。永乐十三年（1415）被遣送谪戍保安（在今河北），长期流放。十年后朱棣去世，79岁的瞿祐才靠英国公张辅的帮助被赦，而他的妻子已于数月前在杭州过世。瞿祐在张家主持家塾三年。后虽曾官复原职，但80多岁的瞿祐回到杭州，发现幼子也已过世，心里无比凄凉，不久去世。被赦后，瞿祐著述很多，但经历多年流放和惧怕文字狱缘故，只有几种讽世较婉转的作品留世。

瞿祐生逢元末明初，多经动乱坎坷，他又长寿，亲历了元明六个皇帝统治时期，一生曲折，翻云覆雨的变迁使他内心容易滋生沧桑情怀，也使他对文禁更多切身感慨，这都反映在《剪灯新话》中。

被称为“新传奇”的《剪灯新话》共有文言短篇小说4卷20篇，附录1篇。在明初严酷文禁下，《剪灯新话》承唐传奇传统，多写灵怪之事以隐喻元明之间的现实社会生活实境，如战争世乱、文人命运，有假托阴司抨击元末政事腐败和明初

阅读链接：
（明）瞿佑：《剪灯新话》，上海古籍出版社，1981 年版。
（明）周清源：《西湖二集》，浙江人民出版社，1981 年版。
孙康宜：《文章憎命达：再议瞿佑及其〈剪灯新话〉的遭遇》，2007 年 8 月“明清叙事理论与叙事文学”国际会议演讲稿。

文字狱的《令狐生冥梦录》，还有借阴间用人公平讽刺人间贤愚不分的《修文舍人传》等。

《剪灯新话》中的名篇《绿衣人传》借“人鬼情未了”故事表达了对超越现实阻碍、执著追求真爱的赞美。这是发生在宋末元初杭州的一段再世姻缘。书生吴源和女鬼绿衣人前世是南宋权臣贾似道家奴，因相爱被贾赐死于西湖断桥下。后绿衣人前来寻找已转世的爱人，因为是鬼，追求爱情更大胆。3 年后绿衣人魂飞魄散，吴源出家灵隐寺以示忠贞。这段爱情和《剪灯新话》其他的“人鬼恋”以及唐传奇的“人狐恋”一样，突破了封建礼教和现实的束缚，热烈无忌，体现了“海枯石烂，此恨难消；地老天荒，此情不泯”的超越生死的强大力量，和后来明戏剧传奇《牡丹亭》的“情不知所起，一往而深。生者可以死，死可以生”的主题一脉相承。这故事还借南宋末年事暗讽了当时一样黑暗昏聩的政局。

除了那些被礼教、强权和战乱扼杀了生命和爱情的可爱可怜女性，瞿祐还歌颂了自由欢乐的爱情。这是明代市民文化兴起的特色。一篇《联芳楼记》借杨维桢女弟子薛兰英、兰蕙美而能诗，大胆与商人相爱的故事，表达了对爱情自由、女性解放的肯定、赞美和宣扬。瞿祐的这篇作品和他生活在社会风气较自由的大都市杭州很有关系，《绿衣人传》《联芳楼记》和稍后白话话本小说“三言”“二拍”里市民阶层的真诚大胆爱情观可相通。

《剪灯新话》作为文言小说发展的里程碑之一，上承东晋

志怪小说和唐传奇的玄怪小说，瞿祐对浙地前辈干宝等人的志怪和爱情小说典范多追慕模仿，还多从宋元白话话本中借鉴题材、情节、人物，可谓雅俗兼容。《剪灯新话》里的故事人物，也成为后来明代拟话本、戏剧传奇和清代文言志怪小说《聊斋志异》等的重要素材来源。如《金凤钗记》《翠翠传》等被明末湖州人凌濛初改写成拟话本，编入《二刻拍案惊奇》中；《寄梅记》被明末杭州人周清源改写成拟话本，汇入围绕西湖、杭州历史人物编撰故事的《西湖二集》中；明末鄞县人周朝俊的戏剧传奇《红梅记》采用了《绿衣人传》故事，也就是后来的戏剧《李慧娘》。

瞿祐不愧是大诗人，他的《剪灯新话》得到推崇和流传的另一个重要原因就是小说中多出色的诗歌，被称为“诗文小说”。如《故宫人》结尾处“往事兴亡谁与论，亭亭白塔镇愁魂。惟有栖霞岭头树，至今犹说岳王坟”的历史感慨，寄寓了对南宋亡国的痛惜，似乎又不只是说南宋。这些咏史咏物诗词都与故事正文相得益彰，而不像一般小说里的诗词一样程式化甚至画蛇添足。

瞿祐写成《剪灯新话》后藏在家中，不敢刊行。但因小说很吸引人，书稿还是在友人间流传起来，最后手抄本传向四方。据明遗民思想家顾炎武《日知录之馀》卷四的“禁小说”记载，正统七年（1442）即瞿祐去世后9年，有人上书说“近有俗儒假托怪异之事，饰以无根之言，如《剪灯新话》之类”。“俗儒”之“俗”是指瞿祐小说中的市民意识、自由思想和文风，和当时官方推崇的正统思想、呆板台阁体文学风气格格不入。《剪灯新话》是明代文人创作遭到朝廷禁毁的第一部，幸好它的雅俗共赏气质和出色诗文创作使它生命力强盛、传播广远，就像浙地前贤寒山、张志和等人作品一样传到了海外，保全了文本。

凌濛初和二拍：“拟话本”大师

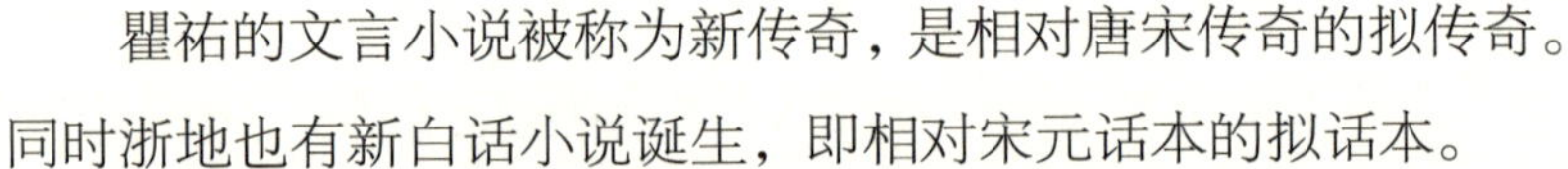

瞿祐的文言小说被称为新传奇，是相对唐宋传奇的拟传奇。同时浙地也有新白话小说诞生，即相对宋元话本的拟话本。

明代的白话短篇小说典范，大家都知道“三言”“二拍”的大名。“三言”是指明代苏州冯梦龙整理修订宋元话本、拟话本的旧本，并创作白话小说新作，合成小说集《喻世明言》《警世通言》《醒世恒言》，是古代白话小说从民间说唱艺术、文人整理加工民间讲话，发展到文人独立创作的鲜活形象反映。

明代乌程（今湖州织里镇）人凌濛初（1580—1644）编著刊刻了《初刻拍案惊奇》《二刻拍案惊奇》（简称“二拍”，共78卷），和“三言”一起代表着明代白话短篇小说的最高成就，也标志着浙江白话短篇小说的繁荣。

“二拍”确受“三言”影响，身为印书家的凌濛初看到“三言”卖得火爆，便技痒创作了“二拍”。“三言”“二拍”内涵相通，都是恪守儒学主流价值观、劝人向善和追求自由、鼓吹个性、感情解放相融通的产物，深刻体现了市民阶层的取向、雅俗共赏的风格。不同的是“二拍”没有辑录前人作品，都是凌濛初自己创作的，素材多来自唐传奇，还有南宋人洪迈借古籍奇闻、

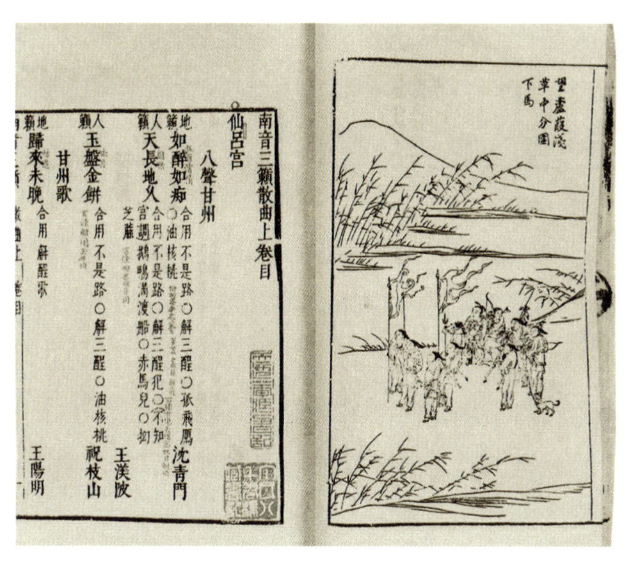

文学多面手凌濛初的散曲佳作《南音三籁》书影

现实奇事写成的笔记小说集《夷坚志》。“二拍”的正话（即正文故事）和入话（即引文故事）里的故事出自《夷坚志》的就有 30 多篇。所以，虽有人曾认为“二拍”不如“三言”，但“二拍”是古代第一部文人独立创作的白话小说集，这是“三言”所不能相比的。凌濛初因为当时能见到的话本旧本都被冯梦龙用掉，所以才会“取古今来杂碎事可新听睹、佐谈谐者，演而畅之”（《二刻拍案惊奇 · 序》），自己选了些好玩新鲜的故事进行创作。正因如此，“二拍”多数故事很有新奇吸引力，情节曲折且语言生动。

凌濛初和冯梦龙的人生轨迹有相似处。他们都生活在明代中后期商品经济较发达地区，都曾科举不顺，不能在仕途上有所作为，最终转向从事文化传承传播，凭此青史留名。

凌濛初出身世家，从他的父亲叔叔辈开始，凌家成为江南著名的刻书世家，刻印了各种体裁的文学作品，有元明的戏剧和小说名著《西厢记》《琵琶记》《红拂记》

和《虬髯客传》等20余种。正因有家学基础，才情出众的凌濛初在诗歌、小说、戏剧方面都有涉及，如杂剧有《虬髯翁》等13种，但还是“二拍”最有名。

“二拍”以往被“三言”掩住的光彩和独到之处在于：

首先，“二拍”非常真实地反映了当时市民阶层的生活和思想，这和凌濛初出身湖州这一商品经济发达区域，“二拍”是他亲身创作都有关。凌濛初也是商人，所以在他笔下，商人与商业都是正大光明的正道，而不是被鄙夷、可笑可怜的如莎士比亚笔下的“威尼斯商人”。他还赞扬经商致富，这在中国这一农业社会中很具先进性，是明中叶后商品经济活跃、市民意识发展的反映。“二拍”是明朝写实小说的代表，体现了17世纪中国崛起的市民阶层的思想情感。这是它主要的文学价值、历史意义。

如《转运汉遇巧洞庭红》写商人文若虚破产后无奈出海经商，结果无心插柳柳成荫，随意带去的橘子物以稀为贵，获得很多利润，回程经过荒岛又得到珍宝，从而成为大富豪。从中可看出明末商人们对金钱的强烈渴望和不懈追求。还可窥见明末商人希望开放“海禁”的历史背景。一篇小说背后故事很多。再如《乌将军一饭必酬》《叠居奇程客得助》里商业细节的描写也很真实，《乌将军》写王生经商被劫，失去信心，婶母却鼓励他不能因为失败就放弃，突出了商人的坚韧性情；《叠居奇》写徽州商人程宰经商失败，怕归乡被人笑话而流落他乡，后得到海神“人弃我堪取，奇赢自可居”的指点，通过囤积药材、

丝绸和粗布发了大财，准确抓住并深刻体现了商人的精神世界和经营准则。这些故事题材真实而新颖，也曲折反映了浙地作为中国商人之祖“陶朱公”（一说就是春秋越国范蠡）诞生地的历史文化底蕴。

其次，“二拍”体现了对平等自由爱情婚姻生活的向往和现实认识。如《李将军错认舅》描写了刘翠翠和金定不求“门当户对”、不受外界因素影响的忠贞爱情，可惜是双双殉情的悲剧。

第三，“二拍”还反映了当时社会和官场唯利是图、尔虞我诈的黑暗丑陋。如《满少卿饥附饱飏》写了一个背信弃义、苟富贵则糟糠妻下堂的“陈世美”形象，揭示了封建婚姻家庭中男女不平等的现实，提出了平等的希望。再如批判统治阶级的贪婪凶残、荒淫好色。《青楼市探人踪》里通过两个“人为财死”者的贪婪形象，揭露了他们阴险狠毒的本质。《进香客莽看金刚经》和《王渔翁舍镜崇三宝》写了为争财产的丑恶行径。

凌濛初曾说自己写小说艺术性不足取，只希望能达到宣扬名教、劝诫世人的目的，即“奉劝世人行好事，到头原是自周全”。这其实是较落后的文艺观，所以“二拍”多有迷信、因果报应和宿命论思想，一定程度影响了小说的可读性和思想性。

凌濛初之后，浙地还出现了被称为“三刻拍案惊奇”的小说，就是明代杭州文人陆人龙兄弟的《型世言》，这是又一部《世说新语》《警世通言》。

阅读链接：

（明）凌濛初：《初刻拍案惊奇》《二刻拍案惊奇》，上海古籍出版社，1982 年版。

（明）陆人龙：《型世言》，江苏古籍出版社，1993 年版。

吴伟斌编：《新“三言”“二拍”：拍案称奇》，上海大学出版社，2008 年版。

无声戏和子不语：思变

元明时的浙地小说，无论白话或文言，除了《三国演义》《水浒传》，《剪灯新话》和“二拍”也是独步天下的。到了清代，浙地小说难免有盛极而衰、难以为继之感。幸好此时还有两位浙地文人的尝试探索继承了前贤辉煌：李渔的戏剧化拟话本和袁枚的《子不语》，都是清代短篇小说的翘楚。

李渔和袁枚是清代文坛特立独行的两位奇人，他们的文

清人所作《十二楼图》

学成就是多方面的，小说也都有可取之处。如李渔（1611—1680）以剧作家著称，但他的《觉世名言十二楼》《连城璧》两部拟话本小说集是“三言”“二拍”之后最值得重视和研究的白话短篇小说。

可惜《十二楼》《连城璧》在清代也是禁毁书，这和当时主张端庄雅正风格的主流文坛对主张文风通俗的李渔的歧视有关，影响了李渔小说的流传和声望。不过，和瞿祐的小说一样，李渔小说以思想、艺术的独特仍得到很多认可。《十二楼》很早就被翻译到海外，影响很大。

李渔原籍金华兰溪，清初曾移居杭州，开始卖文为生，是较早的职业文人。壮年的他在杭州城北“武林小筑”一住十年，这是他的文学创作高潮期，写作了大量戏剧和小说。这也和杭州宋元明以来是戏剧、小说中心有关。其后他一度寓居南京，开芥子园书铺，出版他喜爱的“四大奇书”小说《三国演义》《水浒传》《西游记》《金瓶梅》。到康熙十六年（1677），李渔又归隐杭州，在吴山东北的云居山东麓建“层园”居住，两年后在杭去世，有“湖上笠翁墓”。

《十二楼》共12个故事，绝大多数出自李渔的原创，来自现实生活，不是引用别家素材，更不是辑录他人作品。李渔通晓世情、不迂腐，又交游广阔多见识，所以笔下故事新鲜奇巧，写得跌宕起伏、引人入胜。《十二楼》每个故事里都有一座和人物命运、情节展开息息相关的楼，所以有此书名，也可见李渔创作小说之精心构思、匠心独运。李渔作品的确不刻意突出深刻的思想内涵和社会意义，但他太会说故事了，每篇作品都能举重若轻、流畅自如地讲一个复杂故事，即使故事有刻意求新求奇失之荒谬之嫌，也会因为有厚重的真实生活为底色，显得妥帖而不牵强，且现实寄托呼之欲出，惹人深思。《十二楼》《连城璧》都体现了李渔作品惯有的人文韵味和世俗精神相结合的特点，所谓通俗而不庸俗，是话本小说的又一个高峰。

李渔身为戏剧家，小说表现手法相当戏剧化，所以自称“无声戏”，抒发了“小

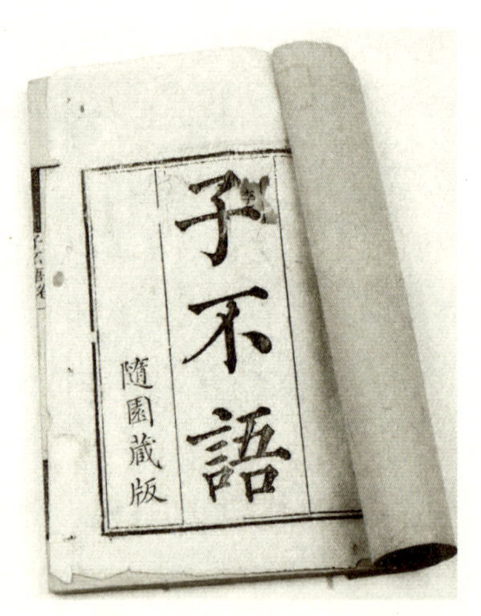

《子不语》书影

说乃无声之戏曲”的独特创见。《连城璧》《十二楼》借鉴了明清传奇的戏剧排场，融通“才子佳人”和“人间喜剧”戏剧意蕴，创意无限，奇采纷呈，令人兴趣盎然。这对“三言”“二拍”等拟话本尤其“三言”的缺乏原创，是一大进步。

李渔小说虽曾遭禁毁，也许有俗的一面，但大多数作品反映了市民阶层世俗真实而健康的是非观和两性观，具有积极意义。

《十二楼》又名《觉世名言》,和“三言”“二拍”之意相通，意在于劝惩世人，也反映了真实现实生活。如《萃雅楼》写奸相严嵩父子的争夺权利、祸国殃民，还指出昏庸皇帝的宠信是他们有恃无恐的靠山。曲折含蓄而尖锐地影射批评了明清时政治世情的灰暗。《十二楼》还深刻反思了明末清初社会动乱造成了人民的深刻痛苦。如《生我楼》写尹小楼父子在战争中失

散后奇迹般相逢的悲欢离合故事，荒诞中蕴含历史的必然，令人啼笑后又不觉沉思。还有李渔一贯对青年男女背弃礼教、追求理想的肯定和赞扬，都值得肯定。

《连城璧》也是如此，看似刻意求新奇实则包含对世情、人性的深刻、清醒、真实认识。如卷八的《妻妾败纲常　梅香完节操》，可让人联想起和李渔几乎同时的英国大戏剧家莎士比亚的四大悲剧之一《李尔王》。“梅香”（古时婢女泛称）碧莲，个性诚实，不愿对主人说谎，结果被主人误解。到主人误传死讯，主人家妻妾纷纷改嫁，没有身份束缚的碧莲反而留下为主人养育孩子、守护家园。这也是前人少写、看了头猜不到结尾的戏剧化题材。只可惜李渔没有深入挖掘人性而是一味宣扬腐朽的节义观，难免使人物的光彩打了折扣，这是一点局限。

李渔之后，到清代中期，又有一位曾寓居南京的浙地文人袁枚写了清代三大志怪名著之一的《子不语》，与蒲松龄《聊斋志异》、纪昀《阅微草堂笔记》等文言志怪短篇笔记小说集鼎足而三，都是貌似回归浙地笔记小说如《搜神记》的悠远传说而突出新意，借仙鬼之事表达对现实、历史的理解与批评。杭州才子袁枚虽相信“子不语怪力乱神”，却也是通达不刻板之人，对世间奇事充满好奇和求索，他又濡染浙地文化极深，于是沿着浙地前辈干宝、洪迈喜欢写志怪传奇和笔记的路数，写下这本流传甚广的《子不语》。其中很多故事曲折反映真实的世情人性，颇见史识和醇厚豁达之见，虽然记录较平实，文字较朴素，见解较冷静，不如《聊斋志异》的构思刻意求奇逸、文字刻意求华美、感慨多激情慷慨，却不失有趣，现实针对性更强，是一本和《容斋随笔》一样适合长年放在床头反复看的书。

阅读链接：

（清）李渔：《连城璧》《十二楼》，上海古籍出版社，1986 年版。

万晴川：《风流道学——李渔传》，浙江人民出版社，2005 年版。

袁枚著、王爱译注：《看袁枚在搞什么鬼：〈子不语〉精选集注》，广西师范大学出版社，2009 年版。

玉娇梨：黑格尔关注的才子佳人小说

《玉娇梨》是明末清初兴起的才子佳人小说风尚里最早的名篇和代表作。清代崇尚学问，女子也多有才学者，这是出现才子佳人小说的重要时代文化土壤。其实才子佳人小说思想情感文字多浅近通俗，就像《玉娇梨》又名《双美奇缘》，是一部20回的长篇白话小说，写才子苏友白和才女佳人白红玉、卢梦梨，历经磨难终成眷属的故事。因为这类小说的很多读者是不出家门、富于幻想的闺阁少女少妇，才子佳人的梦幻喜剧比起天人永隔或“天壤王郎”的真实婚恋悲剧更适合她们，所以才子佳人小说得到追捧而大热。如《玉娇梨》书中两位女主角相貌美丽、很有个性，而苏友白为爱情大胆追求，纯真可爱，都容易感染读者，得到她们的共鸣，还可让她们将自已代身小说中、沉醉不已。所以即使情节单薄、内涵欠缺，也不妨碍其流行。才子佳人小说其实就是清初的“偶像剧”。

《玉娇梨》的作者，一直未能确定。一说是荻岸山人编次、清初秀水（今嘉兴）人张匀撰，也有说是荑秋散人所著。《玉娇梨》是清初才子佳人小说里的“四才子书”（不是金圣叹的才子书）之一，名列“第三才子书”。此外，一说名列“第四

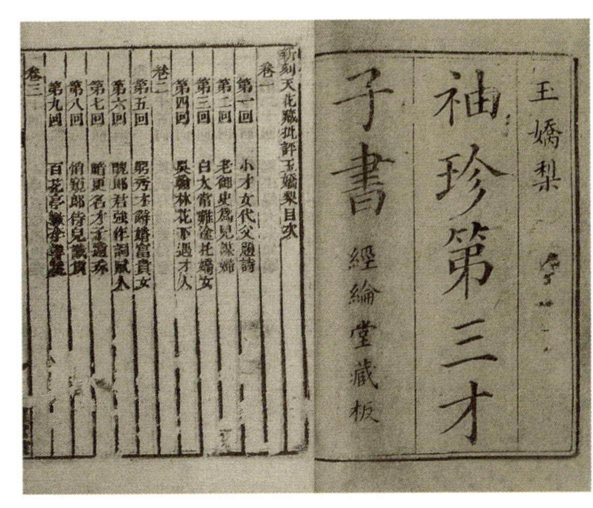

新刻天花藏批評玉嬌梨目次

卷一

第一回　小才女代父題詩

第二回　老御史為兒謀婦

第三回　白太常難途托嬌女

第四回　吳翰林花下遇才人

卷二

第五回　窮秀才辭婚富貴女

第六回　醜郎君強作詞賦人

第七回　暗更名才子遙怜

第八回　俏[illegible]郎侍兒識貨

第九回　百花亭[illegible]李[illegible][illegible]

卷三

玉嬌梨

袖珍第三才子書

經綸堂藏板

《玉娇梨》书影

才子书”、清初流传甚广影响颇大的才子佳人小说《平山冷燕》也是张匀作品。《平山冷燕》共 20 回，故事和《玉娇梨》颇相似，说才子才女平如衡、山黛、冷绛雪、燕白颔两男两女（书名就是四人姓氏）最后双双成亲的故事。尤其两位奇女子一如谢道韫、李清照，不但诗才出众也有实际才能，令两位男才子甘拜下风。虽然《玉娇梨》《平山冷燕》思想内容都很正统甚至有些迂腐，却忠实反映了清初社会风气里的一点新意，就是鲁迅在《中国小诗史略》中说的通过显扬女子才能，推崇雅文化。才子佳人小说在当时得到广泛认可、能够流行，并非偶然。

《平山冷燕》一说是荻岸散（山）人编次，还有以为是清初嘉兴人、神童张劭（张博山）在十四五岁时所作，由其父修改完成。鲁迅则认为《平山冷燕》思想陈腐，不像孩子写的。《玉娇梨》《平山冷燕》是否一人所著，张匀和张劭是否一人，一直无定解。不过，两书作者应该是嘉兴人。

由于《玉娇梨》《平山冷燕》鲜明地体现时代文化特色，清初时都曾被译成满文，后又被介绍到欧洲。还因为显示了东方文化的雅正含蓄之美，受到欧洲人的关

阅读链接：

（明）荑秋散人著，冯伟民校注：《玉娇梨》（明清稀见小说坊），人民文学出版社，2006 年版。

（明）佚名著，冯伟民校注：《平山冷燕》，人民文学出版社，2006 年

（清）李百川：《绿野仙踪》，齐鲁书社，1995 年版。

注。如鲁迅就认为《玉娇梨》“在外国特有名，远过于其在中国”，和《剪灯新话》《十二楼》都是“墙内开花墙外香”的类型。《玉娇梨》在清道光年元年（1821）被译成了法文，后又译成英文和德文。德国大哲学家黑格尔在其巨作《历史哲学》第一部第一篇中谈到中国的文武官员和科举制度时提及《玉娇梨》，“……可以引证亚培·累睦扎所翻译的《玉娇李（应为玉娇梨）》或者《两个表姐妹》；那里说起一位少年，他修毕学业，开始去猎取功名”，可见此书当时在欧洲的流行、影响，也曲折可见《玉娇梨》对清初社会历史文化有真切反映。

再来看一部清代浙地作家的著名长篇小说，集神魔小说、世情小说、历史小说于一身，即融通了《西游记》《红楼梦》《三国演义》各类型小说特点且集大成的《绿野仙踪》。这是一部精彩的长篇杰作，但也因受到禁毁而历来流传不广，名声不大，少受关注，读者寥寥。

《绿野仙踪》共 100 回，是清乾隆年间籍贯为江南的文人李百川的杰作，一说为浙地人。李百川和浙地前贤干宝等一样好奇、喜欢说鬼怪。据说他在乾隆十八年（1753）至二十七年（1762）间，历时十年，创作了集武侠、神魔、言情元素于一体，描写主角斩妖除魔、惩贪济灾成长历程的中国式英雄传奇史诗《绿野仙踪》。李百川友人陶家鹤为《绿野仙踪》作序并赞美其为“说部中之极大山水也”，认为它是小说中的集大成之作。现代文艺理论家、温州人郑振铎把《绿野仙踪》和《红楼梦》《儒林外史》并列为清中叶三大小说，都可侧证《绿野仙踪》的成就。

历代通俗演义：千秋史笔

萧山，今属杭州，古时长期属于越地，曾是春秋越国故地和吴越战场，见证了越国起死回生、卧薪尝胆、成为霸主的历史。2000 多年后，当历史进入近代，这一方山水中，出了一位了不起的历史演义小说家蔡东藩（1877—1945），以广博的历史视野、出色的创作回应悠悠历史。浙地历史演义家的行列里，罗贯中之后又添重要一人。

和罗贯中一样，蔡东藩也创下历史小说的不少史上第一，如他写了“历史演义之最”《中国历代通俗演义》（下称《演义》），时间跨度自秦始皇到民国九年（1920），共 2166 年，至少前无古人。还有，他用 10 多年时间写了 700 多万字的 13 部小说，比起越地前辈陆游的一生万首诗、洪迈的 40 年写成《容斋随笔》5 笔 74 卷 1 千多则和《夷坚志》四志 200 多卷笔记小说，还要勤劳多产。再则，他以一年一部的频率接连出版了 11 部、1 千多回的历史小说，比起越地前辈、身为书商的李渔的记录，也算神速。除了勤奋和天才兼备，还有历史责任感的驱使，也得益于浙地文化坚韧不折精神的影响，才有这样的奇迹！

蔡东藩，清末民国山阴县临浦（今属萧山）人，著名演义小说作家、历史学家。他也曾赶上科举尾巴，差点沿着清末小官僚的生活模式过下去，但他厌恶官场逢迎接送的生涯，不久就称病回家。到辛亥革命后，很多旧文人有了新的职业和人生。蔡东藩选择了和教书、行医一样可启发民智、有助民生的出版行业。

蔡东藩到距萧山很近的上海，进入会文堂新记书局任编辑，后返乡在家为书局编写《演义》。从1916年到1926年10年间，他焚膏继晷、呕心沥血、笔耕不辍，阅读了大量史料，包括四千多卷正史，还有无数野史，凭借渊博的史学基础、惊人记忆力和不怕吃苦精神，完成了前汉、后汉、两晋、南北朝、唐史、五代史、宋史、元史、明史、清史、民国11部历史演义的写作，合称《中国历代通俗演义》。他还写了《慈禧太后演义》，并增补修订了清初人写的《二十四史演义》。他的《演义》系统完整，以小说形式忠实详细再现，清晰、通俗解读了中国2000多年的历史。蔡东藩也以这部“十年磨一剑”、具有二十四史规模的鸿篇巨制，成为中国有史以来最宏大历史演义的作者。以往的二十四史是无数人花费无数时间完成的，《演义》却是一个人在10年间独立完成的。蔡东藩委实可敬。

《历代通俗演义》书影

蔡东藩兴起写这套历代演义的心思，和他生逢清末民初这一国势孱弱、政局不定、民族危机迫在眉睫的历史大变革时期有关。蔡东藩的杭州同乡前

辈，清中叶启蒙思想家龚自珍曾说过“欲知大道，必先为史”(《古史钩沉论》)，指出懂得历史对治理国家乃至自我发展具有重要性、必要性。清末民初时，也很看重文学启发民智的作用。杭州启蒙思想家夏曾佑曾极力赞美“说部”(小说)容易感染人心、影响民俗、容易在民间流传的特点。身为一介书生，也是深怀“国亡无日”忧虑的爱国知识分子，蔡东藩苦于空有义愤，在家乡教育孩子、医治病人之外，他来到大都市上海也只能发挥自己擅长的书写历史的“史笔”特长，希望通过普及历史知识、梳理历史发展规律，使更多人从中得到启发，寻找到救亡图存的济世良方。他特别注意抓住了历史上各个转折改革的关键时刻，展开特写，以启示、激励国民。透过这以历史小说为救国手段的“书生报国”之念，蔡的拳拳爱国之心清晰可见。

蔡东藩的第一部历史演义是写刚刚灭亡的清王朝的《清史通俗演义》，就是为了以史喻今、供现实借鉴。在写作中，他找到了更多历史时期的资料，发现了很多历史规律，于是又写了各个历史时期中国社会互相关联衔接的变化发展。等他放下手中笔，十年恍若一瞬间，一回头案上的演义已成长河绵延，逶迤静卧的万里长卷，将漫长纷乱的历史囊括其中，且高明如庖丁解牛，叙述清晰、阐释明白、论述精到，令人常有领会顿悟的意外之喜。蔡东藩不是寻常乡间小儒，他和越地前贤谢安等人一样曾安于书斋、隐居生涯，胸中却大有丘壑，存史学千秋。

“演义”是指以正史为根本，采纳野史，演绎而成的长篇小说。不过历代演义，文与史的倾向、虚实的比例、雅俗的取舍，都多有不同，如《三国演义》就是“三实七虚”。(今人研究新见，修正了鲁迅曾提及的传统的“七实三虚”说。)蔡东藩精通历史、为人严谨，他写《演义》时，抱着“借说部体裁，演历史故事”的宗旨，以对历史真实的严格追求，主张“语皆有本”，“无一事无来历”，每一历史事件、人物都有出处，反对以没有根据的虚构误导读者，所以他的《演义》是以正史为主干，以逸闻野史为细节，也有少部分属于艺术虚构，如人物对话，但很谨慎，都通过设

身处地地为人物设想，力求符合特定历史时期特定人物的身份性格。

蔡东藩的《演义》虽兼具历史著作和文学作品之长，但历史价值更高于文学意义。这套书，史实完备，可当史书读，但叙事不免平实。和浙地以往的历史演义相比，演义文采、虚构程度不如《三国演义》，奇幻性不如《吴越春秋》。幸而《演义》还是有很多具有历史修养的忠实拥护者的。

《演义》有一个著名的爱好者，即爱好文史的毛泽东。就像喜爱唐代杭州诗人罗隐的咏史诗、宋代曾居浙地文人洪迈的《容斋随笔》一样，毛泽东也曾把蔡的《演义》放在床边。1937 年，毛泽东为了鼓励延安干部学中国历史，让人从敌占区购买蔡的《演义》两部。和罗诗、《容斋》一样，蔡的《演义》得到毛泽东喜爱是因为其对历史进行了全景式的梳理整合和通情达理的阐释、深入浅出的解读，既有严谨明晰的史笔，也有清醒平朴的历史观，不迂腐也不故作高深，文笔虽不华美，却胜在朴素耐读。古时的越地历来盛于史学、咏史诗，蔡的历史演义可谓完美的句号。

十年写《演义》，耗费了大量心血，也付出了健康的代价，蔡东藩在 1926 年完成《演义》后，隐居家乡继续以教书、行医为生。不能为良相即为良医，家乡父老受他恩惠甚多。1945 年春日本投降前夕，蔡没能等到胜利的来临，在家乡逝世。不过，看惯历史兴亡、心中有大天地的蔡东藩，应该对中国的胜利早有把握吧。

蔡东藩的《演义》，也是历来被低估的一部巨著，因为通俗易懂而被轻视。其实这是一位来自中国民间、谙熟世情史情的智者在乱世中的深刻思考，是一部篇幅浩瀚却平易近人、容易打动人心的中华通史，可成为二十四史的注释和辅助读物，普及古代历史知识，并值得放在案头床边，时时温习。蔡东藩一生心系国家、历史、时代和百姓，他的书堪称演义的奇迹，他的人堪称文人的传奇，无愧“一代史家，千秋神笔”之誉。

阅读链接：

蔡东藩：《中国历代通俗演义》（12 册），中央编译出版社，2008 年版。

吕安世原辑，蔡东藩增订：《中华全史演义》，浙江人民出版社，1981 年版。

蔡东藩：《慈禧太后演义》，浙江人民出版社，1980 年版。

从再生缘到精卫石：女性觉醒

在杭州西湖边，柳浪闻莺对面有一处清代园林遗迹句山樵舍，旁有“再生缘”三个大字，这就是清中叶才女、弹词小说家、《再生缘》作者陈端生的故居。

陈端生（1751—1796）出身杭州书香望族，祖父陈兆仑号句山，句山樵舍就是他所建。陈端生18岁开始创作弹词小说《再生缘》。后与范菼成婚。范因卷入科场舞弊被发配伊犁。陈端生在家侍奉长辈，诗一般女子，身心备受苦楚煎熬，其间坚持创作《再生缘》到17卷，寄托心迹，一字一血泪。书未完，陈端生病。范菼被赦，未及到家，陈端生就去世了。《再生缘》第17卷卷首说“惟是此书知者久，浙江一省遍相传”，可见在乾隆年间尚未完成的《再生缘》抄本已流传并受到世人推崇。后来由另一位才女梁德绳续作了后3回。梁德绳（1771—1847）也出身杭州世家，是大学士梁诗正孙女。但梁的续书因梁生活美满、性情敦厚、心无孤愤，不免显得雍容方正却有些平淡无趣。

《再生缘》是清代女子弹词小说的奠基之作和代表作。而弹词小说是才子佳人小说的发展。《再生缘》的女主人公孟丽

君才华横溢，个性鲜明，女扮男装，大胆挑战旧礼教、蔑视权贵，将当时人信奉的三纲都打破，充分显示巾帼更胜须眉的风采，张扬了超越时代的女性自由自尊的独立意识。她还敢于追求爱情、无畏无惧。这是被封建旧家庭束缚至死的陈端生心里最向往的女性形象，也是古代文学中最夺目的女性形象之一。在浙地女性文学传统中，也可以和真实的女娇、勾践夫人、越女、谢道韫、李冶、李清照、朱淑真、柳如是以及虚构的苏小小、任氏、红拂女等平起平坐。

《再生缘》书影

关注女性命运和小说等通俗文体的陈寅恪先生有《论〈再生缘〉》一文说“《再生缘》实弹词体中空前之作，而陈端生亦当日无数女性中思想最超越之人也”，说《再生缘》是弹词小说前无古人的“第一书”，陈端生也是当时无数女性的偶像。后郭沫若还将《再生缘》和《红楼梦》并称“南缘北梦”。

清代的弹词艺术分化为二：表演弹词是说唱艺术，活跃在民间艺人口中，在茶馆书馆间传唱；案头弹词则进入了书斋闺阁，文人尤其闺秀们在女红之余进行阅读、传抄，还模拟弹词底本用韵文体独立原创长篇故事。案头弹词是融合了诗词、民间戏曲等艺术的小说。

明清江南女性弹词小说具有鲜明的时代、地域和性别特色，主要流行于江浙等地、闺阁之中，是一种“女性文体”，和明清才女文化、江南闺阁文学的发展都有很深渊源。江南经济发展、历史文化底蕴深厚、文学艺术发达、家族文化繁盛，女

性钟情弹词，大批才女加入弹词小说作者行列是明清弹词小说盛于江南的直接原因。明末清初之后，江南女性文学除了诗词曲，弹词体小说也建立了女性文学的叙事传统，影响深远。

闺秀弹词小说是工于描写的长篇叙事的韵文体小说，以七言韵文为主，穿插散文白话。篇幅庞大，一部小说少则三四十万字，多则七八十万字，也有一百万字以上的。人物众多，情节繁杂，描写细腻，故事进展缓慢，甚至有冗长琐碎之感，以主角性格发展和离奇巧合的命运遭遇吸引人，宛如今天的长篇电视剧。

还有，女性弹词小说虽还以才子佳人婚恋、英雄儿女传奇内容为主，但市井题材渐少；虽采用浅近易上口的语言，但常出现大段闺秀的诗意自白；虽主要反映女性现实生活，但更多作者致力营造女性幻想世界，期望在其中得到超越现实的自尊独立的心理满足。婉约文风、自立刚强个性意识的兼备与反差使女性弹词小说别具一格。陈端生的坎坷经历更催生造就了其中佳作。清代中后期两位杭州闺秀与《再生缘》的奇妙缘分，现实中陈端生、梁德绳与书里孟丽君命运的对视，交错宛如镜中倒影，真真幻幻，互相辉映、影响、补充。这是女性弹词小说的最大魅力所在。

到了1905年，近代革命家、著名女诗人、有女侠名实的秋瑾创作了弹词小说《精卫石》，可视为与陈端生的历史呼应。《精卫石》今存5回，署名汉侠女儿即秋瑾笔名。小说主人公是受过新思想启蒙的黄鞠瑞等4名女子。她们主张男女平等、

女子自立，为摆脱父母强加的婚姻，决定东渡日本求学。4 人到日本后开始了新生活。黄改名黄汉雄，正如秋瑾当年改名竞雄。小说不全，看仅存的篇目，4 名女子后来也都和秋瑾一样加入了光复会，开始救国大计。第十九回“立汉帜胡人齐丧胆 复土地华国大扬眉”、第二十回“拍手凯歌中共欣光复　同心革弊政大建共和”，都充满理想色彩、革命斗志。从《再生缘》到《精卫石》，女性解放走过了千山万水，低眉顺眼终于换成了扬眉吐气。

阅读链接：

（清）陈端生著、梁德绳续补：《再生缘》，岳麓书社，2004 年版。

秋瑾著，郭长海、郭君兮辑注：《秋瑾全集笺注》，吉林文史资料出版社，2003 年版。

鲍震培：《清代女作家弹词小说论稿》，天津社会科学院出版社，2002 年版。

呐喊或彷徨：鲁迅与乡土

青年鲁迅像

关于鲁迅（1881—1936），即使只谈他的小说，也有说不完的话题。来看看鲁迅小说的几个“第一”“之最”。

很多人都以为《狂人日记》是鲁迅的第一篇小说，其实这只是他的第一篇白话小说。鲁迅的第一篇小说是文言的《怀旧》，写于1911年，1913年发表于最早的现代文学刊物，也就是新文学运动的重要刊物《小说月报》。写了辛亥革命在一个小镇引起的风波，讽刺了封建势力的狼狈丑态。《怀旧》具备了鲁迅后来很多小说的雏型，如《狂人日记》就是《怀旧》内涵的延展。在内容上，《怀旧》可看成中国现代小说的开端。

1918年4月，38岁的鲁迅写了中国现代文学史上第一篇白话小说《狂人日记》，首次用“鲁迅”的笔名，首发于5月的《新青年》月刊，奠定了新文学运动的基石，后收入小说集《呐喊》。在文学史上，《狂人日记》是里程碑，有诸多象征意义，

如开创了新文学的现实主义传统，也是第一篇抨击控诉“吃人”旧制度的小说。

《狂人日记》也是鲁迅经历长久深刻思考、沉淀了愤怒之后的第一声“无声的呐喊”，平静却充满内在力量。和后来郁达夫的小说《沉沦》、汪静之的新诗《蕙的风》相比，《狂人日记》不曾在当时喧嚣的文坛上掀起风波，也没有引起文艺论战。但正如茅盾说的，当时还没有第二个同样惹人注意的作家，更找不出同样成功的第二篇创作小说。《狂人日记》在当时是独一无二、矫矫不群的，第一次对中国人千百年来习以为常的传统文化、社会现实、思想行为等发出了清醒严厉而深刻完备的质疑反思。“从来如此，便对么？”还第一次大声疾呼“救救孩子！”这些都是发前人所未发的振聋发聩的黄钟大吕之音。新文化（学）运动如果失去这样深沉的思想基础是不会成功的。

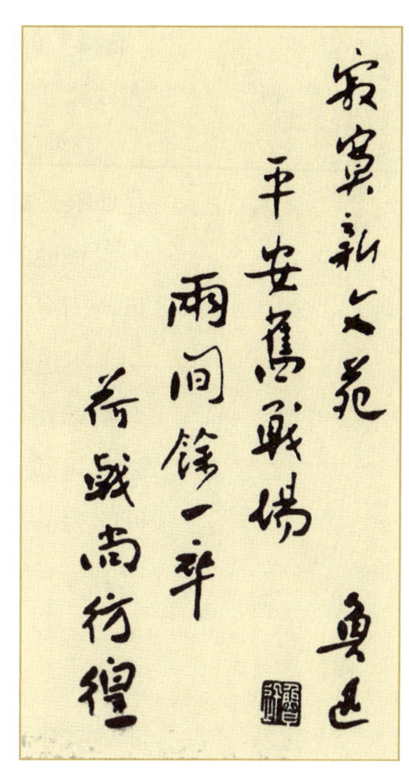

鲁迅《彷徨》集的题辞

《狂人日记》还是中国历史上第一本日记体小说，和以往的笔记体、章回体小说等都有较大区别，是鲁迅学习外国文学、融通中西的结果，具有深入挖掘刻画内心思想情感的长处。

鲁迅的第一部小说集是《呐喊》，1923 年北京新潮社出版。收录了他 1918 年至 1922 年即“五四”高潮期所作小说 15 篇（后《不周山》改名《补天》，收入他的另一小说集《故事新编》）。《呐喊》体现了反思国民性弱点的主题。依鲁迅之言，

阅读链接：

鲁迅：《呐喊》，上海书店出版社，2003 年版。

鲁迅：《彷徨》，上海书店出版社，2003 年版。

王晓初：《鲁镇、未庄与 S 城：鲁迅小说建构的文学世界——从越文化视野看鲁迅的〈呐喊〉与〈彷徨〉》，《孝感学院学报》，2012 年第 1 期。

“呐喊”的意思一是为了鼓励在寂寞里奔驰的猛士，二是唤醒在铁屋子里沉睡的国民，是“五四”人文精神的形象化表述。

《呐喊》集中，鲁迅在 1921 年发表的中篇小说《阿 Q 正传》，是他唯一的中篇小说，也是一般人认为的鲁迅代表作。阿 Q 的形象和他的“精神胜利法”可谓中国文学史上最具文化代表性、批判国民性弊端最深刻的意象。

不过，到底鲁迅哪部小说是他最好的，一千人眼中有一千个哈姆雷特，未必一定是《阿 Q 正传》。《彷徨》是鲁迅的第二部短篇小说集，写作于“五四”退潮、新文化阵营分化期间（1924—1925），收入 11 篇作品，1926 年出版。鲁迅的《题〈彷徨〉》诗“寂寞新文苑，平安旧战场，两间余一卒，荷戟独彷徨”是《彷徨》之名的来源，贴切体现了他此时在前行中不断反思回顾、坚持继续文化探索的复杂心境。很多人喜爱鲁迅笔下天真中带感伤、追忆逝水流年和美丽乡土的《故乡》《社戏》（见《呐喊》），也有很多人推崇风格更朴素暗淡、宛如中年心境的《祝福》《伤逝》《在酒楼上》（见《彷徨》）。

20 世纪 50 年代，浙籍著名报人、文学家曹聚仁到北京访问鲁迅弟弟、散文家周作人，谈起鲁迅小说，说最喜欢《在酒楼上》。周作人同意，还说这是一篇“最富鲁迅气氛”的小说。当代小说家王朔则以为《祝福》《孔乙己》《在酒楼上》《药》是鲁迅小说中最好的，与鲁迅这些小说相当的现代小说还有浙地富阳人郁达夫及沈从文、李劼人（《死水微澜》作者）的作品。

透过《呐喊》《彷徨》两部小说集可窥见一个矛盾的鲁迅：

对浙东（越地）故乡的眷恋，对实质和精神上的“乡土”渐渐消逝的复杂心情，组成了他笔下永远的乡愁；他也有对源于“乡土”和传统文化的国民劣根性的深刻无情批判、冷静清醒解剖。在小说集《呐喊》《彷徨》中，《阿Q正传》里的“未庄”和《祝福》中的“鲁镇”还有“S城”就是鲁迅以故乡绍兴为原型构筑的一个充满浙东历史文化意味的虚构小说世界。在其中，鲁迅这个“我”以各种面目频频出现，作为旁观见证者，更身为事件亲历者，一边以“哀其不幸，怒其不争”的心情批判阿Q、祥林嫂、闰土们，一边又感慨他们源自越地历史文化的坚忍生命力。

还有这两部小说集里的另一系列人物——“狂人”的形象，源自古越地文人中的异端如“文妖”杨维桢、“狷客”王冕、“疯子”徐渭等人反抗权威、追求思想解放和个性自由的精神传统，也源自“辛亥”革命、“五四”运动中在政治、文化方面大有作为的绍兴人如徐锡麟、秋瑾、陶成章、蔡元培、孙伏园、罗家伦、杜亚泉、经亨颐、夏丏尊、刘大白等人来自越地文化传统的勇悍无畏、坚持理想。这些越地贤哲的身影都投射在鲁迅的小说里，孕育出他笔下的“狂人”（《狂人日记》）、“疯子”（《长明灯》）还有孤独的革命者夏瑜（《药》）、魏连殳（《孤独者》）、吕维甫（《在酒楼上》）等形象。“闰土们”和“狂人们”一起组成越地人进入近现代后的精神面目，他们的前途、命运是鲁迅最关心的。鲁迅边“哀其不幸，怒其不争”地尖锐批评老乡们的不足，边以“无情未必真豪杰，怜子如何不丈夫”（《答客诮》诗）的“同情之理解”来肯定越地豪杰侠客在革命斗争和文化建设中的贡献和进步。

矛盾的鲁迅，他深沉厚重的“乡土”意识，还深深影响了一批“五四”浙地（尤其是浙东）乡土小说作家的作品，如王西彦（义乌人）的《残梦》，“左联五烈士”之一柔石（台州人）的《为奴隶的母亲》。对“乡土”的矛盾态度其实是浙地乃至中国现代文学的最重要主题。

域外小说到故事新编：鲁迅与传统

鲁迅其实还有比《怀旧》更早的小说作品，只不过是译作。他写作出版的第一本书是和弟弟周作人一起开始于 1906 年翻译的《域外小说集》，1909 年出版于东京，共 16 篇（后有增加），鲁迅翻译了其中很重要的 3 篇。当时年轻的鲁迅信奉用文艺影响改造中国社会和国民性，他弃医从文后做的第一件事便是翻译外国优秀文学作品以便学习。《域外小说集》是他最初的尝试，也是他后来写出纯熟白话小说的重要基础。鲁迅在《南腔北调集·我怎么做起小说来》里说自己当时关注被压迫弱小民族的短篇小说，如俄国、东欧小说的苦难意识、深沉痛感、苍凉精神，都深刻影响了他。

鲁迅小说除了对“乡土”的矛盾态度外，还时时体现对传统的微妙看法。以早期的《狂人日记》为代表，受“五四”运动“打倒孔家店（指旧文化、旧礼教）”思想影响，鲁迅曾尖锐批评传统文化的朽坏。但仔细读《呐喊》《彷徨》，可看到在“五四”借破坏旧文化建立新秩序的激进精神背后，鲁迅对传统文化仍保持了合理温和的认识和深切的情感，所以他在“五四”时代虽然也呐喊，却常常旁观沉思。

《域外小说集》书影

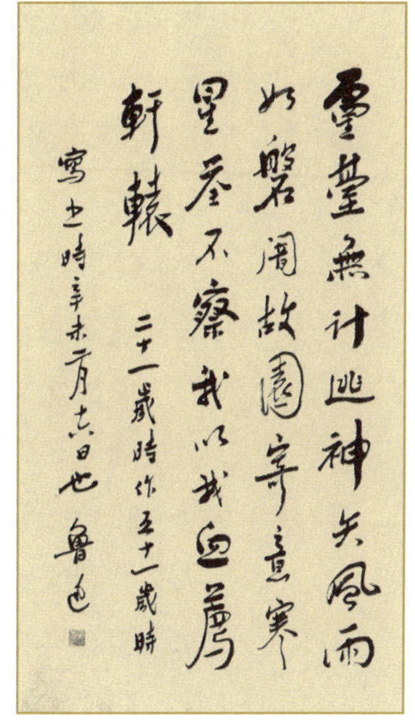

鲁迅“我以我血荐轩辕”的诗句道出了对祖国和传统文化的深爱

在“五四”一片彻底否定传统的声音尚未完全退去之时，鲁迅较早理清思路，从抨击批判传统转向反思传统、回归传统。这绝不是倒退，而是新的文学征程，鲁迅体现了越地人对历史的敏感还有柔韧灵活的文化个性。1923 年 10 月，他开始给北京女子高等师范的学生讲授《中国小说史》，学生中就有许广平。此后，鲁迅在写作杂文外，也以较多精力搜集、整理中国古典文学，尤其注重浙地文学和古代小说，编著了《中国小说史略》，整理了《嵇康集》《沈下贤文集》，辑录校正了《会稽郡故书杂录》《古小说钩沉》《唐宋传奇录》《小说旧闻钞》等。到晚年，鲁迅于 1936 年在上海出版了第三个短篇小说集《故事新编》，这是他创作的一个新历史神话传说小说集，收入 8 篇作品。

有说《故事新编》是文言小说集，不算确切。集中8篇小说是《补天》《奔月》《理水》《采薇》《铸剑》《出关》《非攻》《起死》。《补天》就是较早写的《不周山》。《奔月》《铸剑》(《眉间尺》)写于1926年和1927年。都是白话文；而后5篇《出关》《理水》《非攻》《采薇》《起死》写于1934至1935年，是文言小说。这是鲁迅最后的小说集，也体现了他回归传统的创新。8篇小说虽然是神话、传说和史实的演义，却都是在“博考文献”的基础上“取一点因由，随意点染”，可以认为是原创。

回顾鲁迅的小说创作历程，从《怀旧》到《故事新编》，从文言到文言，却不是简单的重复，而是更高层次的复归。宛如代表越地文化的王羲之《兰亭集序》里的一笔一画，无往不复，尽显风流，寓意深邃。鲁迅作为具有深厚传统文化底蕴的一代，从顺应时代全盘抛开传统学习模仿外国小说，再到回头用新眼光深入审视古代小说，通过对干宝、沈亚之、施耐庵、罗贯中、李渔、陈端生、蔡东藩等身处变革的浙地前辈小说家的学习中，找到了创作小说最适合的话语、最相宜的格调。《故事新编》是一个新小说家对古典小说的致敬，也是对古典小说的总结，希望得到借鉴，来开拓新小说更开朗的新境。这是鲁迅对传统小说、传统文化的思考和态度。

《故事新编》的故事都奇异精彩、富于个性，可谓“现代奇书”。不过，如何认识《故事新编》在现代小说史上的地位，历来的认识并不像对《呐喊》《彷徨》一样统一、肯定。《新编》虽然有时诙谐，却绝非幽默小品文，而是富于深意、具有浓重历史

感的悲愤苍凉文字。如《补天》是借女娲隐喻了一部中华民族的“创世纪”,《奔月》是写古代英雄的悲剧,《铸剑》是侠义复仇的传奇,《理水》《非攻》歌颂了为国为民、身体力行、与百姓同甘共苦的政治家、思想家大禹和墨子。

而且,《新编》的故事如《铸剑》《理水》都有明显的浙地历史文化底色。如《理水》里的大禹与越地有很深渊源，还实证了鲁迅在《且介亭杂文·中国人失掉自信力了吗》里“我们从古以来,就有埋头苦干的人,有拼命硬干的人,有为民请命的人,有舍身求法的人……虽是等于为帝王将相作家谱的所谓‘正史’，也往往掩不住他们的光耀，这就是中国的脊梁”的说法，大禹就是民族也是浙地脊梁，体现了浙地人文精神的坚忍无畏。还有《铸剑》源自干宝《搜神记》里的《三王坟》，写了干将铸剑、其子报仇的故事，也体现了浙人顽强不弃的精神。

乡土和传统，是说不完的鲁迅，也是说不完的现代小说的两个关键词，也是浙地历代小说的源起处，有了对乡土的热爱、对传统的传承才会孕育出真正有力量的新作品。

阅读链接：

鲁迅：《故事新编》，文物出版社，2006年版。

鲁迅、周作人译，止庵主编，《周氏兄弟合译文集：域外小说集》，新星出版社，2006年版。

项义华：《人之子——鲁迅传》，浙江人民出版社，2003年版。

春风沉醉迟桂花：忘却沉沦

每当讨论中国现代最出色的小说家，浙籍作家中，郁达夫（1896—1945）和鲁迅一样，不会被遗忘。郁达夫和鲁迅一样并不专注于小说创作，鲁迅有杂文，他有散文，不过他的小说也多有被誉为现代小说第一的记录。如他早年的小说集《沉沦》是现代文学史上的第一个白话小说集，1921年在上海出版，比《呐喊》更早。集中收入他的成名作、中篇小说《沉沦》。

郁达夫是典型的传统才子气质，擅长古典诗词，可归入浙地前辈袁枚传人之列。他情感专注但个性冲动放任，思想深刻睿智却又未脱孩子般的率性、以自我为中心，他的小说多是自传体性质的文字并非偶然。他的传奇身世尤其独特的个人情感经历和他的作品一起留在现代文学史上，深入细致地体现了他从“五四”人到革命文学家、抗日义士的心路轨迹，值得关注。

虽然郁达夫的一些情感纠葛和大胆言行曾是当时媒体的炒作热点，他的爱情小说更曾是书商的追逐对象，他的人和小说却始终给人真诚美好之感，和那些放浪追逐感官刺激的人和文字有云泥之别。郁达夫从出走异乡到回归故土，从沉湎个人情感到以关注现实、投身革命救赎身心、蜕变灵魂，

可通过他先后创作的三部重要小说 :《沉沦》《春风沉醉的晚上》和《迟桂花》较明晰地显示。

《沉沦》是郁达夫早期的小说，虽不是他最好的小说，却是他最有名的作品。这与《沉沦》和“五四”时代情境太过契合有关，也与小说和郁的身世太过契合有关。郁达夫对历史很熟悉，善于把握时代脉搏，《沉沦》虽是他内心积聚已久情感的宣泄，却也不全是喃喃自语的倾诉，文中多有隐喻，而且和当时家国大事丝丝入扣。所以小说一出版就轰动一时，不但瞬间感动了无数渴望情感的青年读者，更深深打动了很多热爱祖国、担忧时局的读者。小说中郁达夫描述了一位在日本留学的青年学生（带有郁以及很多留日青年学子的影子）在受日本军国主义者轻侮和追求爱情不得的双重苦闷孤愤中，倾吐了对国力懦弱的愤慨悲哀、对祖国强大的渴望。小说最后，青年蹈海而死并呐喊出“祖国呀祖国！我的死是你害我的！你快富起来，强起来吧！你还有许多儿女在那里受苦呢！”的心声。

《沉沦》被认为有日本“私小说”即“个人小说”的风格，其实郁的文学创作、人生遭际，一直都与中日关系息息相关。浙江近现代学子到日本留学的人数大大多于留学欧美的。浙地留日知识分子对日

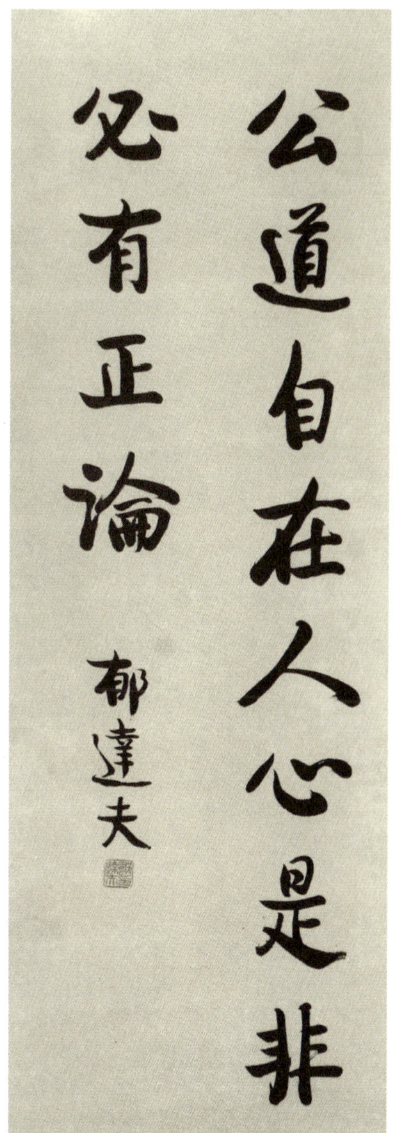

郁达夫书法。如以“是非必有正论”来概括郁的一生，可谓得当

本这个因较早维新改革而领先发展、小而霸悍的邻邦的态度很矛盾，从秋瑾到鲁迅，诗文里都有表现。郁达夫也一样，他的文学很多得益于日本，日后他又积极参与抗日活动并死于日本侵略者之手。

郁达夫是“五四”初期成立的现代文学重要团体“创造社”的主将。1921年6月，郁达夫和郭沫若、成仿吾、田汉等留日学子，在东京郁的寓所成立了创造社。7月，《沉沦》出版，和郭沫若诗集《女神》是创造社最有代表性的作品，鲜明彰显了反封建、追求个性解放的新文学主旨，也是“五四”精神最贴切的旁注。

以另一位浙江人茅盾等为首的“文学研究会”和创造社是“五四”时最有影响的两大文学社团。到“五四”后期及大革命时期，两者都转向无产阶级文学的创作。此时郁达夫的小说创作也有重大变化，没变的只有他“文学作品都是作家的自叙传”的主张，仍坚持第一人称创作。小说《春风沉醉的晚上》写于1923年，郁的眼光从关注个人及知识分子命运转向关注更广大劳苦大众的人生。

“五四”早期小说包括浙地作家小说多“乡土”题材，到此时随着城市如邻近浙地的上海等地的发展，浙地作家多定居上海、杭州等地，笔下也多了城市的内容。《春风沉醉的晚上》写“我”——一位潦倒失业、愤世嫉俗的知识分子，住在黑暗污浊的城市贫民窟里，在此遇到一位也承受生活重压却保持了善良真诚、乐于助人的“乡土”品格的年轻女工陈二妹。他们

从误会到相识相知，结下了深厚友情。小说延续了《沉沦》将时代背景与个人命运紧密结合的主题，还有浪漫多情的诗意笔法，不过格调更积极明朗，情感更温馨美好，内容更现实饱满，真切反映了城市下层劳动者生活的艰辛，还揭示了他们的苦难根源是阶级矛盾和压迫，并实在细致地体现了他们朴素的革命觉悟和自发的抗争不屈精神，没有被沉重生活抹杀的正直个性和纯美心灵。最可贵的是，郁达夫在这一小说里还写了超越男女之情的友情，知识分子与工人间真挚平等的同情、理解。

郁达夫早期小说有太过散文化的不足，此时优美如诗的散文笔法不改，但思路主题明晰、结构完美，以两人的相知推动故事走向高潮，散文化反而成为郁小说最鲜明和富于个性的优点与特色。郁小说善写人物心路历程的长处更是发挥到极致，细腻展现了“我”在陈二妹纯净情感和美好心灵感动下，灰败冷酷的灵魂得到净化、救赎的过程。《春风》是现代文学中最早表现工人生活的作品之一，文笔优美、情感自然，得到很高评价。

到 1932 年，郁达夫又有短篇小说《迟桂花》，故事背景是杭州西湖边满觉陇的翁家山。这是郁达夫移家杭州“风雨茅庐”的前夕。书中写了翁则生多经挫折，回杭州老家静养，后重振人生，娶亲时请了十年未见的老友老郁即“我”来观礼。“我”来杭后，被翁家山山水和翁纯朴可爱的妹妹翁莲吸引。小说延续《沉沦》《春风》“同是天涯沦落人”的主题，写新寡被迫回到娘家的不幸年轻女子翁莲，因兄长成婚而触景生情，后得到“我”的陪伴同游山水。翁莲受生活磨难，却能保有天真乐观，她的善良淳朴如山中秋日迟开的桂花，沉静澄清，使“我”的沧桑灵魂、浮躁心灵得到净化。小说中，借迟桂花“因为开得迟，所以日子也经得久”道出了人生哲理，“我”也发自肺腑地说出了“但愿我们都是迟桂花”的祝福。

从《沉沦》到《春风》《迟桂花》，郁的小说和他的个性、人生一样步向成熟。《迟桂花》有很深的隐喻意义，象征了这位浙地游子从冷漠异乡回归温暖故土、从青春

的激愤感伤到成熟之年的豁达乐观心路。同时郁小说的散文化叙事也更趋构思精巧，强烈甚至泛滥的浪漫感情也更为内敛节制，难怪如桂香般优美清雅的《迟桂花》被誉为郁艺术上最精致成熟的小说，还被认为是现代文学史上难得的诗意抒情小说。

郁达夫其人其小说，年轻时曾于异乡恣肆怒放，到了中年，他曾回到家乡，想做一棵得到故乡水土滋润而重放清香的迟桂花。可惜由于种种原因，他没能长久定居浙地，而是选择远走天涯，并从此渐行渐远。1945 年 8 月，从事抗日活动的他于抗战胜利前夕在隐居多年的印尼苏门答腊失踪，后证实被害，终年 49 岁。1952 年他被追认为革命烈士。如果郁的传奇人生还可以延续，他的人生和文学生命大约会像他笔下浙地常见的迟桂花，从沉沦苦闷里孕出更繁茂新枝，蜕变超逸，彻底完成自我涅槃，这会是怎样的绮丽璀璨！

阅读链接：

郁达夫：《春风沉醉的晚上》（小说集），江苏文艺出版社，2006 年版。

郁达夫：《郁达夫散文全编》，浙江文艺出版社，1990 年版。

罗以民：《天涯孤舟——郁达夫传》，浙江人民出版社，2003 年版。

茅盾："为人生"的社会剖析者

说起小说家、文学评论家茅盾和现代文学的关系，也许可以让人想起另一位浙地贤者蔡元培和"五四"运动的关系。茅盾在文学史中，不像同是浙人的鲁迅、郁达夫那么耀目，却如春风化雨，无处不在。曾有近代学者汪辟疆著《光宣诗坛点将录》以水浒人物比拟近代诗人，如果有《浙江现代文坛点将录》，茅盾应该是那个安详冷静、各处一时不可少的组织协调者，隐形领袖"智多星"吴用。

茅盾（1896—1981），原名沈德鸿，字雁冰，嘉兴桐乡乌镇人。乌镇是太湖边的富饶鱼米之乡，也位于近代江南手工业、商品经济最发达的区域之中，还和现代化城市上海是近邻，又是吴越文化区中一个历代文采氤氲、名人荟萃的所在。这都对茅盾既文华内敛、精思谨微，又勇于决断、敢于进取的个性产生深刻影响。后来，茅盾在小说中对中国城乡，以故乡乌镇为例的浙江农村、小城镇和大都市上海对峙又互生关系的思考也源起于此。

茅盾出身书香门第，有维新思想的父亲虽早逝，幸而还有母亲做他的启蒙老师，教授新学，使儿时的他涵养了关切国事、勤思敏行的早熟性情。他后来在湖州、嘉兴、杭州求学，16 岁时中秀才，也通新学。1914 年，他考入北京大学预科第一类（文科），在此接受了"五四"精神的洗礼。

1916 年茅盾预科毕业后，因家境不好没能继续升学，进入上海商务印书馆编译所工作。这是一个龙虎汇聚、能接触到各色才人能者和各种新思想的所在。在此他

多得锻炼，也获得人生各方面的蜕变。如他的学识才能被发现赏识，走上文学道路，1917 年出版了中国最早的寓言选《中国寓言初编》，1919 年用白话翻译了俄国契科夫短篇小说《在家里》。他还接受了革命思想，1921 年成为中国共产党最早的党员之一。

也在 1921 年，茅盾与郑振铎、叶圣陶等 12 人在北京成立了文学研究会，这是中国历史上第一个现代文学团体，也是新文学运动中影响和贡献最大的文学社团之一。12 个发起人中茅盾、郑振铎、周作人、孙伏园、朱希祖、蒋百里 6 人都是浙人。文学研究会的宗旨是“研究介绍世界文学，整理中国旧文学，创造新文学”，对现代文学的发展有重要指导作用。后还有冰心、朱自清、老舍等入会，一度有会员 170 多人，其中浙人很多，如王鲁彦、夏丏尊、胡愈之、刘大白、徐志摩、赵景深等。文学研究会总部后迁至上海，并在北京、广州、宁波等地设立分会，可见浙人浙地在新文化运动中的重要影响力。

文学研究会的小说创作占重要比例。此时茅盾改革并主编商务印书馆的杂志《小说月报》作为研究会会刊，发表小说。他也成为了《小说月刊》的首席评论家，还明确提出了“文学为人生”的创作主张。研究会成员的创作大都以现实人生问题为主题，他们的创作被称为“人生派”或“为人生”的文学。茅盾是文学研究会的灵魂人物。

文学研究会在“五卅”运动后活动减少。1932 年“一·二八”事件发生，《小说月报》停刊，文学研究会解散。不过，此时《小说月报》主编早已不是茅盾。茅盾在 1927 年国共合作破裂、大革命失败后，从武汉流亡上海，在苦闷孤寂里，到 1928 年间创作了小说处女作《蚀》三部曲（即中短篇小说《幻灭》《动摇》《追求》），还有长篇小说《虹》，反映了大时代中知识分子的心灵蜕变，延续“为人生”的创作主题，并开始以“茅盾”为笔名。

此时茅盾在上海和鲁迅、叶圣陶等为邻居，避居不出，生活窘迫，致力写小说。为避免被认出惹麻烦，加之此时他内心正经历种种矛盾，就署名“矛盾”。叶圣陶看过《蚀》的手稿很赞赏，在《小说月报》上发表时还把“矛盾”改成“茅盾”，后这个笔名一直被沿用。

到 1928 年，茅盾避居日本。1931 年回国，参加了左翼作家联盟。

1934 年至 1937 年，茅盾几次回乌镇，看着日渐衰败的家园，情绪复杂，创作了中短篇乡土小说“农村三部曲”（《春蚕》《秋收》《残冬》）和写小村镇的中篇小说《林家铺子》，前者写凋敝无望的农村，后者写小市镇手工业的衰落，都以乌镇为背景。同时，茅盾还创作了长篇都市小说《子夜》，写民族工业的困局绝境。这几部小说形成一个系列，也延续、扩展了鲁迅对乡村和城市的思考。比起许多乡土作家作品中与乡土的纠结感情，甚至相比鲁迅对乡土的情感，茅盾都更显冷静客观，他以评论家的理性克制中和了深切热烈的怜悯和同情。就如茅盾的小说名，和鲁迅、郁达夫的小说名都有不同，不像郁达夫的那么诗意盎然、感情充沛，甚至比起鲁迅的朴素厚重也更凝练概括，除了现实主义、为人生的内涵特点，也鲜明体现他的剖析评判风格。

到了抗战期间，1941 年到 1945 年，茅盾还发表了长篇小说《腐蚀》《霜叶红似二月花》《锻炼》等，关注现实社会和“为人生”的宗旨仍未改变过。

当代小说评论家严家炎在《中国现代小说流派史》中认为，茅盾所开创的社会剖析小说流派，擅长通过生活横断面再现社会，属于现实主义流派。而现代文

学评论家夏志清则说《子夜》一直被评论者称为茅盾最伟大的杰作，却比不上茅盾早期的《蚀》《虹》和后期的《霜叶红于二月花》；他也肯定茅盾是新文学巨匠，和同时期的谁比都不落伍、不逊色。

在现代文学史上，茅盾的面目不单薄，他是文学研究会的灵魂人物，是《小说月报》的主编，是"为人生派"和现实主义文学的大师，是"社会剖析派"的领袖，还是革命文化的奠基人……各种角色，他担当应对无不从容自如，不愧是现代文坛领袖。

更难得的是，茅盾是一个将创作和评论结合得很完美的作家。他不但擅长在小说中评判剖析社会、人生，也善于评价分析小说等文学作品，当年任《小说月报》主编时如此、后来为文坛领袖时更能如此。他的身后，还留下了他生前捐出巨资、以他的笔名为名的"茅盾文学奖"，专门为鼓励现代文学中较薄弱的中长篇小说创作而设，意在为后起之秀开辟文学坦途，良苦用心一如当年。现如今，"茅盾奖"已成为评判当代文学创作的最高奖，正象征了茅盾的文学地位和襟怀眼界。

阅读链接：

茅盾：《茅盾全集》，人民文学出版社，1984 年版。

茅盾著、崔钟雷编：《茅盾小说集》，时代文艺出版社，2009 年版。

余连祥：《逃墨馆主——茅盾传》，浙江人民出版社，2006 年版。

新感觉派小说：施蛰存的“东窗”

“雨巷”诗人戴望舒生前身后都曾得到一生挚友施蛰存对他的无私鼎力相助：出版诗集，写诗评宣扬赞誉。日后，施蛰存（1905—2003）自己却成为超越时代的孤独传奇，他坚韧地渡过十年浩劫，更从容地活到近百岁，进入21世纪。

而此时施蛰存的同时代人，以浙地文学家为例，不要说英年早逝的戴望舒，如“新月诗人”陈梦家也已陨落在20世纪60年代，而和施一样拥有坚忍勇敢之心的诗人穆旦则遗憾地逝世于20世纪70年代。所以，当20世纪80年代人们重新发掘那些被文学史有意无意遗忘了的现代作家时，宛如活化石般的施蛰存让他们惊喜不已。而到了21世纪初，施更是成了当年现代文学风云岁月里几个硕果仅存的亲身经历见证者了。

更难得的是，施蛰存并不是一个只能给来“朝圣”的年轻人提供文学界古董轶事的“遗老”。他一直笔耕不辍，不迂腐落伍，也不偏激自大，能与时俱进，却也不随波逐流，更绝不媚俗，一如既往地坚守自己的原则和节奏，安详自如地以自己的历练积累、文化修为顺应新时代的文化变迁，在很多文化领域做出新的成绩，也融会贯通、完善升华了自己的学问。施蛰存当年的文学成就很高，他更没有停滞在那个历史时空，文学生命没有死去，一直在延续。在逆境和顺境中皆荣辱不惊、舒展自如，这是浙地人文精神彰显的至高境界，施蛰存对此作出了自己的精辟注解。

施蛰存晚年曾对来访者说过一个非常形象的比喻，说自己一生在文化上开了

“四窗”。身为作家、学者、翻译家、出版家、收藏家的施蛰存，他的“东窗”是文学创作，“南窗”是古典文学研究，“西窗”是外国文学翻译研究，“北窗”是文物收集和碑版整理。静观“四窗”，可知在施蛰存眼中心底，本土和域外、故乡和都市（异乡）、古典和现代都尽括其中，自成一派天地却不画地为牢，也包括他继承鲁迅和茅盾等前辈对浙地文学的全局认知把握、对浙地作家作品的整理。

这里只提施的“东窗”——现代主义小说流派“新感觉派小说”的创作。时间是 20 世纪 20 至 30 年代，背景在上海。和鲁迅《故事新编》、茅盾《子夜》、郁达夫《春天沉醉的晚上》等小说的时空背景重合，共同汇成一向以乡土文化为主流的中国文学的第一次真正意义上的都市文学潮。浙地作家在其中的重要地位值得注意。

20 世纪 20 年代后期，现代文学中的小说主要流派如乡土派小说、为人生派小说都已成熟，但都有不足，如乡土小说多感伤愤慨，重复无新意，少数乡土小说还体现了狭隘的对城市的敌意。为有所突破，施蛰存在翻译介绍西方现代派文学的过程中选择了心理分析小说，和好友戴望舒的现代派诗歌共同形成现代文学史上现代主义文学的第一次登场亮相，背景也是都市上海。

施蛰存原籍杭州，8 岁时随家迁居松江（今上海）。1922 年考进杭州之江大学，和还是中学生、后来都成为文学大家的戴望舒、张天翼等人结识，组建文学社“兰社”。此时施自费

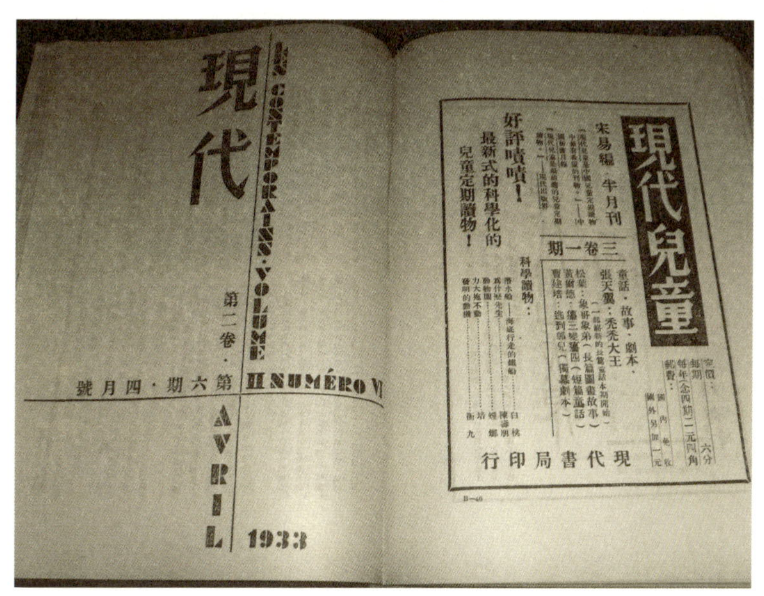

见证新感觉派小说繁盛的《现代》杂志

刊印了他的第一部短篇小说集《江干集》，这个名字和他的号“北山”都可见故乡杭州对他走上文学道路的影响。后他和戴望舒一起转入上海的大学，加入共青团，参加五卅运动。还与原籍台湾的刘呐鸥等人创办文学刊物《璎珞》，他们还有慈溪人穆时英都是后来“新感觉派”小说的主将。1927 年四·一二事变后，施、戴都被列为反动派的抓捕对象，施回松江避难，此时翻译外国文学较多。

1926 年施蛰存创作短篇小说时就尝试注重心理分析、着重描写人物主观意识流动和心理感情变化的写作倾向，并以都市生活的喧闹浮华作为小说背景。后来施创作了著名的心理小说《鸠摩罗什》《将军的头》，虽是古典题材，却使用西方的心理分析法，极力表现主角微妙的内心世界和复杂的人性，这是中国小说家首次写这样的小说。“新感觉派”小说因而确立，施蛰存也成为中国现代主义小说的奠基人之一。施蛰存后来的短篇小说集《上元灯》《梅雨之夕》等也都属于心理分析小说。

提及施蛰存，绝不能忽视他在1932年开始主编的大型文学月刊《现代》杂志。《现代》不但是20世纪30年代最重要的文学刊物之一，更是施蛰存有意打造的中国现代派文学的大本营，体现了他兼容并包、不拘一格的文化理念，使得当时文坛终于形成现实主义、浪漫主义、现代主义三强鼎立的局面，也使施成为现代派文学的灵魂人物。很多现代派文学的佳作如戴望舒的诗都因出现在《现代》杂志中而蜚声远近、风靡一时，因此施蛰存也是现代文坛著名的伯乐。施蛰存在现代文坛的地位和对现代文学的贡献以往被低估淡忘了。

提及施蛰存，不能回避他和现代文坛的另一位重要伯乐、他的浙地同乡鲁迅的论争。原本只是无伤大雅的关于读《庄子》《文选》的论辩，而且他们关系原本不错，施蛰存小说创作上兼学西方和古典、着意整理浙地文学、推举浙地作家的思路，和鲁迅是何等志同道合！可惜造化弄人，鲁迅嬉笑怒骂间说出的“洋场恶少”称呼后来使施蛰存很长一段时间里沉寂于文坛。不过，施蛰存却也因此得之和沈从文、陈梦家一样转向古典文学和文物的研究，恰恰继续了鲁迅钩沉梳理古典文学和传统文化的未竟心愿。历史有时就是那么峰回路转，令人在阅尽沧桑、苦涩后不由会心一笑。

施蛰存的小说融通中西、学问精深博大，也得益于他和茅盾等人一样，是久居上海的浙江人的缘故，才会既有身处大都市的远大眼光，又有源自古老浙地乡土文化的坚韧性情。所以他既认真，勤勉耐心，又肯身体力行，还有超逸开阔、包容融

和的胸襟。他当编辑，能无私地为人做嫁衣，策划尽心尽力；当作家，又能摆脱一般海派作家的趋俗和粗率，写作精细认真。

施蛰存和穆时英等人的“新感觉派”，也是以在沪上的浙地作家为主体，作品融通综合了海派小说、现代派小说描写剖析都市和都市人的各自长短，在乡土和城市之间，柳暗花明、豁然开朗，又开浙地小说新境。

阅读链接：

施蛰存：《施蛰存全集·十年创作集》，华东师大出版社，2011 年版。

沈建中：《施蛰存老人的“四窗”》，《中华读书报》，2003 年 9 月 3 日刊。

张晓春：《施蛰存：海派文化的“标志性建筑”》，《诗歌月刊》，2009 年第 8 期。

张天翼："兰社"之子

与施蛰存同时，在作品里深刻反映城市生活的著名小说家还有张天翼，且两人颇有渊源。

张天翼（1906—1985），祖籍湖南，生于南京，长在杭州，在杭州读完小学和中学才离开。他当年读的小学是杭县县立高等小学（现杭州胜利小学），中学是杭州宗文中学（现杭十中，地处今杭州市中心的皮市巷）。

宛如童话般美好的张天翼一家

1922年，宗文中学17岁的四年级学生张天翼和同学戴望舒（生于1905年）、杜衡（生于1907年）还有之江大学学生施蛰存（生于1905年）一起结文学社"兰社"，多有文学创作。其中施、戴是杭州人。无独有偶，也就在这一年春天，离宗文中学不远处的杭州另一所著名中学浙江省立第一师范学校（简称"浙一师"，旧址在今杭州高级中学内），也有3位浙地青年学子汪静之、冯雪峰、潘漠华，和一位来自上海的浙地青年应修人，因着共同的爱好，在西湖上结"湖畔诗社"。两社同时同地，相互呼应。"湖畔"人写诗，"兰

社”人写小说和诗。“湖畔诗社”出了《湖畔》诗集,“兰社”则创办了《兰友》杂志，戴望舒是主编。而两社中的8个人，日后都成为了现代文学史上的重要人物，委实难得,可称文学佳话。浙地历来多文杰,由此又可见一斑。此外也可见追求自由个性、崇尚青春与美的“五四”新文学风气对一代学子的感召濡染，唤醒了无数青年的文学梦。

此时，“兰社”诸人中，施蛰存和张天翼这两位后来的小说大家都已开始小说创作，可以说张天翼的文学道路始于浙地。和施蛰存一样，此时的张天翼也写过一些模仿鸳鸯蝴蝶派的小说，文笔已较娴熟，还体现了对摹写城市生活、人性复杂性的浓厚兴趣。他和施蛰存对都市小说的关注还有成熟文笔就是此时共同奠定的。关于鸳鸯蝴蝶派小说，向来名声不佳，特别是曾被为人生派贬低，认为其风花雪月、不关注现实，其实它没有那么不堪，以往的评价过于偏颇。鸳鸯蝴蝶派小说和清代的才子佳人小说、世情小说都有传承关系，属于近现代海派文学一分子，在反映都市生活方面有特长。施蛰存小时就模仿过鸳鸯蝴蝶派小说，后来他还和杭州籍的鸳鸯蝴蝶派小说家陈蝶仙及其女陈小翠有交往，而他的新感觉派小说和鸳鸯蝴蝶派小说也有渊源。张天翼小说日后对都市生活的持续兴趣就源自此时的“兰社”记忆。“兰社”孕育涵养了两位后来现代文化史上的都市小说大家，值得大书一笔。

1927年张天翼加入了中国共产党。受革命思想影响的他为了真正体验劳动者的生活，和他们同甘同苦，毅然退学，在上海、南京等城市里体验了一段时间社会中下层的生活。其间他做过小公务员、家庭教师、会计、记者、文书等工作，常常尝到辞退、失业之苦，饱受歧视，也见识了形形色色的奇人异事，得到一手的人性范本。这段生活为他后来的小说创作准备了大量素材，他后来写社会、都市、人生圆熟犀利、丝丝入扣，都是此时练就的功力。到1929年，张天翼与鲁迅通信，还有短篇小说发表在鲁迅和郁达夫主编的进步文学刊物《奔流》月刊上。1931年，张天翼参加了

阅读链接：

张天翼：《张天翼文集》，上海文艺出版社，1985 年版。

张天翼：《华威先生》，华夏出版社，2008 年版。

张天翼：《大林和小林》（张天翼童话全集），福建少儿出版社，2006 年版。

左联，成为 20 世纪 30 年代最多产，成就最高的左联作家之一。

张天翼此时写的也是都市小说，但风格和昔日“兰社”友人施蛰存的都市小说还是有所区别，少了书斋味、洋味、知识分子味，社会味、土味、平民味比较浓。一般以为他的小说比较像老舍，是犀利的寓言、温情的讽刺、深刻的童话。张天翼的寓言小说如《鬼土日记》，是真实的全民“变形记”；讽刺小说如著名的《华威先生》,鲜明勾勒刻画了一个国民党“党老爷”的生动形象，讽刺看似含蓄而不动声色，实则辛辣浓烈无比、充满力度，是每个新文学选本的必选篇目，也是张天翼的代表作；童话小说是张天翼最有名的，如《大林与小林》《宝葫芦的秘密》《秃秃大王》等都脍炙人口。

同是写现代都市生活和都市人的小说，张天翼的小说风格比较近似传统的世情小说，有《世说新语》的味道，多白描式的城市和人物描画，体现了作者的冷眼旁观视角和客观冷静态度。张天翼写奇人异事的小说风格，则有点像《搜神记》。施蛰存笔下的文学世界更多融汇西方现代派风格，宛如现代派绘画，看似光怪陆离、绚丽迷离，却也自有意象、意境、意趣、意旨，而作者视角态度貌似迷惘疏离而实则无时不身在其中，则有点像《续齐谐记》。两人的小说创作都源起浙地“兰社”，都源起少时的模仿鸳鸯蝴蝶派，还都和浙地古典小说传统有关，可谓同源异流，又殊途同归，耐人寻味。

台州式的硬气：柔石的浙东乡土魂

上海多伦路上"左联五烈士"像中的柔石铜像

柔石（1902—1931），原名赵平复（福），宁海人，明初著名儒生方孝孺的老乡。柔石毕业的正学高等小学的“正学”两字就是指方孝孺读书处。方孝孺甘愿被灭“十族”也拒绝为篡位的明成祖朱棣写登基诏书的耿介品格，和浙东地域文化的硬朗不屈都给少年柔石很大影响，这大概就是后来鲁迅说他有“台州式的硬气与迂（《为了忘却的纪念》）”的主要原因吧。

柔石自幼家贫，曾打零工多年。1918 年考取官费的“浙一师”，1921 年参加了“一师”教师、新文学大家叶圣陶和朱自清任顾问、同学潘漠华和冯雪峰（“湖畔诗派”成员）负责的“晨光文学社”，投身于新文化运动和新文学创作之中。

柔石从“浙一师”毕业后带着“教育救国”的理想，担任过家庭教师和小学老师，后来这些经历都写入了他的小说《二月》等之中。他教学之余坚持文学创作，1925 年自费出版了第一部短篇小说集《疯人》，深受鲁迅浙东乡土小说创作的影响。他 1925 年春到北京大学旁听，还旁听鲁迅讲授中国小说史课，很受启发。“五卅”惨案发生后，柔石大受震动，更多关注国家命运。1926 年春他因生活困难离京南归。1927 年回乡在宁海中学任教。1928 年初在中共地下党组织和进步力量支持下，任

阅读链接：

柔石：《二月》，浙江文艺出版社，2005 年版。

柔石：《为奴隶的母亲》，百花文艺出版社，1986 年版。

鲁迅：《为了忘却的纪念》，选自《南腔北调集》（《鲁迅全集》第 4 卷）人民文学出版社，1981 年版。

宁海县教育局局长，进行教育改革。此时宁海中学成为中共地下党的据点。1928 年 5 月，中共宁海县委组织了“亭旁暴动”，后被重兵镇压，宁海中学也被勒令解散。柔石辗转到了上海，在此完成了长篇小说《旧时代之死》。

1928 年 9 月，柔石经友人介绍，拜会了恰巧成为他邻居的文学偶像鲁迅，两位浙东老乡一见如故。柔石视鲁迅如严师慈父。鲁迅则欣赏柔石的耿直、认真、不自私、有理想。在鲁迅帮助下，柔石等人组织了介绍被压迫民族东欧和北欧文学、提倡刚健质朴文风的“朝花社”。此后一年是柔石文学创作的鼎盛期,他出版了代表作之一、中篇小说《二月》等成熟作品。《二月》并不是一个简单的爱情悲剧，而是深刻表现了大革命失败后回归乡土的知识分子们的彷徨，对乡土的复杂情感，和鲁迅、茅盾等人的小说意旨多相通。无怪鲁迅赞赏《二月》是“优秀之作”。

1930 年春，柔石积极参与左联的筹备，并担任常务委员，还加入了中国共产党，并成为党组织与鲁迅间的联络人。此间，勤勉的柔石创作了他最出名的作品、短篇小说《为奴隶的母亲》。写了一位被旧社会和旧礼教侮辱和损害了的劳动妇女春宝娘，和中国现代文学、浙地现代文学里的乡土母亲形象典范“祥林嫂”（鲁迅小说《祝福》）、“大堰河”（艾青诗《大堰河》）等前后呼应。小说还批判了浙东旧时民间的“典妻”陋习，曾被译成多国文字，影响很大。

在柔石的革命事业、文学理想渐入佳境，他和进步女作家

冯铿的爱情也渐成熟之际，猝不及防地，1931 年 1 月，他和殷夫、冯铿等 30 多位共产党员被捕。在狱中，柔石仍每天向殷夫学习德文，希望对以后的翻译创作有帮助。在狱外，鲁迅等人的营救也在进行中。不料 2 月 7 日晚，军警将 24 位革命者仓促行刑。柔石以生命殉了理想，年仅 30 岁。

噩耗传来，鲁迅深感震惊悲痛，为这些熟悉的年轻生命的消逝，他写了《柔石小传》《中国无产阶级革命文学和前驱的血》。两年后，他又写了《为了忘却的纪念》，深情回忆了他和柔石等人交往的种种，说："我沉重的感到我失掉了很好的朋友，中国失掉了很好的青年。"鲁迅还说自己从柔石作品里学到了青春的活力。他的著名诗句"忍看朋辈成新鬼,怒向刀丛觅小诗"也是写柔石等"左联五烈士"之死的。直至去世之前，鲁迅还在《写于黑夜里》里缅怀了柔石等年轻亡友们。

鲁迅写于 1932 年的《无题》"惯于长夜过春时"诗，当时还是"怒向刀边觅小诗"，后改为"刀丛"

柔石短暂而勤奋的一生共留下 55 万字的创作作品和 63 万字的译作。如果假以时日，柔石也许会成为鲁迅的接班人，成为浙东乡土小说的主力。

其实早在浙一师读书期间，17 岁的柔石就和他的导师鲁迅以及当时很多知识分子一样，应父母之命与一位乡村女子结了婚。两人没有感情，使诗人气质的柔石非常痛苦。后来他遇到了才华横溢、个性鲜明的冯铿，两人志同道合，都写乡土小说、深切关注妇女命运，产生了感情。他们最后一起献身革命理想，虽没有刑场上的婚姻，但"红色伴侣"生死携手，让人在痛惜中生出一丝欣慰。

亦雅亦俗：厚积薄发的浙地戏剧

浙地诗歌发轫于春秋战国之前，浙地小说发端于东汉，而浙地戏剧虽然也源起于较早的原始歌舞，但较明确雏形诞生萌发于北宋末南宋初；走向成熟的时间则更晚，在元代至元末明初；到达巅峰的时间在明末清初。不过，浙地戏剧也拜这漫长而深沉的沉潜酝酿之赐，得以厚积薄发，就像一柄锻造千年的宝剑，出炉后便一鸣惊人，也像一坛陈年的黄酒，开封后就芳香四溢。

北宋末，最早的浙地本土戏剧（也是古代文学史上最早的完备成熟的戏剧形式）——南戏在偏于东南一隅的浙东瓯越江城温州诞生，此后在浙地民间发展，南宋时一度流传到浙地包括当时的皇城杭州等地。南戏的出现对古代戏剧发展意义重大。

南宋初，温州出现了《王魁》《赵贞女》等剧本，可惜到今天只存故事梗概，被认为是最早的南戏剧目。现存最早的保存完整的南戏剧本是南宋中叶温州九山书会才人（书会才人：宋元时民间专业的戏剧小说创作者）们创作的《张协状元》，这也是中国现存最早的戏剧剧本，所以在今天被称为“中国第一戏”和“戏曲活化石”。

但此时的南戏还不足以和渐渐壮大繁盛的北方杂剧分庭抗礼，因为格局不算很大，地域性较强，作者也非精英主流文人，作品的思想意境及风格较世俗、文字较俚俗。

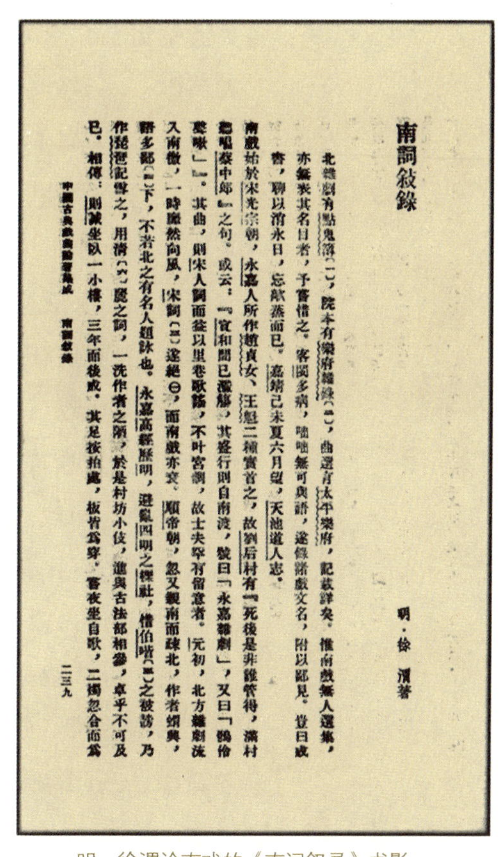

南詞敘錄

明·徐　渭著

北雜劇有點鬼簿（一），院本有樂府雜錄（二），曲選有太平樂府，記載詳矣。惟南戲無人選集，亦無表其名目者，予嘗惜之。客閩多病，咄咄無可與語，遂錄諸戲文名，附以鄙見。豈曰成書，聊以消永日，忘歊蒸而已。嘉靖己未夏六月望，天池道人志。

南戲始於宋光宗朝，永嘉人所作趙貞女、王魁二種實首之，故劉后村有『死後是非誰管得，滿村聽唱蔡中郎』之句。或云：『宣和間已濫觴，其盛行則自南渡，號曰「永嘉雜劇」，又曰「鶻伶聲嗽」』。其曲，則宋人詞而益以里巷歌謠，不叶宮調，故士夫罕有留意者。元初，北方雜劇流入南徼，一時靡然向風，宋詞（三）遂絕（四），而南戲亦衰。順帝朝，忽又親南而疏北，作者蝟興，語多鄙（五）下，不若北之有名人題詠也。永嘉高經歷明，避亂四明之櫟社，惜伯喈（六）之被謗，乃作琵琶記雪之，用清（七）麗之詞，一洗作者之陋，於是村坊小伎，進與古法部相參，卓乎不可及已。相傳：則誠坐臥一小樓，三年而後成。其足按拍處，板皆為穿。嘗夜坐自歌，二燭忽合而為

中國古典戲曲論著集成　南詞敘錄　二三九

明　徐渭论南戏的《南词叙录》书影

到了元代，随着中国疆域南北合一、杂剧作者纷纷南下杭州，这一意大利旅行家马可·波罗笔下的“世界上最美丽华贵的天城”，促进了浙地杂剧的繁荣。南戏的俗世“南音”更不敌此时代表中原“正声”、雅俗共赏程度较高、作者文学修养较高的杂剧“北曲”，一度黯然失色。不过，很快峰回路转、柳暗花明。元代疆域统一、“四海同音”使得杂剧学习吸收了南戏的不少特点，如著名的杂剧作家马致远等都曾尝试过南戏剧本的写作。当然南戏受到杂剧的影响更多。元代浙地的戏剧包括杂剧、南戏都通过交流融合得到很大发展，南戏更是乘蛰伏之机开始暗自蜕变，并孕育了“四大南戏”，即《荆钗记》《白兔记》《拜月亭记》《杀狗记》等名作，剧本作者中多有浙地本土者，如永嘉书会才人即温州戏剧作者群、杭州人施惠（一说就是施耐庵，不确）等，而且剧本的思想内涵、语言文采都有较大提升进化。

到了元末明初，还出现了温州瑞安著名文人高明（高则诚）创作的“南戏（曲）之祖”《琵琶记》剧本。此剧无论内容、形式都是比较典型的文人创作，典雅而不

失近情近俗，艺术上精致优美，可以和同时浙地其他文学类型如诗歌、小说的佳作相通对等、平起平坐了。此时的南戏已脱胎换骨、后来居上，取代了杂剧在浙地的优势地位。都说元“曲”为盛，这个“曲”除了散曲，也该算上戏剧里的好曲子，包括杂剧和南戏剧本里俯拾皆是宛如珠玉的名篇名句。

南戏后来更在明末清初华丽转身，融合了杂剧的特点好处，变身为明清时在江南乃至天下盛极一时的“传奇”。不但独领“吴越管弦”风流，还成为中国戏剧的真正主流，四海流传的不二传奇，而南戏内在的雅俗共赏的特质却未变。

此外，南戏的研究者历来也多浙地文人学者。最早从明代绍兴徐渭的《南词叙录》较明晰地提到南戏，到近代嘉兴海宁王国维写于1912年的《宋元戏曲考》开始关于南戏近代意义的研究，还有嘉兴平湖钱南扬1930年的《宋元南戏考》，南戏研究渐成规模。此后还有温州郑振铎、王季思、董每戡，丽水赵景深，东阳徐朔方等人都在南戏研究上有大建树。

阅读链接：

钱南扬：《宋元南戏考》，《燕京学报》第七期，1930年6月。

徐朔方、孙秋克：《南戏与传奇研究》，湖北教育出版社，2004年版。

俞为民：《宋元南戏考论续编》，中华书局，2004年版。

张协状元：第一南戏、戏曲活化石

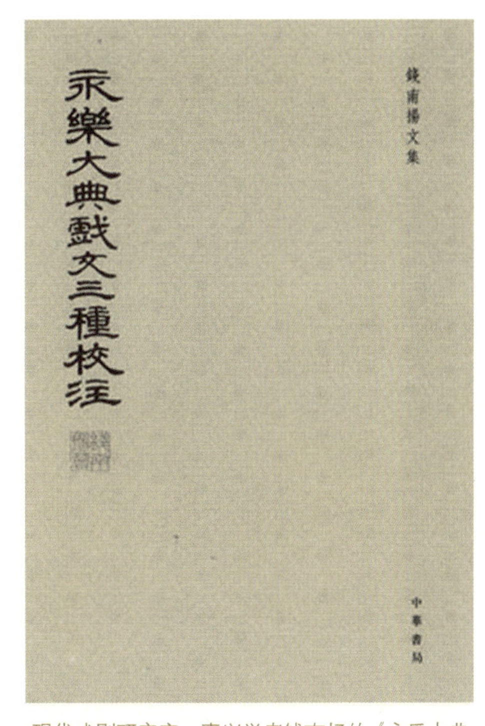

现代戏剧研究家、嘉兴学者钱南扬的《永乐大典戏文三种校注》书影

温州是南戏的发源地，在戏剧史上地位独特。现一般认为南戏出现于北宋末年，而徐渭在《南词叙录》里说南戏诞生在南宋中期。这并不矛盾，南戏有一个民间萌芽到走向成熟状态的发展过程。如果探寻南戏源起，并在南宋温州崛起的原因，那么宋室南渡后温州因靠近都城临安而迅速发展，到南宋中叶成为天下文化次中心之一是一个重要原因。南宋温州商业发达、经济繁荣、文化昌盛、人才辈出，孕育了提倡“事功”之学、讲求经世致用、深刻体现浙地文化关注民生和推崇实干精神实质的“永嘉学派”思想。南戏在其间受其滋养而成长。

不过南宋时南戏也曾有致命的天生不足，所以后来一度曾停滞不前。一是碍于雅俗偏见。南宋还是雅文学当道，南戏长期流行于民间，不被文坛主流重视。二是限于南北差别。南宋南戏和北方发达的杂剧相比，显得更世俗，民间色彩更浓，文人气息

较淡，题材较单一，多写爱情婚姻和家庭伦理，如南戏较早的剧本《王魁》《赵贞女》《张协状元》都是写“负心郎”的故事，较少直接体现历史的厚重和现实的复杂，更不要说和元杂剧名篇《梧桐雨》《汉宫秋》这样典雅、富于诗意、叙事宏大、意蕴深邃的历史剧相比了。三是囿于作者局限。南宋南戏的作者多是些民间书会才人，即专门为伶工艺人创作剧本的不第书生，文采大都不尽如人意，眼界见识也不足，和元杂剧四大家关汉卿、王实甫、白朴、马致远相比有很大距离，直到元末高明写成了《琵琶记》。

但宋元两代仍可谓温州南戏发展的黄金时代。这一时代可以从《张协状元》开始追溯，这也正好和徐渭的话相印证。现存于《永乐大典戏文三种》中的《张协状元》，是南宋中叶温州创作南戏剧本的文人团体——“九山书会”的书会才人们集体创作的。《张协状元》是迄今已发现最早的保存完整的中国古代戏剧剧本，也是唯一留下的南宋南戏文本，弥足珍贵。它因载入明代的大型类书《永乐大典》，有幸得以存活全本，是研究古代戏剧的重要史料，被誉为“中国第一戏”和“戏曲活化石”，在中国戏剧发展史上具有不可替代的重要位置。

明末时《永乐大典》因战乱而散落。1920 年，学者叶恭绰在英国伦敦发现了一卷在国内散失已久的《永乐大典》,上有《张协状元》等戏文三种。后据考证,《张协状元》是宋人作品。

而且，到今天,《张协状元》作为剧本已顺利复活，还曾多次跨剧种上演，充分体现了“第一戏”的魅力、影响。

古代妇女社会地位多低下，常遭受不幸。戏剧这一通俗艺术是直接深刻反映现实的，所以和民间关系尤为密切的南宋南戏里会出现许多反映妇女所遇非人，被得中功名的男子始乱终弃、惨遭婚变、糟糠下堂的“负心郎戏”剧本。《张协状元》就继承了此前《王魁》《赵贞女》的传统，元明时也仍多这一题材的剧本，如《琵琶记》。

《张协状元》写书生张协中功名后，利欲熏心，想攀炎附势，为绝后患，欲杀了有婚约的贫女。贫女幸遇人救，劫后余生，还被宰相收为义女，而宰相正是张协的顶头上司。后张协迫于情势，再娶贫女。在婚礼上，众人谴责了张协的忘恩负义。《张协状元》奠定了南戏及古典戏剧的最基本格局和最寻常内涵，也鲜明体现了朴素而现实的民间道德观。

从现存最早的南戏剧本《张协状元》到元末高明《琵琶记》的诞生，可清晰追溯这170年浙地戏剧发展其实始终是南戏诞生地温州以及温州人士的主场。如南戏在温州成熟；温州人首先用“书会”这一文化团体的集体力量从事戏剧的创作和演出，促进了戏剧的发展；然后元代南戏的“四大传奇”《荆钗记》《白兔记》《拜月亭记》《杀狗记》，也至少有两种是温州书会才人所作；元代至元年间温州才人还根据当时发生在温州的真事“江心寺恶僧祖杰残杀俞氏一家七口”及时创作了南戏《祖杰》，引起社会强烈反响，深切鲜明地体现了南戏与社会生活的血肉联系；最后瑞安高明笔下《琵琶记》的出现，在思想和艺术，形式和内容，社会关注和道德追求等方面，为后世中国戏剧奠定了坚实的内涵基础，树立了完美的典范。温州南戏功莫大焉。

阅读链接：

俞为民、刘水云：《宋元南戏史》，凤凰出版社，2009年版。

钱南扬：《永乐大典戏文三种校注》（钱南扬文集），中华书局，1979年版。

吴戈：《书会才人考辨》，《上海师范大学学报（哲学社会科学版）》，1988年第4期。

四大南戏：婚恋与家族永恒的纠结

浙地戏剧的发展始终贯穿了雅俗的对立融合，还有南北的对峙合流。元代浙地，杂剧的“北曲”和南戏的“南音”从对立到融合共同造就了戏剧的繁华。浙地还是此时杂剧和南戏兴衰更替的重要见证者。

首先以“元曲四大家”和浙江的缘分为例，看杂剧家南下和南方杂剧兴起。元代时，北方文人纷纷南下，以杭州为中心的浙地南北文人汇聚，正是“杭州半是汴梁人”，恍然又是当年南宋初年南渡时情景，人才的汇集，和浙江的秀丽山水、繁华城市（经历战火的杭州规模犹在）相得益彰，天时地利人和，带来了浙地文学的又一次繁荣。这次不是宋词，而是包括了元杂剧、散曲的元曲之盛。如“元曲四大家”关汉卿、马致远、白朴、郑光祖，还有著名演员珠帘秀及很多杂剧散曲家都曾来到或长期定居浙地，使元曲在此间开出新花。杭州成为大都（今北京）之外的另一个元杂剧中心。

其中郑光祖、乔吉、宫天挺、秦简夫等北方杂剧家都曾长期寓居杭州。“四大家”之一的郑光祖还成为元代南方戏剧圈的巨擘，自从他来到杭州为官，就像北宋的柳永，在浙地留下很多名篇，几乎被人淡忘了他不是浙地人。郑光祖创作了《倩女离魂》《王粲登楼》等富于浙地地域特色、以爱情和历史题材为主的名作，如《倩女离魂》改编自唐传奇《离魂记》。爱情和历史就是元代南方杂剧的主要题材，综合南戏和北方杂剧主题特点，也继承了唐代浙地传奇《任氏传》和《虬髯客》的传统，而现实与历史，雅与俗的融通是南方杂剧的主要特色。乔吉的杂剧《两世情缘》也是取材于笔记小说的爱情故事，而宫天挺的《宋上皇御赏凤凰楼》《栖会稽越王尝胆》《严子陵垂钓七里滩》是写浙江历史和人物如越王勾践、严子陵和宋高宗的。还有写现实城市生活的，如秦简夫的《东堂老劝破家子弟》，写了商人东堂老李实，忠于亡友生前之托，

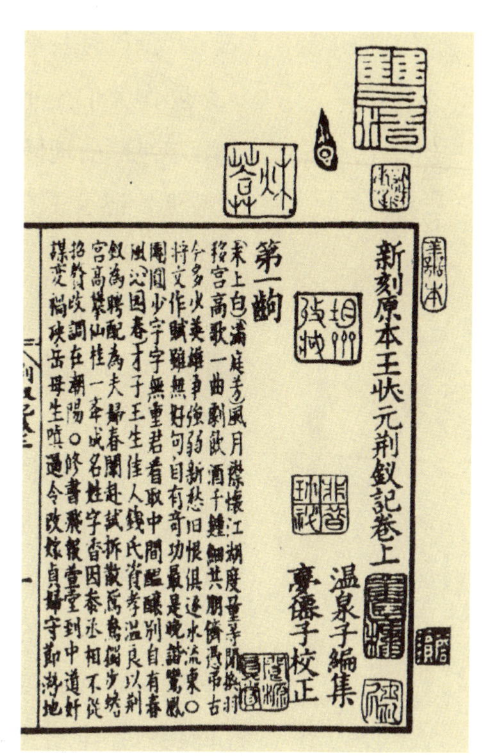
新刻原本王狀元荆釵記卷上

温泉子編集

夢僊子校正

第一齣

《荆钗记》书影

不顾他人误会，对亡友之子、纨绔子弟扬州奴进行苦心教诲，使他浪子回头，重振家业。杂剧赞美了东堂老李实的诚信义气，也生动地反映了商人重实利、求进取的思想精神，是很有浙江地域和时代特色的佳作，也是对唐代浙地传奇《枕中记》的继承。

北方杂剧家南下和浙地风景及杭州这个“华贵天城”的吸引力有关，也和浙地在南宋久为诗词中心积蓄的氤氲诗情的吸引力有关。这些都滋养了南方杂剧。南方杂剧还多浙江本土作家的创作，也以历史为主，和此时浙地诗歌、小说创作的主题一致，如杭州人金仁杰的《追韩信》、海盐人杨梓的《敬德不伏老》等，其他作家也开始渐成气候，呈现鲜明的江南人文情韵、浙江地域特色。

元代时长期寓居杭州的钟嗣成写于杭州、忠实详细记录元杂剧作家们生平的《录鬼簿》一书也显示了杂剧的重心渐渐向南方包括浙地倾斜。书中和浙江有关的杂剧和杂剧家很多。《录鬼簿》记录了自宋末到元中期的杂剧、散曲“艺人”，包括作家和表演者等150多人，有生平、作品简介，还有评价，如把关汉卿列为第一。《录鬼簿》诞生在浙地，也足以从侧面见证浙地是当时的戏剧中心。《录鬼簿》还是第一部为戏剧艺人立传的书籍。

之后，浙地杂剧因自身不足和水土不服等情况，开始衰落，这给了曾黯然失色的南戏一个难得的机会。南戏的转机、复兴与发展和很多因素有关，不但得益于它作为土生土长的浙地戏剧在本土发展的地利之便，也因为孕育了它的浙地文化本身具有顺应时代之变的特点，因此也有天时之利。元代以来，社会面貌日益丰富，而南戏的形式比杂剧更自由舒展，更适合反映复杂的现实人生，便于展开纷繁的剧情、塑造平实的人物形象。而且，秉承浙地文化灵活多变特点的南戏不但改进自身短处，也学习杂剧长处，于是脱胎换骨，重焕光彩，最终取代了杂剧的领先地位。

看过南戏复兴的“天时”“地利”原因后，最后来看南戏复兴的“人和”因素，即文人的终于“入戏”。元初曾一度取消科举70多年,恢复后也时有时无。已成为文人进取“独木桥”的科举入仕道路断绝后，使得大量文人茫然无措，学的经典诗文成为无用技艺，社会地位变得低下，所谓“九儒十丐”。江

南的“南人”包括浙地文人地位更低，生存状况更严峻，为了生计，只能选择和前代精英文人不同的人生道路，投身俗世，多以卖文为生，写作小说和剧本是常见选择。沿着前代民间“书会才人”的足迹,不少以诗文著称的精英文人也开始戏剧创作,当学识深厚、眼界开阔、阅历丰富、襟怀千古、文才出众的他们投入戏剧创作，当他们很快适应、掌握了戏剧创作的技巧，领会了戏剧的通俗入世内涵，便腕挟风雷、笔底生花，成就了南戏等戏剧艺术在元代的繁花如簇。

南戏重兴带来的就是元代浙地戏剧高潮。先看高潮前的前奏。《琵琶记》的穿云裂帛之音现身世间，令人惊叹“此曲只应天上有”之前，就有同样急管繁弦、美不胜收的“四大南戏”《荆钗记》《刘知远白兔记》《拜月亭记》(又名《幽闺记》)《杀狗记》出现。合称“荆、刘、拜、杀”的“四大南戏”都和浙地有千丝万缕的关系。

南戏的中心主题向来都是关于婚恋、个人追求和家庭家族的。如温州的永嘉书会才人的《刘知远白兔记》表面是写历史，实际上也是写爱情婚姻、个人前途和家族利益难以调和的矛盾冲突，借五代枭雄、后汉开国皇帝刘知远发迹前后和妻儿的分离聚合,写了一个无奈的“负心汉”的故事,和以往南戏名作《王魁》《赵贞女》《张协状元》的“痴心女子负心汉”主题一脉相承。再如《荆钗记》写南宋温州著名文人、状元王十朋和妻子因为误解悲欢离合的故事，则是一个“伪负心汉”的故事。元代杭州人施惠所作,写于杭州的《拜月亭记》根据关汉卿《闺怨佳人拜月亭》杂剧改编,写了四个年轻人两段乱世情缘。如写蒋世隆违背山盟海誓，被王尚书招赘，受到王瑞兰的谴责，虽然最后皆大欢喜，也涉及“负心郎”内容，和《张协状元》相似。

《杀狗记》全名《杨德贤妇杀狗劝夫》，作者一说是浙地淳安的徐畛，是写城市市井生活、民间兄弟情义的喜剧，体现了传统的“兄友弟恭”道德和商品经济迅猛发展时代的冲突与和谐。其实也是写个人和传统社会家庭家族关系，很有现实意义。

元代“四大南戏”仍然延续了宋代南戏如《张协状元》的世俗道德判断和朴素

市民价值观，既谴责“负心汉”的抛妻弃子，又因为“负心汉”是碍于外界时势或是为了家族利益而放弃初衷、追逐名利，给予了一定程度“同情之理解”，体现了深深的人情味和灵活而非僵化的是非判断，这都对后来的《琵琶记》影响很深。

阅读链接：

俞为民校注：《宋元四大戏文读本（拜月亭 杀狗记 荆钗记 白兔记）》，江苏古籍出版社，1988 年版。

（元）施惠撰、吕薇芬校点，（元）高明撰、徐明校点：《幽闺记 琵琶记》，辽宁教育出版社，1998 年版。

胡雪冈：《温州南戏考述》，作家出版社，1998 年版。

一曲正剧琵琶记：南戏中兴之祖

“四大南戏”之外，元代著名的南戏还有和《张协状元》一同被收入《永乐大典》的两种，古杭书会编撰的《小孙屠》和古杭才人编的《宦门子弟错立身》，都写于杭州，都是杭州书会才人的作品。《宦门子弟错立身》写的是官宦子弟完颜寿马喜爱戏剧，爱上女演员王金榜，为了理想、自由和爱情，不惜放弃显赫家庭、高贵身份去做一个社会地位低下的江湖艺人。最后通过努力，成为合格艺人，和爱人浪迹天涯。这部南戏体现了（尽管可能只是朦胧意识到）超越时代的先进意识，题目虽说“错立身”，剧中却隐隐透露出对主角选择的赞成。这和这部作品诞生于思想较自由、风气较开放、市民思想浓厚的浙地大都市杭州有一定关系。《错立身》反映的其实还是爱情婚姻，个人和家庭家族、社会的对立冲突与和解妥协，和以往的南戏一样。

当然，宋元南戏除了《错立身》这样思想有些超前卓异的篇目外，大多数篇目还是一如既往地反映民间普通人的寻常心愿、体现时代的普遍风气。如南戏代表作、元末明初温州瑞安人高明的《琵琶记》，写书生蔡伯喈与妻子赵五娘的悲欢离合，体现了对端肃雅正道德的追求，对现世安稳、平淡人生的渴望羡慕，和《错立身》的理想主义、浪漫主义色彩不同，显现了浓厚的现实主义风格。还体现了典型的峰回路转、温和有度的戏剧传统审美意趣，即不是纯粹的喜剧，也不是全然的悲剧，而是一部正剧。《琵琶记》就像它的女主角赵五娘性格一样的保守、忍耐、柔和，和男主角蔡伯喈个性一样的温和、内敛、妥协，不如《错立身》读起来痛快有趣，

却更真实成熟，绝不能斥之为平庸俗气。这一系列特性和南戏来自民间的血统有关，也和《琵琶记》的前身和原型有关。

《琵琶记》改编自南宋民间的原始南戏《赵贞女蔡二郎》。剧中的“蔡二郎”其实并不是严格意义上的历史人物、东汉名士蔡邕蔡伯喈，只是一个类似“陈世美”的民间传说人物。正如南宋诗人陆游在《小舟游近村舍舟步归》诗中感慨的“死后是非谁管得？满村听说蔡中郎”，由陆诗也可从侧面知晓南宋时“蔡二郎”故事就已经在民间广泛流传。除了南戏，宋代的说话、鼓词、诸宫调、杂剧等也都传唱这个故事。在古代社会中，书生通过科举入仕，得志后为了更好前途抛弃糟糠之妻、另娶高门之女是较普遍的社会现象，也是百姓关注的社会焦点。

《琵琶记》虽延续了南戏一贯的关注婚姻和家族、伦理的主题，却把早先宋代原始南戏《赵贞女》剧里因抛弃父母妻儿被指责的蔡伯喈变为全忠全孝的正面人物。这当然是受到时代价值观影响的结果。在元代，由于书生地位远比前朝更为低下，仕升途径更少，所以，责备痛斥负心男子攀龙附凤的民间朴素情感，被书生为家族利益做出无奈违心之举的同情体谅论调所代替。高明的《琵琶记》应运而生，并深入细致刻画了蔡伯喈的矛盾内心、复杂情感、软弱性格和被动命运，对后来戏剧里常见，虽然有点俗气无趣却不失真实温暖的“大团圆戏”影响很大。《琵琶记》其实是一个改良过的“负心郎”故事，和另一部宋代原始南戏《王魁负桂英》里桂英变成厉鬼杀死负心男子的偏激刚烈固然不同，比《赵贞女》态度也更妥协现实，和

《张协状元》有些相似。高明身为和蔡二郎一样的书生，感同身受，对蔡的思想行为进行了辩护解释，认为关键在蔡存在有情可原的“三不从”。

高明（1305—？），字则诚，做了十几年的元朝官吏，后退隐写作《琵琶记》。《赵贞女》中的蔡伯喈弃亲背妇，被雷震死。高明则将蔡伯喈负心的思想行为设置成无可奈何的违心即“三不从”：先是他奉父命去应科举，请求不去，父亲不从；后中状元被牛相强招为相府快婿，他推辞，牛相不从；还有他请求辞官归养双亲，但朝廷不从，他只能滞留京城。不料遭遇荒年，导致了“可惜二亲饥寒死，博换得孩儿名利归”的惨痛之变。高明没有将“负心郎”面谱化、恶魔化，也没有将所有的悲剧简单地归于个人，而是设身处地地从一个书生、一个普通人的角度出发表达了“同情之理解”，所以《琵琶记》比起《赵贞女》，表面上似乎批判力度减弱了，实际上却具有了更宽广可探究的社会深度，成为真实的人生正剧。高明及他的《琵琶记》能成为深入人心的经典，成熟中肯而不偏激的思想情感、温柔敦厚的传统审美趣味是重要而有决定意义的基础。

琵琶記卷一
元　高東嘉　塡詞
第一折　末上
水調歌頭　秋燈明翠幕夜案覽芸編今來古往
其間故事幾多般少甚佳人才子也有神仙幽
怪瑣碎不堪觀正是不關風化事縱好也徒然
論傳奇樂人易動人難知音君子這般另作
眼兒看休論插科打諢也不尋宮數調只看子

《琵琶记》书影

高明的卒年有元末说和明初说两种，这也造成了《琵琶记》的出生地之争。一说他是在隐居宁波栎社镇时写下《琵琶记》的，也有说他是在隐居家乡温州瑞安时

最初构思和最终完成了这部杰作。其实,《琵琶记》并非作于一时一地,但无论如何,它都诞生并完善于高明漫游、流寓浙地的多年间,更深深得益于浙地文化的滋养。《琵琶记》是浙地戏剧的杰作。

《琵琶记》作为南戏从民间创作较俚俗形式向文人创作较典雅形式转化的最重要标志,是南戏发展中的里程碑。高明在南戏发展史上的地位可比杂剧中的关汉卿。而且,高明所创造的亦俗亦雅的语言风格、情理节制哀而不伤的情感模式,也为后来浙地戏剧乃至明清戏剧的新样式——明清传奇树立了楷模。他和《琵琶记》都是当之无愧的“南戏中兴之祖”。

因为体现宣扬了儒家雅正思想,尤其是塑造了“全忠全孝”蔡伯喈、“有贞有烈”赵五娘的正面形象,《琵琶记》在明初就得到此时意图在思想意识方面拨乱反正的明太祖朱元璋的赏识,得到了“山珍海错,贵富家不可无”的赞赏(见明徐渭《南词叙录》)。《琵琶记》的确强调社会家庭伦理的重要性,希望通过戏剧的动人情节,如赵五娘在荒年把粮食给公婆吃,自己吃糠的“糟糠自厌”的唱词独白,让观众受到善的教化。不过,朱元璋也许没有意识到,《琵琶记》整体虽是正剧,其中常有悲剧情节和意蕴,隐晦地昭示了,即使是最恪守封建道德纲常的人,也会陷入个人情感追求与家族利益的思想冲突中,这很容易引发对封建伦理如“子从父命”、家族至上、为追逐功名抛弃个人生活等方面合理性的深刻怀疑。《琵琶记》的超越前人处,不在于它有激越情感、自由思想,而在于它有丰富多元

的内涵、中庸微妙的表达。也正因如此，所谓“最民族的就是最世界的”,《琵琶记》后来成为具有世界性影响的中国古典戏剧典范。19 世纪时先后有英、法、德、拉丁文等译本，20 世纪 30 年代还在美国演出。赵五娘的温柔贤淑形象和孝敬父母、忍辱负重美德成为东方女性的典范。

阅读链接：

（元）高明：《元本琵琶记校注》，上海古籍出版社，1980 年版。

（元）高明著，张宪文、胡雪冈辑校：《高则诚集》，浙江古籍出版社，1992 年版。

万晴川：《传奇之祖——高明传》，浙江人民出版社，2006 年版。

明曲第一四声猿：写尽奇人异行

浙地是南戏的源起地，此间的杂剧发展一直不如南戏。不过也有例外，明代山阴（今绍兴）文人徐渭就创作了很出色的杂剧杰作。

徐渭（1521—1593）是明代文人，浙地乃至中国古典文人的集大成型人物，封建社会晚期文人的典型代表。他和苏轼一样诗文书画兼长，和李白一样胸怀奇志，和屈原一样满腹孤愤，和嵇康一样狷介佯狂。他也和这些历代名家包括越地老乡嵇康一样才情瑰伟出众而性情狂放桀骜，注定会有不平庸却坎坷的一生。

徐渭先是科举不利，八次应试不中，后又因发狂杀妻而入狱，晚年出狱后贫困潦倒，靠卖字画甚至卖书卖衣度日，最后在孤寂中死去。徐渭在《青藤书屋图》上题诗说“几间东倒西歪屋，一个南腔北调人”，虽是自嘲，却是他孤傲不谐世俗形象的确切写照，所以后来他的同乡后辈鲁迅会有杂文集《南腔北调集》。而徐渭的另一首题画诗《题墨葡萄诗》里的“笔底明珠无处卖，闲抛闲掷野藤中”更成为他明珠投暗、孤寂无人理解人生际遇的象征和谶语。不过，也正因为徐渭是和嵇康等

一样的奇人狂士，还有明代文人直率世俗的一面，即使他的想法作为奇崛深邃、脱俗放逸，却也能深受百姓喜爱，更以“徐文长（徐渭字）”的名头被百姓熟知，成为民间传奇人物，至今在浙地还多有“徐文长”的精彩故事流传不衰，虽然不免淡化了他真实人生的深刻悲剧色彩。

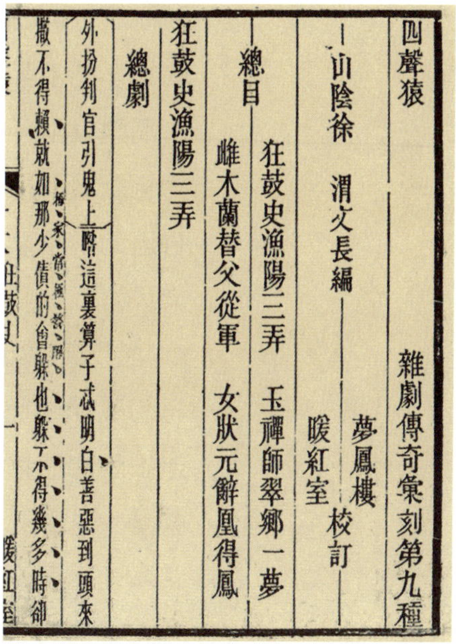

《四声猿》书影

徐渭曾说自己是“书（法）第一、诗二、文三、画四”，最为出名的书画以外，他的诗也被明代大诗人袁宏道尊崇为明代第一。他的剧本不但受到明末大剧作家、《牡丹亭》作者汤显祖的推崇，杂剧《四声猿》还曾被杭州名士澄道人（顾若群）称赞为“明曲之第一”，徐渭的同乡弟子王骥德的《曲律》书里也评价《四声猿》是“天地间一种奇绝文字”，“高华爽俊，浓丽奇伟，无所不有”，是明代最出色的戏剧杰作，可媲美元杂剧。徐渭是南方浙东人，却选择了杂剧这一形式，无非因为北曲能更好体现他旷达不羁的个性思想。

《四声猿》包括四个独立短剧：写三国名士祢衡痛斥曹操以影射当时奸相严嵩，体现狂士傲骨的《狂鼓史（一作吏）渔阳三弄》，揭露了当时佛门和官场一样尔虞我诈，禁欲主义思想违背人性虚伪本质的《玉禅师翠乡一梦》，以及彰显女性美德才情的赞歌与狂想《雌木兰替父从军》（简称《雌木兰》）和《女状元辞凤得凰》。《四声猿》看似短小简单，但并不简单。

何为“四声猿”？古人以为猿鸣三声催人泪下，“四声猿”大有深意，表达了徐渭内心难以言说的无限悲愤和不平，犹如嵇康的末路长啸和《广陵散》、鲁迅的

《呐喊》和《彷徨》。徐渭曾师从王阳明弟子季本学习心学，他的文学艺术都是内心思想情感的真挚表露。在杂剧《四声猿》里，徐渭也发泄了对现实的不满，并通过奇特的戏剧场面来表现身为觉醒者和叛逆者的清醒的痛苦。这一浙东文学传统后来得到鲁迅的继承学习。还有人认为徐渭杂剧和他的画一样有表现主义风格。

《四声猿》的故事多选自历史，徐渭又以强烈个性、深刻思想赋予了它们新的内涵，体现了明中叶后反封建、反礼教、追求思想感情自由的鲜明时代精神。徐渭借剧里的理想人物尤其是女性美好形象寄托了理想，如《雌木兰》《女状元》里的花木兰、黄崇嘏这一文一武两英雌就是他心目中的英雄。花木兰女扮男装、代父从军，勇敢无畏，立下功勋后回乡隐居；黄崇嘏也是女扮男装、赴京赶考、夺得状元，定国安邦。徐渭欣赏她们的才能和美德，为她们设计了好的归宿，可见他对女性的尊重、肯定和赞扬。《曲律》中也说花木兰和黄崇嘏故事是《四声猿》里的“奇中之奇”，还说这二剧是徐渭倾尽情感、呕心沥血写成的惊天地泣鬼神之作，借剧中奇人奇事，倾尽了胸中奇崛之气。澄道人的《四声猿题辞》引用了其姐、清初杭州著名女诗人顾若璞的《沁园春·读〈四声猿〉》词说“武堪陷阵，雌英雄将；文堪华国，女状元郎”“谁识闺中窈窕娘？鬓眉汉，就石榴裙底，俯伏何妨？”可谓读懂了徐渭反传统的女尊男卑意识。

徐渭同时也对当时社会“好人不在世，恶人磨世尊”的世

风时俗进行了深刻的批判，表达了深切的不平。他的杂剧慷慨悲歌、意气豪迈，肆意抒写理想热情，还把自己对历史社会人生的真切理解、深厚见解融进杂剧的故事叙述、形象塑造，形成了独特的批判、讽刺，在歌哭中淋漓尽致地自然流露。难怪人们以为他的杂剧可与元代大戏剧家王实甫、关汉卿相媲美。

徐渭的杂剧名篇还有《歌代啸》，一部四出世情喜剧，讽刺了昏庸的州官，还塑造了两位个性鲜明，背离传统妇德，叛逆封建礼教三纲五常与三从四德的女子形象。他仍把理想希望寄托在受封建思想束缚较少的女子身上。

创作杂剧时徐渭还秉承一贯的蔑视传统的艺术精神，突破了杂剧一本四折、纯用北曲的束缚。如《四声猿》四剧长短不一，南北曲并用，开创了以南曲作杂剧的新写法。徐渭杂剧的内容形式、气质风范对后来的戏剧大有启发，对同时的明传奇也有影响。徐渭和汤显祖，可并称 16 世纪中国戏剧的两大标杆。

徐渭在戏剧史上的另一重要贡献，是创作了第一部研究南戏的专著《南词叙录》，总结了宋元南戏的起源发展、风格特色、声律，及对作家作品的评论，是宋元明清四代专论南戏的唯一著作，还是明代最重要的曲学理论《曲律》的前导。

阅读链接：

（明）徐渭：《四声猿》（附《歌代啸》），上海古籍出版社，1984 年版。

徐朔方、孙秋克：《明代文学史》，浙江大学出版社，2006 年版。

江兴祐：《畸人怪才——徐渭传》，浙江人民出版社，2007 年版。

学玉茗者有我：岂独伤心？

明清两代是俗文学的春天。戏剧和小说等通俗文学形式的地位得到进一步提高，并得到主流文学圈和精英文人的较多认可，参与创作、正面评论，也因此获得较大发展空间和进一步繁荣。这在浙地表现得很突出。

“传奇”是明清戏剧的主要形式，有时也将明清戏剧包括杂剧统称为传奇。甚至曾把宋元南戏等戏剧样式都称为传奇，但狭义的“明清传奇”只指明清时杂剧以外的戏剧作品。

明中期以后，虽有《四声猿》的特例，浙地杂剧仍不敌南戏，后者更演进为“传奇”，某种程度上也是明清江南文化包括浙地文化后来居上之势的象征隐喻。

从明中期到清中叶，是传奇的黄金时期，出现了汤显祖《牡丹亭》、洪昇《长生殿》、孔尚任《桃花扇》等名作。《长生殿》是浙地本土戏剧杰作。《桃花扇》和引领明代思想解放一代风潮的《牡丹亭》对浙地戏剧的影响也很深。

明清传奇在民间流行的同时，也和当年的词一样显现了登堂入室进入文人书斋、化为案头纸上笔墨的趋雅倾向，从下里巴人到阳春白雪，从急弦繁管到凤箫鸾管、金石丝竹，从入乡

随俗到曲高和寡，有得也难免有失，值得探究。

明代浙地的戏剧形式传奇很繁荣。如萌生于杭州市井间的爱情喜剧传奇《玉簪记》，是杭州文人高濂的作品，写的是道姑陈妙常与书生潘必正深入民间人心的爱情婚姻故事，语言华美精巧，“琴挑”等场景体现了明代人受尚情时代风气影响、追求个性解放的痕迹，和《牡丹亭》里杜丽娘与柳梦梅追求爱情自由的情节相似。

再如鄞县（今属宁波）人周朝俊的传奇正剧《红梅记》，源自明代杭州文人瞿祐的著名小说集《剪灯新话》的《绿衣人传》，也形象体现了小说、戏剧等通俗艺术的形式殊途、思想合流。仍是西湖上的戏剧性故事，但《红梅记》故事重点不再是女鬼和书生的爱情，而是刚烈女鬼李慧娘反抗南宋权相贾似道并复仇的故事。不过，李慧娘仍是为前生爱情而来，所以《红梅记》剧本仍宣扬“一身虽死，此情不泯”，和《牡丹亭》里歌颂可以超越生死的爱情，“情不知所起，一往而深，生者可以死，死者可以生”“生生死死随人愿”的思想情感一脉相承。

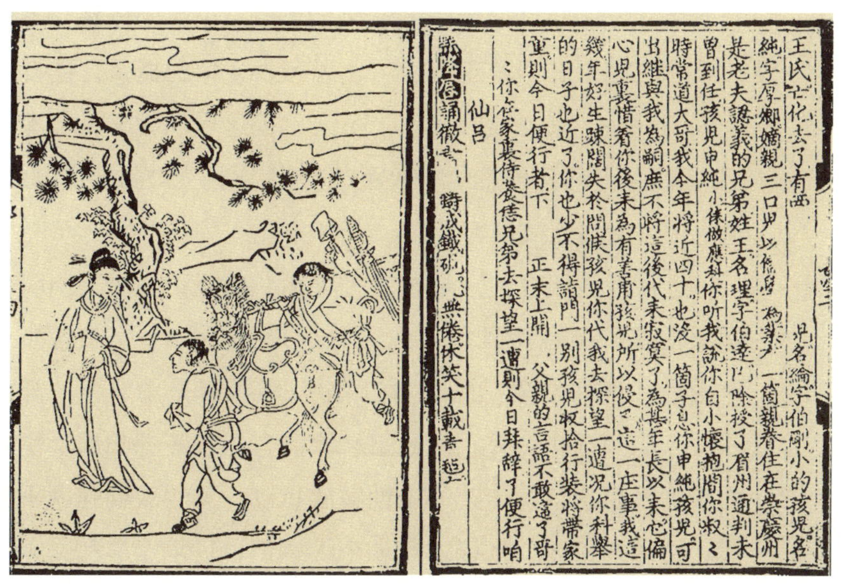
王氏亡化去了有兩　兒名綸字伯剛小的孩兒名
純字厚卿嫡親三口兒以修身為義一箇親眷住在崇慶州
是老夫謁義的兄弟姓王名理字伯達只除授了眉州通判未
曾到任孩兒申純小條做應舉你听我說你自小懷抱間你叔叔
時常道大哥我今年將近四十也沒一箇子息你申純孩兒可
出繼與我為嗣庶不將這後代來寂寞了為甚年長以來心偏
心兒裏惜着你後來為有善甫孩兒所以役役這一庄事我這
幾年好生疎闊失於問候孩兒你代我去探望一遭況你科舉
的日子也近了你也少不得請門一別孩兒收拾行裝將帶家
童則今日便行者下　正末上開　父親的言語不敢違了哥
哥你在家裏侍養修兒弟去探望一遭則今日拜辭了便行咱
仙呂
點絳唇誦徹書　時或鐵硯磨穿　無緣休笑十載青燈上

《娇红记》书影

其他类似题材有会稽（今绍兴）人孟称舜的传奇《娇红记》，全名《节义鸳鸯冢娇红记》，写男女相爱、遭遇阻隔而殉情，和干宝《搜神记》里的《韩凭妻（相思树）》还有《孔雀东南飞》《梁祝》等故事相似。说书生申纯与表妹王娇娘私下相恋，娇娘父亲却为了权势富贵应允了别家亲事。两人只能双双殉情。家人将他们合葬，取名“鸳鸯冢”。两人化成一对鸳鸯，相向而鸣。《娇红记》被称为“中国古典十大悲剧”（“中国古典十大悲剧”由现代温州籍戏剧研究大家王季思提出。和浙地有关的有《琵琶记》《娇红记》《长生殿》《雷峰塔》等）之一，在传统戏剧多才子佳人终成眷属的大团圆俗套结局中显得弥足珍贵。尤其它推崇“同心子”即志同道合的爱情，有超越时代的意义。而爱情和青春的归于寂灭也使《娇红记》成为《红楼梦》之前一部杰出的青春爱情悲剧。而且因为作者延续了《琵琶记》的传统，不但批评了功名利禄、门第观念、封建思想对爱情的扼杀，还批判了把家庭利益、家长权威凌驾于个人幸福之上的观念，加深了作品的思想深度、悲剧意蕴。《娇红记》因宣扬突破封建道德成规、追求自由爱情曾被列为禁书。

近代戏剧研究大家吴梅在《中国戏曲概论》中指出明代戏剧家很多，但论派别，大致可分吴地的吴江（今江苏苏州）、昆山和江西的临川三派。“临川派”领袖就是汤显祖，汤是临川（今江西抚州）人。汤显祖和徐渭、李贽等都归属反儒家礼教、理学思想禁锢传统的个性解放思潮，汤的戏剧强调不受形式、格律的束缚，张扬才情和个人感情，讲求意趣和文采。汤

的代表作就是“临川四梦”（又名“玉茗堂四梦”）。“四梦”尤其其中《牡丹亭》的学习模仿崇拜者无数，戏剧史上将学汤显祖风格较明显的剧作家们称为“临川派”或“玉茗堂派”。在明代、明末清初浙地传奇作家中，《玉簪记》作者高濂、《红梅记》作者周朝俊、《娇红记》作者孟称舜，还有湖州凌濛初都是“玉茗堂派”中人，他们以男女之间深挚凄美的生死至情、神异奇幻的故事情节、浪漫旖旎的梦幻文风、绮丽诗意的语言特色，有力抨击封建礼教，反对复古文风、死板格律。

在明清浙地，《牡丹亭》和“玉茗堂派”的传奇剧作还曾以浪漫的情怀、优美的文字、近情近俗的格调，引发了一时女性对个性解放和爱情自由的无限向往、执著追求。一说明末寓居杭州、身世凄凉的女子冯小青（很可能是个传说人物，因为“小青”合起来就是个“情”字，象征了此时尚情的思潮）读《牡丹亭》自伤身世，留下了“冷雨幽窗不可听，挑灯闲看《牡丹亭》。人间亦有痴于我，岂独伤心是小青？”的感慨，这是深受封建礼教压抑束缚的女性借《牡丹亭》爱情故事抒发心中郁闷苦涩的典型事例。清代杭州女演员商小玲也因演出《牡丹亭》时触动心事，过于真情流露，在台上伤心而亡。“岂独伤心是小青”，《牡丹亭》和“玉茗堂派”的传奇剧作促进了一代女性的精神觉醒和心灵启蒙。

阅读链接：

聂付生：《浙江戏剧史》，中国戏剧出版社，2008 年版。

徐宏图：《浙江戏曲史》，杭州出版社，2010 年版。

（明）孟称舜、欧阳光注释：《娇红记》，上海古籍出版社，1988 年版。

李渔的爱情传奇：十部传奇九相思

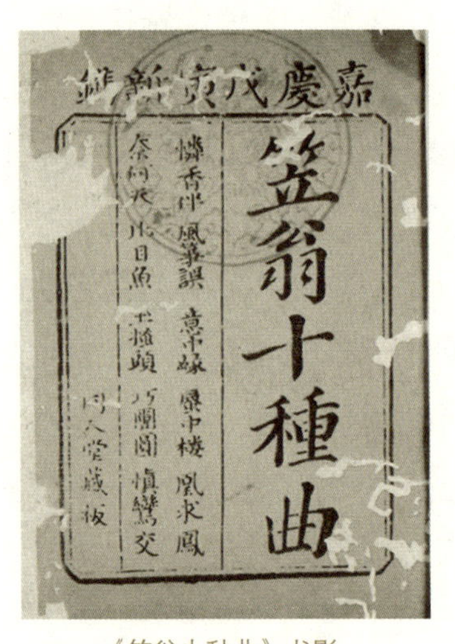

《笠翁十种曲》书影

“中国古典十大喜剧”的说法也是温州籍戏剧研究大家王季思（1906—1996）在20世纪中叶时提出的，和浙地文化有关的是元施惠的《拜月亭》、明高濂的《玉簪记》，还有清戏剧大师李渔的《风筝误》。

前文小说部分已提及李渔（1611—1680）是清初金华兰溪人，曾两次长期寓居杭州。他第一次寓居杭州城北“武林小筑”的10年（1651—1660）是他小说、戏剧的重要创作时期。他初来都市，了解了杭州在通俗文学领域的深厚传统和丰富现实需求后，开始卖文为生。他可谓中国古代史上第一位（至少是较早的）、真正意义上自觉主动的专业作家。可是，由于李渔将文学和商业相结合，使他的人品受到质疑，也使他的文学思想和创作作品历来被低估轻视，今天，需要重新认真认识、合理评价李渔。

戏中人生多传奇

在杭州多年，李渔不但以旺盛的创作热情和充沛精力写作了《无声戏》《十二楼》两部白话短篇小说集，还开始创作《风筝误》《意中缘》《蜃中楼》《凰求凤》《奈何天》《比目鱼》《怜香伴》《玉搔头》《慎鸾交》《巧团圆》等10部传奇剧本，后组成集子《笠翁十种曲》。其中至少有6种传奇是在杭州完成的，内容多与浙地有关。如《意中缘》是李渔以同时明末清初名士董其昌和杭州名妓才女、与柳如是齐名的杨云友的爱情故事为内容的。再如《风筝误》写书生韩世勋题诗风筝，纨绔子弟戚施放风筝，风筝飞走，被詹府才女淑娟拾到，题诗唱和后再放，引出连环巧合、重重误会，最后成就了书生、纨绔和詹府两小姐两桩婚事，结局是皆大欢喜，过程却多啼笑皆非。

李渔曾说写传奇是他生平最大的嗜好。他的传奇多以爱情婚姻为题材，且力求通俗，因为他清醒认识到和清词文比较戏剧是别一种艺术，是通俗艺术，要雅俗共赏，“传奇不比文章。文章做与读书人看，故不怪其深；戏文做与读书人与不读

书人看，又与不读书之妇女小儿同看，故贵浅不贵深”（《闲情偶寄》)。李渔的这一文学取向在当时曾被主流正统精英文人看不起，认为不够雅正、过于媚俗。其实李渔的传奇是通俗而绝非媚俗、庸俗、低俗的，多有可取之处。如他的价值观是劝善惩恶的，思想感情上同情社会底层百姓，创作上贴近现实普通人生活，写爱情也多清新可喜，赞美自由恋爱、真诚情感，反对包办婚姻，反抗封建礼教，讽刺虚假伪道学。在李渔传奇里表现反映的男女情感上，尤其可以认识到他不庸俗、反传统的一面。如李渔常在作品里说“男女相交，全在一个‘情’字”，还说是“势利不能夺，生死不能移”的真情，这与汤显祖在《牡丹亭》中提出的“情不知所起，一往而深，生者可以死，死者可以生”也是一致的。李渔传奇的求俗是在追求个性解放与思想自由、反对正统礼教基础上的求通俗、求容易被普通人接受，是雅俗共赏、亦俗亦雅，值得肯定。

李渔传奇创作手法上的求新求奇也值得注意，这也是为了适应市民阶层喜新颖求奇异的欣赏心理。李渔力求写“前人未见之事”，不模拟古人，也不重复自己，做到故事求新、情节求奇、布局求巧、语言求趣的艺术创新。为了让百姓喜闻乐见，《笠翁十种曲》的故事全都是才子佳人爱情，且全是喜剧，对此李渔也自有说法：“传奇原为消愁设，费尽杖头歌一阙；何事将钱买哭声，反会变喜成悲咽？唯我填词不卖愁，一夫不笑是吾忧；举世尽成弥勒佛，度人秃笔始堪投。”（《风筝误》）说自己的传奇就是为大众解脱愁苦而写。李渔传奇充分运用揶揄、调

侃、漫画等艺术技巧，因为有对人性的深厚理解、生动的日常生活和丰富的人生阅历作底子，所以显得温和可亲、妥帖而不突兀。其实喜剧有时比悲剧更难写。李渔的传奇因为通俗易懂、雅俗共赏，后来传播很广，不少作品传到日本及欧洲。一般认为李渔是中国古代戏剧史上首个成功进行大量喜剧创作、也是唯一专门从事喜剧创作的作者，他无愧于“喜剧大师”的赞美。

李渔和稍晚半辈的洪昇是清传奇在浙地集大成的典型代表。李渔还是著名的戏剧理论家，写了中国最早的系统的戏曲论著《闲情偶寄》，内容非常丰富，涉及戏曲理论的有《词曲部》《演习部》《声容部》三部。后有人辑出《词曲》《演习》两部成为《李笠翁曲话》。

通过《笠翁十种曲》的实际创作，李渔还对以往一些传奇作家过于重视案头创作而忽略了剧本演出的情况进行了纠偏，“李十郎”的名声在戏剧艺术界名噪一时。李渔曾创建家庭戏班，这是他一生的理想，一直到康熙五年（1666）他 56 岁那年，遇到很有艺术天分的乔姬、王姬才有了实践的可能性。李渔以乔、王两姬为班底建立了李氏家班，自任教习和导演，上演自己创作和改编的剧本。他带家班不辞劳累四处演剧，去过全国很多地方，影响很大，在普及戏剧方面起了重要作用。家班也反过来对李渔的戏剧创作产生有利影响。可惜后来家班台柱、分演生旦的乔王两姬都因病去世，家班消亡。

阅读链接：

俞为民：《李渔评传》（中国思想家评传丛书），南京大学出版社，2004 年版。

吴秀华校注：《笠翁传奇十种校注（上下册）》，天津古籍出版社，2009 年版。

（清）李渔：《李渔全集》，浙江古籍出版社，2010 年版。

长生殿：诗人书写的历史传奇

清初杭州文人洪昇（1645—1704）以传奇《长生殿》的作者为世人所知。查寻研究洪昇的论著，几乎都是论《长生殿》的，只有少数兼顾他的生平、思想、师承、交往。论《长生殿》的，也大多比较看重洪昇中年时以北京为中心的10多年漂泊生涯，认为在这一时期里他开阔了交游与眼界，思想与艺术得以成熟，从而成就了《长生殿》。这无疑是有道理的，但不够全面。洪昇创作《长生殿》是一个漫长的过程，何止三易其稿，几乎贯穿其一生。洪昇曾“自谓一生精力在《长生殿》”（徐材《天籁集·跋》）。其实《长生殿》与洪昇生长于斯、归老于斯的家乡杭州颇有缘分，《长生殿》缘起于杭州城东的皋园，最终完善于西湖边的孤山，还曾在西湖边的吴山演出，创作期间更得到洪昇的许多杭州文友的帮助。如果忽略洪昇与杭州的血脉联系，就不能很好地“知人论世”，也在一定程度上妨碍了对《长生殿》的深入认识与研究。

来看洪昇、《长生殿》与杭州及西湖的因缘。洪昇一生大致可分为清顺治二年至康熙十二年（1645—1673）、康熙十三年至三十年（1674—1691）、康熙三十一年至四十三年（1692—

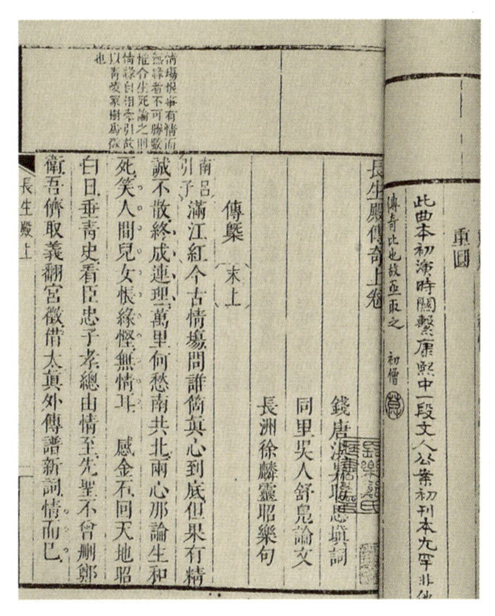

此曲本初演時關繫康熙中一段文人公案初刊本九字非
傳奇比也故亟取之 初僧

長生殿傳奇上卷

錢唐洪昇昉思塡詞

同里吳人舒鳧論文

長洲徐麟靈昭樂句

傳槩（末上）

【南吕引子】【滿江紅】今古情塲，問誰箇真心到底。但果有精誠不散，終成連理。萬里何愁南共北，兩心那論生和死。笑人間兒女悵緣慳，無情耳。感金石，回天地。昭白日，垂青史。看臣忠子孝，總由情至。先聖不曾删鄭衛，吾儕取義翻宮徵。借太真外傳譜新詞，情而已。

情塲悵事有情而無緣者不可勝數惟介生死論之間情緣自相牽引故以青塚家樹爲證也

長生殿上

《长生殿》书影

1704）三个阶段。第一、第三阶段的绝大部分时间他都在杭州，有 40 年之多，占他生命的三分之二。中间的近 20 年他虽旅居在外，也有相当多时间归杭省亲，他的两部诗集和《长生殿》的两个前身都完成于返杭期间。

康熙十二年（1673）洪昇 29 岁时开始创作《长生殿》的前身——传奇《沉香亭》。那段时间是他青年时代在家乡的最后日子，即他由于莫须有的罪名（从他的诗看也许是卷入大家族里的矛盾、被人诬陷）被父母误解厌恶、被逐出家门后不久。在洪昇即将离杭、到京城谋生之际，在友人严定隅家中园林、当时杭州名园皋园里，他和严谈起文学上的偶像李白，有感与其异代同命，一样的才高不遇、身世坎坷，有了创作关于李白和安史之乱故事的《沉香亭》传奇（题目来自李白《清平调三首之三》的诗句“沉香亭北倚阑干”）的念头。到康熙十四年（1675）洪昇回杭省亲，在数月空暇里，完成了《沉香亭》。在后来写于康熙十八年（1679）的传奇《舞霓裳》（《沉香亭》的改编稿）自序里，洪昇回忆说：“忆与严十定隅坐皋园，谈及开元、天宝间事，

偶感李白之遇，作《沉香亭》传奇。”虽然《沉香亭》只是《长生殿》的前身，此后又几经变身，而且它的主题是抒写个人身世之感，与《长生殿》不同，但同为历史剧，《长生殿》的主题“历史兴亡”、主要艺术手法“以古寓今”都已包孕其间了。

康熙十八年（1679）洪昇在杭州呆了约1年时间，期间接受越地人士、文友毛玉斯的建议，将《沉香亭》改为《舞霓裳》。《舞霓裳》不再以李白为主角，只保留了原本里杨贵妃、沉香亭、霓裳羽衣曲等情节，增加了李泌辅助唐肃宗中兴的背景，淡化了个人身世感慨，加重了历史意味，但对唐玄宗李隆基、贵妃杨玉环的爱情仍持批判态度。《舞霓裳》自序结尾处写到“康熙已未仲秋稗畦洪昇题于孤屿草堂”，可见《舞霓裳》也成于杭州，就写于西湖边的孤山。

《舞霓裳》与《长生殿》的血缘关系更为密切。康熙二十五年（1686），洪昇又一次回乡省亲，因为妻子的祖父、也是洪昇的外祖父黄机去世，他在杭州呆到了次年。期间，他开始了对《舞霓裳》的改编。虽然《长生殿》初稿最终是在康熙二十七年（1688）在北京完成的，但如果《长生殿》有“三生”，它的身上总留有前身《沉香亭》《舞霓裳》的“旧精魂”，总是带有杭州的印记。

洪昇自遭家难，一直无奈寄居京城。后来他有儿有女一家八口，家累极重，还有清初京城板滞阴沉的政治氛围，都抑制了他的创作热情。而每当他回到杭州，在熟悉亲切的山水风物、师长朋友、人文环境间，在难得的空闲中，产生创作灵感是很

自然的事。

洪昇、《长生殿》与杭州、西湖的故事还有后续。经历10多年的京城生涯，康熙三十年（1691），已近知天命之年（47岁）的洪昇因在康熙皇后去世后的国丧期间在自己寓所演出《长生殿》，再度遭受厄运，被迫离开京城。他“狼狈仍走西湖湄”（李天馥《送洪昉思（洪昇字）归里》），而西湖温柔地容纳了他这个失意疲倦的游子，并以秀润如旧的山色波光、风雅如故的诗性氛围慰藉着他受伤的心。后来洪昇就在西湖孤山建“稗畦草堂”，潜心创作，对《长生殿》进行了更细致的修改，使之更趋完美。传奇内容也在悲悯安史之乱带来的民生疾苦之外，对李杨的爱情给予同情。康熙三十四年（1695），经洪昇挚友、杭州名士吴人（吴吴山）帮助，《长生殿》上卷开始在杭州付刻，并于康熙三十九年（1700）刻成。《长生殿》还得以在康熙四十一年（1702）、洪昇59岁即他去世前1年在西湖边的吴山演出，盛况空前。洪昇很是欣慰。期间，洪昇的许多师友、弟子还多为《长生殿》作序、跋或对其进行评论论述，丰富了《长生殿》的内涵。康熙四十三年（1704），《长生殿》下卷在杭州刻成，此时洪昇已去世。

说《长生殿》孕育于杭州，完善于杭州，并非虚言。洪昇一生为仕途与生计漫游天下，行踪半天下，但家乡杭州对他的影响却是深重而不可替代的。杭州是洪昇的生长之地，也是他无奈离开后一直朝思暮想之地，更是他在遭受“《长生殿》之祸”后的最终回归之地。《长生殿》是孕育磨砺于杭州清明山水中的文学珍宝，得此地文化涵养而永不失色。

阅读链接：

章培恒：《洪昇年谱》，上海古籍出版社，1979年版。

王丽梅：《曲中巨擘——洪昇传》，人民文学出版社，2007年版。

蒋寅：《清代文学论稿》，凤凰出版社，2007年版。

春润庐主人宋春舫：事如春梦了无痕

不应被淡忘的宋春舫

进入近现代后，因为有以往的深厚基础，南戏源起之地浙江的知识分子关于戏剧的优势得到保持，更有所发扬。

嘉兴海宁王国维先生（1877—1927）写于1912年的《宋元戏曲考》，是中国近现代历史上最早的一部关于戏剧、戏曲历史的书，论述了中国戏剧、戏曲的形成过程，戏剧文学的情况，以南戏发展重要时期的宋元两朝为重点。此书标志着浙地戏剧包括南戏从此获得现代意义上的研究。

王国维对中国近现代戏剧的贡献知者较多，不过，也许较少人知道吴兴（今湖州）人士、王国维的表弟、“春润庐主人”宋春舫（1892—1938）是近现代著名的戏剧理论家、剧作家，更是当之无愧的推介中国现代戏剧的先行者。宋春舫是最早也是真正向国内介绍了欧美近现代戏剧的第一人，不但使初生的中国话剧得以和世界戏剧同步发展，而且开“五四”戏剧运动

被历史重新记起的春润庐（位于今杭州北山路 54 号。这是前面的润庐现貌）

乃至后来中国现代戏剧运动的先声。

中国历史上，一个地域常有数个著名文化世家绵延发展，才人辈出，而且同一地域或邻近地域的文化望族往往会世代联姻，所以中国历史常是一本熟人历史，文学史也是。以浙地明清以来文学史为例，就有清初诗人查慎行是词人朱彝尊的表弟，当代小说家金庸和现代诗人徐志摩、穆旦都是堂表兄弟等掌故。

和王国维一样，宋春舫也是一个传奇人物，可惜英年早逝，又因种种原因在文学史上隐身或“被隐身”。但他对中国现代戏剧发展的贡献值得深入发掘。

宋春舫家学渊源深厚，1905 年他 13 岁时就在清末最后一次科举中考取秀才，后去上海学习新学，其间对欧美戏剧萌生兴趣，所谓一见钟情，此后一生未改。1909 年，宋春舫用文言文翻译欧美剧本，成为最早翻译介绍欧美剧作的先驱者之一。

阅读链接：

陈铭：《潮落潮生——王国维》，浙江人民出版社，2004年版。

陈子善编著：《宋春舫：从莎士比亚说到梅兰芳》，海豚出版社，2011年版。

张若英编，胡适题、王哲甫著：《中国新文学运动史》（民国版影印本），景山书社，1933年版。

1914年宋春舫留学瑞士攻读政治经济，学业之余继续关注欧美戏剧，游学法、德、意、美时多学习戏剧。1916年，宋春舫回国，后受聘北京大学等大学，讲授欧美戏剧、戏剧理论及比较文学课程。在大学开设戏剧课，宋春舫是自古第一人。

宋春舫归国后，为了启蒙，在京沪两地的《新青年》《东方杂志》《时报》《申报》等报章杂志上写了很多宣传欧美戏剧新思潮、新观念的文章。如1918年10月《新青年》第五卷第四号"戏剧改良专号"发表了他的《近世名戏百种目》。这是宋春舫的名字首次出现在"五四"新文化运动大事记中，标志着原本仍给人通俗文学、消遣文化印象的戏剧，从此和小说、诗歌、散文一起被纳入了"文学革命"的重要历史进程。宋春舫的存在还显示了中国未来的话剧运动、话剧创作和学习借鉴欧美戏剧的密切关系。

20世纪30年代初，宋春舫辞去在外交部、法院等处的显赫优厚职务，一心专研戏剧。他在20世纪二三十年代出版了《宋春舫论剧》一到三集。其中剧本有独幕喜剧《一幅财神》、三幕喜剧《五里雾中》和《原来是梦》等，都是讽刺喜剧，而且都属"短剧"。他还写过一部极短的"未来派"三幕剧《盲肠炎》。宋创作的剧本很少演出，但他在话剧形式探索上的不倦努力值得肯定。

1923年出版的《宋春舫论剧》第一集是"五四"时唯一一本系统介绍国际戏剧思潮流派、探讨如何发展中国话剧的专著。宋春舫对西方戏剧的推介是无私的、倾尽全力的，并进行了全

方位、紧跟式的评价和介绍，后来在中国大热的表现派、未来派、象征派戏剧和小剧场运动等等，都是他首次介绍到中国来的。丽水人、著名戏剧史家赵景深后来回忆说，宋春舫是戏剧（尤其是话剧）的先知先觉或老前辈，赵最早读的戏剧理论启蒙书就是《宋春舫论剧》第一集。

1926 年初，宋春舫在上海创办了“中国戏剧社”，以“研究戏剧艺术、建设新中国国剧”为宗旨，成员有闻一多、梁实秋、洪深等人。

20 世纪 30 年代出版的、我国第一部现代文学史著作《中国新文学运动史》（王哲甫著），在“新文学创作第一期”的戏剧创作中，就把宋春舫与田汉、熊佛西、洪深、欧阳予倩、丁西林、郭沫若等戏剧家相提并论，评价很高。

1937 年抗日战争爆发。1938 年，宋春舫因病去世，年仅 46 岁。历史车轮隆隆向前，很快人们就忘了他。苏轼的诗“事如春梦了无痕”也许能形容宋春舫在近现代文学史上的惊鸿一现。

苏轼的诗还有前一句“人似秋鸿来有信”，数十年后，宋春舫被历史淡忘多年后又重新被记起，随即也被重新记起的还有他的“春润庐”，他的别号“春润庐主人”就因此而来。春润庐在杭州西湖边民国名人旧居林立的北山路上，是宋春舫和亲戚好友朱润生共同建造的，庐内有两栋别墅“春庐”“润庐”，里面的那座是宋春舫的“春庐”。春润庐在 20 世纪二三十年代曾被称为不挂牌的“北京大学招待所”，住过很多来杭的北大著名教授，其中多有浙江文化名人，绍兴人蔡元培是春润庐较早的房客，此后还有杭州人马寅初等。来春润庐拜访过的文化名人就更多了，浙地文学家就有章太炎、徐志摩、马一浮等。春润庐记录了一段气质温润、韵味绵长宛如传说的文化岁月，也从侧面见证了浙地戏剧在近现代戏剧史中不可忽视的地位。

乱世都市忧思：屋檐下的梅雨天

青年夏衍像

夏衍（1900—1995），原名沈乃熙，字端先，杭县（今杭州彭埠镇）人。作为新文化运动领军人物之一的夏衍的成就是多面的，就像他有很多身份，如剧作家、电影剧作家、文学评论家、文学艺术家、翻译家、社会活动家等，他的作品类型也很丰富，如著名的报告文学《包身工》等。不过，论到他的当行本色，应该还是戏剧。

夏衍凭借历史剧《赛金花》《秋瑾》和现实主义戏剧《上海屋檐下》《法西斯细菌》等力作尤其是代表作《上海屋檐下》，成为中国现代文学史上最出名、也是最出色的戏剧作家之一。如果提炼夏衍文学创作的关键词，其实和他的浙地老乡、同为革命文学先导者的茅盾的有些像，如都市文学、革命文学、严谨的现实主义风格，如深刻的剖析艺术手法、高远的理论高度、超然的观照、明晰的思想，还有朴素的语言、平淡的风格，这大概也是夏衍能把茅盾的小说《春蚕》《林家铺子》改编成成

夏衍旧居

功的电影剧本的重要原因。两人文学创作风格的相似性和他们同生长于浙地文化之中，相似的孤儿出身造就的早熟性格等都有关。当然，两人创作风格骨子里还是各有特色的，夏衍作品的情感更细致精微，文风更富于诗意、妥帖婉转，浓郁的现场感之外，悠远的历史观、纵深感更强。

中国现代作家中，多有坚忍强韧、历经重重历史磨难而享长寿的，如施蛰存，再如“文化大革命”中被冤入狱 8 年多、被折磨成残疾的夏衍。这两位杭州作家，都是“世纪老人”，活到了近百岁。夏衍成名很早且一直盛名未衰，施蛰存也成名很早，后来一度名声湮没，晚年声望又重现。他们都以自己源自时代的坚实创作基础，还有与时代同呼吸、响应时代内在召唤的清醒创作理念，也就是源自浙地文化的刻苦坚守和顺应时世精神，使自己的名字获得历史的深切认可。

夏衍早年在杭州读书时，积极响应“五四”运动，和同学创办了浙江首个进步

刊物《双十》（第 2 期改名为《浙江新潮》）。后公费留学日本，期间接触了马克思主义。1927 年被日本驱逐回国，同年加入中国共产党。1929 年，他参与创办了党领导下的第一个戏剧团体——上海艺术剧社，推动了革命戏剧运动的发展。他还和鲁迅筹建“左联”，后又发起组织“剧联”。1933 年又开始涉足电影剧本创作，改编（也是重新创作了）《狂流》《春蚕》等电影剧本，成为中国进步电影的开拓领路者。夏衍在 1935 年写了历史剧《赛金花》和《秋瑾》，寄托了对现实的深刻讽喻。1937 年他完成了代表剧作之一《上海屋檐下》，对抗战前夕“山雨欲来风满楼”的时代氛围有确切真实的认识和表现。夏衍自 1935 年开始，一生大约创作（包括翻译和合作）剧本 30 部，这对 20 世纪 30 年代的革命文学尤其是革命戏剧运动影响很大。

抗日战争爆发后，夏衍到各地开展救亡运动，1940 年完成剧作《心防》。后到重庆，在周恩来领导下，主持大后方的文化工作，曾出任《新华日报》代总编的重要职务，期间写了大量杂文、政论。百忙中夏衍仍不忘本行，继续进行话剧、电影剧本创作。1941 年他完成另一代表剧作《法西斯细菌》，还改编创作了《在烈火中永生》《革命家庭》《祝福》《林家铺子》等电影剧本，主题仍是他一贯坚持的爱国、革命和对乡土人民的关注。他改编的对象不乏鲁迅、茅盾等浙地名家的名作。改编本来就难，改编这些大家的作品更是难上加难，不过夏衍以非凡的气度、胸襟，不但成功改编了这些作品，还使改编带上成熟鲜明的“夏衍”特色，委实难得。

当然,“夏衍”特色表现得最明显的还是他自己的话剧创作。且以他的代表作《上海屋檐下》为例。

首先,《上海屋檐下》体现了对大时代中的小人物命运的深切关注和同情。这和鲁迅、茅盾等人的创作主旨一致。夏衍通过对大都市小知识分子与小市民平凡人生、日常生活纷繁琐碎片段的真切准确把握，发掘了其中深藏的典型性、戏剧性，他曾在《谈〈上海屋檐下〉的创作》文中表示想要“从小人物的生活中反映出一个即将来临的大时代”。《上海屋檐下》和鲁迅的《祝福》、茅盾的《林家铺子》都是写小人物故事，文笔平淡如水，却体现了现实和历史的双重深刻。夏衍通过一群聚集在上海同一个“屋檐下”的“小人物”们的生活和悲喜，以小见大，反映了一个宛如“梅雨天”的时代。

其次，夏衍不愧为出色的剧作家，每部作品里都设计了精确精巧的情节、时空，并蕴含丰富微妙的意象、意境。《上海屋檐下》写了1937年春夏之间的一天里，发生在上海某“亭子间”里的一系列寻常又不寻常的事。然后取时空横切面，在同一舞台空间里同时展开五户人家的悲喜剧,清晰、明确地体现了现实人生的复杂、丰富、真实性。再如反复出现“黄梅天气”的暗示，象征一个虽沉闷、却即将有大事爆发的时代。

其三，就像《上海屋檐下》的台词“坏天气总有一天要过去的，将来好的天气就要来了”，夏衍和浙地很多作家作品一样，既有直面惨淡人生的勇气和冷静，又对未来充满希望和温情，仿佛含着苦涩眼泪的浅浅微笑，淡淡抒写悲欣交集的复杂心情。又宛如杜甫的诗作，乱世中的深刻忧患意识、现实主义情怀、为国为民至死不渝的热忱，都在其中。剧本写了一对夫妻、一家人的悲欢离合，却不是浅薄简单的言情剧，爱情婚姻故事折射了大时代的变化轨迹。剧本写了革命者匡复入狱8年后被释放，却发现妻子因为误认为自己死了，已和自己托付妻女的好友同居，女儿

也不记得他了，这真是一个真实得有些残酷的故事。不过，在大时代的召唤下，夏衍笔下人物并没有陷于个人的痛苦中不能自拔，如匡复在孩子们唱的《勇敢的小娃娃》歌“大家联合起来救国家”所象征的对未来的向往感召下，克服了感伤软弱，重新振作，毅然走上“救国家”的道路。雷声响过，“黄梅天般的天气”即将过去，新时代即将到来，那是一个个人情感置后、国家利益在前的救亡时代。夏衍给出了最清楚的历史预告和现实摹写，不愧大师手笔。

阅读链接：

陈坚、张艳梅：《世纪行吟——夏衍传》，浙江人民出版社，2006 年版。

夏衍：《上海屋檐下　法西斯细菌》，人民文学出版社，2007 年版。

陈坚：《夏衍的艺术世界》，中国戏剧出版社，1993 年版。

朱生豪和他的莎剧译本：苦难中的使命感

莎士比亚作为英国乃至世界文学史、戏剧史上最杰出的作家，深受中国现代剧作家的推崇。不过，正如少年诗人殷夫的《自由颂》译文“若为自由故，两者皆可抛”胜过很多大家的译文，中国现代文学史上翻译莎翁最出名的，不是1921年最早翻译《哈姆雷特》的著名剧作家田汉，也不是1930年翻译《麦克白斯》的杭州诗人戴望舒，不是擅译莎翁悲剧的诗人卞之琳，也不是留学欧洲、身为翻译莎翁先驱者的湖州剧作家宋春舫，甚至也不是和宋春舫一样曾任青岛大学图书馆馆长、留美的余杭散文家梁实秋，而是一辈子没离开过浙地、名气不大的朱生豪。

即使偏爱卞之琳“以诗译诗”的华美诗式翻译的人，仍不能否认朱生豪和梁实秋这两个浙江人是翻译莎翁最有代表性的人。相比之下，朱生豪先天基础、后天条件都大不如梁。梁实秋留美多年，朱生豪只是杭州之江大学国文系的学生。梁实秋从1930年开始翻译莎翁剧作，1936首次出版他译的莎翁剧8种，到1967年他以近40年时间最终完成了《莎士比亚全集》的翻译。而朱生豪从1937年开始翻译莎翁，比梁晚，而且他英年早逝，到1944年去世时共译得莎翁喜剧、悲剧等31种，还有历史剧和诗歌未及译完。而朱生豪居然只凭未完成的译文，以倾心喜爱与呕心沥血淬炼而成的自然本色的译文，就被许多人认为比梁译更有韵味、贴近本意，可谓奇迹。这不但因为朱生豪个人的传奇生平和坚忍不弃个性，还得益于时势造英雄，所谓“国家不幸诗家兴”。

朱生豪（1912—1944）出生于嘉兴一个小商人家庭，幼年丧父丧母，生活困苦，但学习格外刻苦。他被保送进大学后依靠天分和超越常人的努力，中文和英语都得到很大提高，这是日后他的莎翁译文达到当时最佳翻译水准，令欧美文坛为之震惊的坚实基础。最重要的是，朱生豪大学二年级时参加了“一代词宗”夏承焘先生为导师的“之江诗社”,一时有“之江才子”之称，才华深受夏先生称赞，以小友而非弟子相待，认为之江办学几十年，只有一个朱生豪。朱生豪译的莎翁集虽没押韵，却充满诗意诗趣，他也说自己的译文是不拘泥于字句的诗而非散文，这都和他年轻时参与诗社、濡染传统诗词深厚意韵有很深关系。这也是“朱译”在很多人心里胜过散文家所译、西洋文学味较浓的“梁译”的重要原因。作为诗人，朱生豪对莎翁诗剧的理解自然深入真切，比旁人更深得其心其韵，他认为莎翁最大的好处、能深入人心的缘故是具有永恒、普遍的人性，所以他能用中国诗意抓住莎翁内心。

20年纪30年代时文禁森严，鲁迅等人号召转变斗争策略，提倡翻译外国进步革命文学。1935年有“翻译年”之称。就在这年，23岁的朱生豪立志独译莎翁全集，为国人学习西洋最经典戏剧提供借鉴，从此踏上十年译莎翁的艰苦文学之途。

此后，世事多变，但朱生豪初衷不变，他带着一部英文原版《莎士比亚全集》在战火中流离失所，却仍笔译不止。他从早到晚，埋头伏案，握笔疾书，除了吃饭甚至极少下楼、离开书桌。到1944年，因为过于劳累，朱生豪身体恶化，他却欣

喜莎剧已大部分译好，感慨“不管几时可以出书，总之已替中国近百年来翻译界完成了一件最艰巨的工程”（见他给弟弟的信）。坚持到1944年11月底，朱生豪在抗战胜利前夕，贫病交迫，心力交瘁，终于留下即将全部完成的莎翁译文而去，年仅32岁。他病危时口中仍念着英语，夫人宋清如听得明白，他仍在背诵莎剧台词。

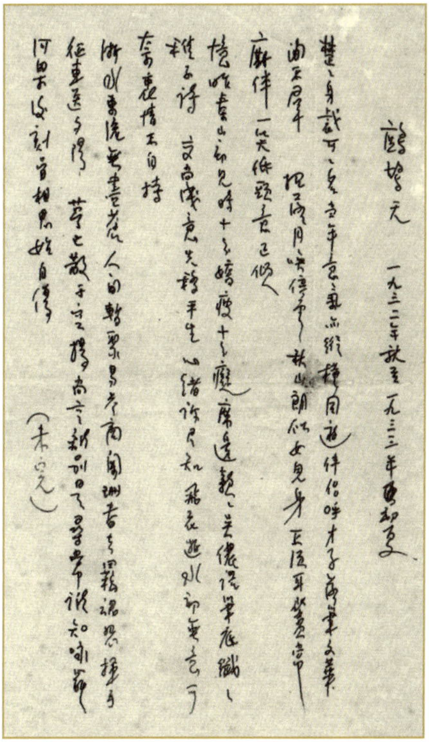

朱生豪写给宋清如的情书，以《鹧鸪天》词书写了一代才子才女的爱情传奇

为译莎苦吟而死，千古唯有朱生豪。朱生豪所以能在极端艰苦的环境下完成译莎重任，用三分之一的生命填补中国文化空白，除了本人对莎翁的热爱和兴趣之外，高度的爱国主义精神是促成他完成这一重任的重要原因。只求能为国家做件有益的事，在中国读者间普及这位大诗人的作品，不让国外的人笑我们连完整的莎翁译作都没有的简单初衷，是支持他十年毫无现实功利目地翻译莎翁的最大动力。当他在日军严酷封锁的清乡区，在贫病交加之中进行莎剧翻译时，“兴趣”已经转化为具有爱国主义底蕴的“文化使命”了。就像他给妻子宋清如的信里说的，他要做翻译莎翁的民族英雄，所以耐得寂寞。

朱生豪短促坎坷的一生，仅留莎剧译稿，直至他去世后两年多的1947年，才出版了27个剧本。1948年初，上海世界书局打出广告，隆重推出新书《莎士比亚戏剧全集》三巨册，声称“原著光芒万丈，世界文学瑰宝；译文优美流利，保持原作

神韵”。1954年，朱生豪的遗译31个剧本全部出版，据说美国文坛为之震惊。

朱生豪被誉为我国译莎翁第一人，译文质量出类拔萃，还被称为“前不见古人，后不见来者”的莎翁知音和译文楷模，并造就了中国一代又一代的莎翁迷，历史地位和功绩卓著。

朱的妻子宋清如无怨无悔的倾力相助也是朱完成莎译的坚实基础。宋清如也是之江诗社成员，还是大户人家的小姐，气质高雅，容貌美丽，是有名的“校花”。她又是个才女，发表的新诗被施蛰存赞誉为“有不下冰心之才”。没有宋清如，朱生豪也不完整。

近现代多志同道合的文学夫妻，以浙地文化人为例，不为人熟知的，如陈梦家和赵萝蕤，再如朱生豪和宋清如，毫不逊色于现代文化史上为人羡慕的钱钟书和杨绛、陈西滢和凌淑华等伉俪。朱宋伉俪还有540首书信的《朱生豪情书（书信）集》，两人诗词唱和，见证了这段和时代相携、虽然并不风花雪月却优美明澈如诗如剧的文学姻缘，其纯善美、源自于浙地文化的坚贞不改羡煞那些虽然一开始轰轰烈烈却不得善终，最后丑陋不堪的才子佳人爱情。

阅读链接：

朱生豪：《莎士比亚全集》，人民文学出版社，1994年版。

朱宏达、吴洁敏：《朱生豪莎士比亚戏剧的译介思想和成就》，《嘉兴学院学报》，2005年5期。

吴洁敏、朱宏达：《朱生豪传》，上海外语教育出版社，1989年版。

戏说人生

浙江是中国的戏曲之乡。

南宋时，

戏文在温州诞生；

元代时杭州是

北杂剧创作演出的中心之一；

明代，

海盐腔、余姚腔，

出自浙江；

清代，

形成了婺剧、绍剧、瓯剧等

浙江主要地方剧种。

引 言

浙江的文化艺术历史悠久，源远流长。浙江浓郁的乡土风情不仅孕育了绚丽多姿的浙江民间艺术，而且为浙江地方戏曲曲艺的形成发展提供了最为适宜的艺术土壤和文化氛围。浙江境内不仅龙舞、狮舞、竹马、高跷、灯会遍及城乡，山歌、田歌、渔歌、民间器乐种类繁多，而且浙派古琴、德清前溪舞蹈更具有深远的历史影响。特别是浙江的戏曲曲艺艺术，历史之悠长，种类之丰富，更有所谓一部中国戏曲曲艺史半部在浙江的说法。丰富多彩的浙江地方戏曲曲艺艺术，是浙江文化的重要组成部分。

素称“文化之邦”的浙江，物华天宝，人文荟萃，文化艺术历史悠久。浙江不仅是中国美术、书法大省，更是中国戏曲之乡。

南宋时，中国完整的戏剧形式——戏文在温州诞生。元代，杭州是北杂剧创作演出的中心之一。而到明代，颇有影响的戏曲“四大声腔”中的海盐腔、余姚腔，又相继同源出自浙江。到了清代，浙江戏曲舞台又盛演“高、昆、徽、乱”诸腔，形成了婺剧、绍剧、瓯剧等浙江主要地方剧种。自清末民初始，

浙江的民间曲艺与说唱滩簧结合，逐渐形成了富有浙江地域特色的越剧、甬剧、姚剧、湖剧、睦剧、杭剧等地方剧种，且尤以越剧的影响最大。

浙江戏曲不仅历史悠久，种类繁多，而且人才辈出。不少杰出的戏剧家，如元代的高则诚，明代的徐渭，清代的李渔、洪昇，以及近代的王国维等，均出自浙江。他们创作的《琵琶记》《南词叙录》《闲情偶寄》《长生殿》《宋元戏曲考》等戏剧作品和理论著作，对丰富和发展中国民族戏曲艺术作出了不朽的贡献。

浙江的演艺文化，除了戏曲之外，民间曲艺也是其重要的方面。浙江得天独厚的自然条件，良好的社会、地理环境，以及交通、工商业的发达，为浙江曲艺文化的发展提供了十分有利的条件，也为浙江曲艺的繁兴奠定了坚实的基础。

浙江曲艺早在宋代就已相当繁荣。当时演出的曲艺品种说唱形式丰富，有讲史书、小说、说经、说诨话、弹唱因缘、诸宫调、鼓子词、道情、陶真、涯词、合生、小唱、嘌唱、唱京词、耍令、学像生、学乡谈等。仅临安有游艺场性质的瓦子 30 多家，长年有曲艺艺人在此演唱，各曲种的名艺人达百余人，并有雄辩社、遏云社等行会组织，还出现了专业和业余的曲艺书会才人。至元明两代，浙地曲艺仍有评话、弹词、词话、道情、渔鼓流行。清代浙江的曲艺样式如评话、南词、鼓词、滩簧、宣卷等尤为盛行。1911 年辛亥革命后，浙江不少曲种因受城市社会发展的影响，为适应市民阶层娱乐的需求，不论表演形式或曲目内容都在与时俱进，演出从一人、二人转向多角，从浅妆变成艳妆，从平台走向高台，并逐渐形成曲艺向戏曲演变的趋势。其中演变最大且发展最快的，要数嵊县的“落地唱书”。这一时期杭州地方曲种宣卷，也顺应时代潮流，从“化妆宣卷”“锣鼓宣卷”，发展成“武林班”，成为舞台演出的杭剧。同时，受辛亥革命及“五四”新文化运动的影响，为适应城市市民追求时新好奇和改变社会生活枯燥乏味的需要，一时赶“文明”时髦的新兴曲种也应运而生，如出现在杭州街头巷尾演唱的“小热昏”、舞台演出的“独脚戏”以及活跃在

宁波和舟山一带的"唱新闻"。另外，浙江滩簧类曲艺在民国时期也有了较大的发展。浙江的余姚滩簧、湖州滩簧、宁波滩簧等，其结构形式可长可短，能伸能缩，唱腔具有舒展与活泼的特点，演唱起来特别能上口，具有柔婉抒情的浓厚江南水乡特色。民国前后，为求得曲种的生存和发展，这些曲种顺应时代趋势，进入城市，形成了滩簧（曲艺）和滩簧戏（戏曲）并存的演出局面。

作为越文化的重要组成部分，浙江戏曲曲艺不仅内容丰富，而且有着鲜明的个性特征：

第一，浙江戏曲曲艺有着悠久的发展历史。除南宋杂剧、话本小说在临安的瓦舍勾栏演出外，中国最早成熟的完整戏剧形态——温州戏文，就诞生在浙江。此后，在中国戏曲曲艺发展千余年的漫长旅途中，可以说，每一个阶段都有浙江戏剧曲艺的足迹，每一个阶段都有浙江戏曲作家作品作出的重要贡献，以至不少学者认为："一部中国戏曲曲艺史，半部要写浙江。"这是不无道理的。

第二，浙江戏曲曲艺有着深厚的文化底蕴。浙江文化积淀深厚，为戏曲曲艺的形成与发展提供了良好的土壤和生态环境。浙江境内既有自明代就开始孕育发展起来的古老剧种，如新昌调腔、宁海平调、松阳高腔，又有明末清初随着经济发展而出现的婺剧、绍剧等大剧种，更有随新时代应运而生的甬剧、姚剧、湖剧等年轻的小剧种。而浙江的地方曲艺就其演出形态而言，又有评话、南词、滩簧、走书、鼓词、道情、宣卷、锣鼓

书等八类共数十个曲种。这些大小不一、时间先后的地方剧种曲种，深受浙江不同时期文化学术思想的影响，更是浙江文化的一种独特载体。

第三，浙江戏曲曲艺有着鲜明的地域特色。浙江地域面积不大，但方言众多，民俗各异，从而形成了浙江戏曲不同风格的演出格局。其中浙南、浙西地区演出以乱弹、徽戏为主；浙北、浙东地区演出以昆剧、滩簧、京剧为主。而年轻的越剧，则成为全省城乡观众最受欢迎的戏曲样式。它不仅集中体现了浙江戏曲文化的诸多特点，而且是浙江地域文化的一种独特表现形式，并成为浙江最具地方特色的代表性剧种。与此同时，浙江的曲艺也因地域的不同，同一形态的鼓词、道情、滩簧，在各地的发展过程中又有不同的称呼与变异，形成了富有当地特色的艺术形式。其中杭州小锣书（又名杭州小热昏）、绍兴莲花落、金华道情、温州鼓词、宁波走书则成为浙江最具影响的五大地方曲种。

第四，浙江戏曲具有鲜明的时代特点。从宋杂剧、宋戏文，到元杂剧、元南戏，再到明清传奇及各地方剧种曲种的形成，浙江的戏曲曲艺创作演出大都能够适合社会的发展，时代的要求，以满足不同时期人民群众的欣赏需求。尤其是浙江越剧及诸多滩簧小戏的发展历史，更体现出了与时俱进的时代要求。

本专题收录新昌调腔、永嘉昆剧、宁海平调、婺剧、绍剧、瓯剧、甬剧、越剧、滑稽戏等 9 个地方戏曲剧种，以及杭州评话、四明南词、湖州琴书、宁波走书、绍兴莲花落、温州鼓词、金华道情、杭州小热昏等 8 个曲艺曲种。目前这些具有浙江特色的地方剧种、曲种，仍在浙江城乡的剧场、书场演出。

新昌调腔：中国戏曲的活化石

作为中国最早成熟戏曲（即南戏）的诞生地，浙江的戏曲演出源远流长。而在近代浙江，演出最具影响的古老剧种当推新昌调腔、宁海平调和松阳高腔等一批高腔剧种。其中新昌调腔又有“中国戏曲的活化石”之称。

新昌调腔，又名新昌高腔，是浙江的主要高腔剧种，也是浙江省现存较古老的地方剧种之一，明末清初开始流行于浙江新昌、嵊县、余姚、三门、宁海、临海等地。因保存有晚清以前的古剧抄本较多，且多数剧目已是“人无我有，极为珍贵”，并能搬上舞台演出，如元杂剧《北西厢》《汉宫秋》等，故被誉为“中国戏曲的活化石”。

调腔之名最早见于明末清初绍兴人张岱的《陶庵梦忆》。相关学者认为调腔曾是明代四大声腔“余姚腔”的遗音。

清初，调腔进入全盛期。清道光年间，浙江的调腔班社发展迅速。萧山名宦汤金钊之侄益大少爷曾创建有“汤群玉”班。此后，调腔班多以“群玉”命名。

据相关资料，咸丰、同治间，绍兴城里尚有老群班、应群玉、双鱼群玉、双鱼锦林、双鱼贤记等调腔班社相继涌现，俗

新昌调腔《挑水伯》

称绍兴五块头，统称群玉班。到了清末民初，活动于绍兴、萧山等地的调腔班，还有日日新、月月明、文秀舞台、生生舞台、天蟾舞台、老大舞台、大统元、共和舞台、丹桂越中台、桂仙舞台、新大舞台等。这些戏班大都流动演出于宁波、绍兴、台州及上海一带。但到民国时期，这些调腔戏班大都奄奄一息。而在浙江新昌一地，调腔戏班至清末尚有宋凤台、老凤台、张老凤台、吕老凤台、五老凤台、锦凤台、凤舞台、越舞台、连升群玉、大三元、大通元、新大通元等，民间曾有“新昌十二副半调腔班”之说。这些调腔戏班中的多数，直到民国时期仍有演出活动，故称“新昌调腔”。

“古戏”和“时戏”是新昌调腔传统剧目的两大类别。古戏题材以家庭伦理为主，多演宋元南戏、明清杂剧传奇，主要剧目有《北西厢》《琵琶记》《牡丹亭》等。时戏题材则多为征战杀伐或忠奸斗争，以乱弹剧目为主，主要有《双玉燕》《双玉配》等。

新昌调腔脚色行当共有3个门类、12种脚色，通称三堂、十二色。即白脸堂〔有正生、老生（外）、副末、小生4种脚色〕、花脸堂〔有大花脸（净）、二花脸（副净）、小花脸（丑）3种脚色〕、旦堂（有正旦、贴旦、小旦、老旦、五旦等5种脚色）。十二色即三花、四白、五旦堂，俗称“十二先生”。这“十二先生”又有“四柱”（即正生、正旦、小生、小花脸）和“八档”（即其余脚色行当）之分。其表演文武兼备，粗中有细，刚中带柔。

新昌调腔的音乐以〔调腔〕为主，兼及〔昆腔〕与〔四平〕。其中调腔为“不托管弦，徒歌清唱，人声帮腔，锣鼓伴奏”的曲牌体音乐。〔调腔〕音乐的特色首先是人声帮腔，用于渲染气氛，烘托剧情，制造悬念，刻画人物具有独特作用；其次是锣鼓助节，即不用管弦，只以打击乐伴奏。新昌调腔音乐风格，“古戏”与“时戏”不同。早期调腔的演唱典雅清丽，表演细腻感人，故“古戏”典雅清丽，体局静好。新昌调腔因后来长期在农村流动演出，形成粗犷、豪放、雄浑的演唱特点，故“时戏”高亢激越，气势磅礴。

阅读链接：

杨建新主编：《新昌调腔》，浙江摄影出版社，2009年版。

中国戏曲志编辑委员会编：《中国戏曲志·浙江卷》，中国ISBN中心，1997年版。

《中国戏曲剧种大辞典》，上海辞书出版社，1995年出版。

特色鲜明的永嘉昆剧

浙江是中国昆剧艺术重要的发源地和流布区域。浙江昆剧演出除被誉为“正昆”的苏昆外，还有被誉为“草昆”的宁波昆剧、永嘉昆剧、金华昆剧等，其中尤以永嘉昆剧最具代表。

永嘉昆剧，又称温州昆剧，是明万历年间苏州昆腔传入温州后，受温州当地的语言、民俗等影响，逐渐形成的地方昆剧剧种。永嘉昆剧从清中叶开始流行于浙江东南地区各县，以温州、永嘉、瑞安、平阳为中心，北至台州、温岭，西至丽水、松阳，向南则达福建省的福鼎县、霞浦县一带。

明嘉靖、隆庆年间，昆山腔经过改革发展成昆曲（水磨昆山腔）以后，分化成雅、俗两部分。雅昆曲称为“正昆”，俗昆曲称为“草昆”。永嘉昆剧则是俗昆曲（草昆）的一部分，是地方化、通俗化的昆剧。

早期永嘉昆剧的演出包括在“三合班”（高腔、昆腔、乱弹）里。清咸丰七年（1857），由昆剧净、丑脚阿桃儿师公发起，与正生朱盛、花脸邹阿青、正旦蔡阿钟、正吹周正等二十多人，组织永嘉第一个昆班社，取名“同福”，于咸丰八年（1858）农历正月初一在温州郊区杨府殿开锣。这是“同福”昆班的首次演出，也是永嘉昆剧独立成班后的首次演出。当时“同福”昆班演出的地点，大都在温州和台州两府的乡间海岛，俗称“沿山班”，或叫“水路班”。

清同治年间，永嘉昆剧除“同福”外，尚有“品玉”昆班。同治、光绪至民国

阅读链接：

杨建新主编：《永嘉昆剧》，浙江摄影出版社，2009 年版。

中国戏曲志编辑委员会编：《中国戏曲志·浙江卷》，中国 ISBN 中心，1997 年版。

《中国戏曲剧种大辞典》，上海辞书出版社，1995 年出版。

年间为永嘉昆剧演出的鼎盛时期。当时演出的班社多达三四十个。其中清光绪年间有新品玉、新同福、洪春班；清宣统（1909）有小同福；民国元年（1912）有新正福；民国四年（1915）有祝共和班；民国六年（1917）有锦春花班；民国二十二年（1933）有新品福、品福、玉福班及江南春班；民国二十九年（1940）有“一品春班”（由品玉与江南春合并组班）。另有锦福班、日秀班、三星班、金玉班、寿星班、春田班、玉品春、新品春等班。其中最有名的戏班为新同福与新品玉。他们是永昆的两大台柱，时称“品玉行头好，同福价钿老”。

温州昆班的剧目有两大类：一类是传统戏，约有一百二十多种，包括宋元南戏《荆钗记》《白兔记》《杀狗记》《琵琶记》等 12 种；明清传奇《春灯谜》《燕子笺》《一捧雪》《永团圆》《占花魁》等 32 种；另一类是永昆艺人独创的剧目《对金牌》《钟情记》《女贤良》《错中冤》《惠中缘》《紫金鱼》《合明珠》等 42 种。

永昆艺人面向农村演出传统戏时，为了适应农民群众的欣赏水平，往往能做到“删繁就简，化雅为俗”，对有些剧目的场次结构和曲文宾白进行改造，给予通俗化的处理，为了跟原本有所区别，一般都在剧名前冠以“花”字，如《花琵琶》《花荆钗》等。

温州昆班的脚色最初有小生、正生、当家、花旦、大花、小花，外加鼓板和正吹，称“八脚头”。后随戏剧人物的增加，脚色发展到 3 门 15 脚，即白脸门 4 脚（正生、小生、外、末）、

永嘉昆剧《折桂记》

花脸门 4 脚（大花脸、二花脸、小花脸、四花脸等净行与丑行）、包头门 7 脚（正旦、老旦、小旦、花旦、贴旦、丫头旦、搽旦），并俗有“七死八活”之谚。即一个戏班有小生、老生、正旦、当家旦、大花、二花及乐队中的正吹、鼓板八人即可演出之意。

永昆以生旦戏为主，演出的文戏占大多数，武戏的比重较少。永昆班的表演艺术与苏昆的细腻、委婉相比，身段动作接近生活，具有古朴、自然、明快的特点。其剧种特点在《游园》《佳期》《追舟》等折子戏中表现得尤为鲜明。

永昆的声腔，既有与苏昆同牌同调的，也有同牌异调和独有曲牌。演唱中不受传统联套宫调规律限制，可以同宫异调联套，甚至在某一曲牌中间转调，呈现出极大的灵活性和丰富性。

诸腔并存的婺剧

婺剧，又称金华戏，主要流行于浙江金华地区。因金华古称婺州，故名婺剧。婺剧清代中叶以来除流行浙江金华地区外，还流布到浙江衢州，台州，杭州的建德、淳安、桐庐，以及江西的赣东北一带。

自南宋建都临安以来，金华便成为浙、皖、赣三省重要的通渠要道。商业的繁荣带来了戏班演出的盛行。特别是明清以来，金华地区各戏班诸腔杂陈。清乾隆年间流行在金华一带的高腔戏班曾与当地的昆腔班争胜。两班艺人演出时逐渐兼唱，出现了最早的高昆合班——“两合班”。清中叶乱弹盛行于金华。于是，当地又出现了兼唱高、昆、乱的“三合班”。至清末民初，金华一带流行的戏曲声腔，除传统的高、昆、乱三腔外，还有徽调、滩簧和时调。这样，金华的诸多戏班往往能兼唱多种声腔，形成了带有金华独特地域色彩的多声腔剧种。

在婺剧的多声腔中，高腔有西安、西吴、侯阳三种。其中侯阳高腔流行于东阳、义乌一带，擅演武戏。西吴高腔因在金华北乡的西吴村开设科班而得名，其唱腔多滚唱。西安高腔流行于衢州一带，衢州古称“西安”，故名。其曲调字多腔少，

婺剧《白蛇前传》

具有一泄而尽的特点。这三种高腔都是弋阳腔地方化的结果，至今还保留着曲牌体的形式，具有“锣鼓助节，一唱众和”的特点。

婺剧中的昆腔，则是苏昆流传在金华的一个支派，又称金华昆腔或“草昆”。其唱功不及苏昆严谨文雅，且以武戏为主。

另外，婺剧中的乱弹，亦称浦江乱弹，由安徽太平（今当涂一带）和旌阳（今旌德）经天目溪流入浦江等地，现安徽已失传，唱腔以〔二凡〕和〔三五七〕为主，〔芦花调〕和〔拨子〕也常采用。

除高、昆、乱三大声腔外，婺剧中的徽戏，主要从皖南经新安江流入，今在安徽因受京剧倒流影响，已近失传，而婺剧中的徽戏，却较完整地保存了原貌。它的唱可分为“徽乱”和“皮黄”两类。

而婺剧中的滩簧声腔又与苏州滩簧有关，系苏滩随昆腔传入金华地区，并由苏滩清唱搬上舞台。婺剧滩簧又有浦江滩簧、兰溪滩簧和东阳滩簧之分。

此外，在婺剧的多声腔音乐中还有时调。它由当地民歌小调和歌舞发展演变而来，并以表现农村生活题材居多。

婺剧班社因其兼唱的声腔不同，分为三合班（兼唱高、昆、乱）、两合半班（兼唱昆、乱、徽戏，而无高腔）、乱弹班（以乱弹为主，兼唱徽戏）和徽班（以徽戏为主，兼唱滩簧、时调等小戏）。

婺剧的传统剧目十分丰富。其中高腔剧目有30多本，如《槐荫记》《合珠记》《白兔记》等；昆腔剧目以武戏为主，如《倒精忠》《翻天印》《取金刀》《金棋盘》《火焰山》《九曲珠》《通天河》《飞龙传》等；乱弹剧目有130多本，如《芦花絮》《桂芝写状》《雪里梅》《珍珠衫》等；徽戏剧目有《二进宫》《法门寺》《青龙会》等；滩簧剧目有《僧尼会》《断桥》《牡丹对课》等；时调剧目有《走广东》《卖棉纱》《王婆骂鸡》等。在上述六类剧目中较有影响的剧目有《黄金印》《孙膑与庞涓》《三请梨花》《断桥》《西施泪》等。

金华婺剧的脚色行当颇为齐全，有四花面、四白面和五旦堂之说，又有“十三顶半网巾”称，即四白面〔小生、老生（正生）、老外、副末〕；四花面〔大花面（净）、二花面（副净）、三花面（丑）、四花面（武净）〕；五旦堂〔花旦、正旦、作旦、老旦、武小旦〕，此为十三行。而“半个网巾”即是“三箱”（管砌末，兼演神仙、老虎、狗）兼杂角。

旧时一个金华戏班社，多为二十八人（尤其是徽班），包括班主（亦称“领班”，实为老板）一人，“承头”（即“戏蚂蚁”，组班时帮助邀角请人，组班后主要负责接洽演出场地）一人，乐队五人，后台管头箱（衣箱）一人，管盔箱（帽、盔、髯口）一人，三箱（砌末）一人，总务一人，伙头二人，以及十五行演员。

早期婺剧班社主要在四乡集市、庙会演出。20 世纪 30 年代初才开始进城，以金华城隍庙、西华寺等为演出场地。在农村，早期的业余班社，有的称为“太子班”（主要由村镇的“有闲阶层”组成）。这些组织初期以坐唱自娱为主，每逢迎神赛会，则敲锣打鼓沿街挨村游动演唱，后来发展为化装上台演出。

由于婺剧长期在农村广场演出，其表演风格粗犷、古朴，生活生气息浓厚，且粗中有细，刚中带柔，在刻画人物方面别具一格。

智言慧思

一日不练自己知道，两日不练同行知道，三日不练观众知道。

台上一分钟，台下十年功。

阅读链接：

章寿松、洪波：《婺剧简史》，浙江人民出版社，1985 年版。

中国戏曲志编辑委员会编：《中国戏曲志·浙江卷》，中国 ISBN 中心，1997 年版。

《中国戏曲剧种大辞典》，上海辞书出版社，1995 年版。

激越高亢的绍剧

绍剧也为兼唱“高、昆、乱”的多声腔剧种，尤其以唱乱弹腔〔二凡〕〔三五七〕为主，故又名绍兴乱弹、绍兴大班。绍剧清康熙后主要流行于浙江绍兴、宁波、杭州地区和上海一带，因其形成于绍兴并以绍兴地区为演出中心，故名为绍剧。

约在明末清初，北方属乱弹声腔的西秦腔流布到绍兴后，受当地调腔的影响，于清康熙年间逐渐形成“绍兴乱弹”。清乾隆至同治年间绍兴的乱弹班较为流行，曾出现过的班社有老玉成、鸿福老玉成、福寿霞庆班等四十余副。这些乱弹班多数是职业班社，也有时散时合的半职业班社。1920 年前后，多数绍剧演员习文弃武，文班则增设武戏，文武班合流。此后，许多绍兴乱弹班社仿效京、沪等大城市的职业戏班，以舞台为班名，如泉源第一舞台、越舞台、天荣舞台、同春舞台等。20 世纪 20 年代以后，在绍兴城乡，绍剧的演出曾一度颇为兴旺。1937 年前，有越中第一舞台、文明舞台、林贵舞后、新大世界、新大鸿福等二十余班。

另外，自清末民初始，绍剧升平舞台等戏班进入上海，在虹口大春园戏院、镜花园、笑舞台、大世界等处演出。民国

绍剧《大禹治水》

十七年（1928），又有由章益生领班的绍剧，进入上海演出。自1930年起，章益生的乱弹班长期固定在上海老闸戏院演出。到了1945年，上海的绍剧戏班又仅存同春班一个，但阵容较强，名家辈出。尤其是在上演《济公传》《西游记》等连台本戏时，艺术特色颇为鲜明。而在绍剧《西游记》的演出中，六龄童扮演的孙悟空、七龄童扮演的猪八戒，逐步形成了绍剧“悟空戏”的表演艺术。

绍剧的传统剧目多达三百多个。其中有以〔二凡〕为主腔的《高平关》《后朱砂》《千秋鉴》《龙虎斗》等，以〔三五七〕为主腔的《双贵图》《双核桃》《龙凤锁》;唱“阳路”（吹腔）的《和番》《醉酒》，以及属目连戏的《男吊》《女吊》《调无常》等最具特色。同时绍剧传统剧目还有以笛色定调，分尺调剧目、正宫调剧目、小工调剧目3类。

旧时绍剧的演出行当有“三堂十三脚”之称。其中白脸堂四人，包括老生、老外、小生、副末（也称副老生）;花脸堂四人，包括大花脸（也称净、大面）、二花脸（也称副净或二面）、小花脸（小丑）、四花脸；旦堂五人，包括正旦、花旦、老旦、作

阅读链接：

罗萍：《绍剧发展史》，中国戏剧出版社，1996 年版。

中国戏曲志编辑委员会编：《中国戏曲志・浙江卷》，中国 ISBN 中心，1997 年版。

《中国戏曲剧种大辞典》，上海辞书出版社，1995 年版。

旦（具武旦性质）、五旦（宫女旦兼男角）。此十三行也称“十三先生”。至民国初年，白脸堂增加了帮小生、外末、六白脸；花脸堂增加了副大面、五花脸，合称“十八子弟”。一副绍兴乱弹班，至少由 24 人组成。其中生、旦、丑各个行当十二三人，乐队六七人，盔头、大衣、值台、饭头、班主（或由演员兼任）各一人。

绍剧的主要唱腔曲调为〔二凡〕〔三五七〕和〔阳路〕，以〔二凡〕为主。其中〔二凡〕唱腔高亢激越，以紧拉慢唱为特点，其拖腔不受乐曲限制，演员可以根据人物感情需要，尽情发挥。〔三五七〕因其唱句以前句三字和五字，后句七字组成而得名。其行腔委婉，宜于抒情。

早期绍剧，主要流动演出于绍兴水乡农村，多为“社戏”性质。由于绍剧在其发展过程中受徽戏和调腔的影响较大，不仅演出内容呈现出“多忠奸争斗、征战杀伐之事”的特点，而且在演出风格上也呈现出“情绪愤慨、斗争激烈、感情奔放”的剧种特色。绍剧以高亢激越的唱腔、粗犷朴实的音乐、豪放洒脱的表演和文武兼备等特点形成了自己独特的艺术风格。特别是绍剧的音乐曲调丰富，音调高亢激越，旋律节奏急速明快，声音清越刚劲，善于表达悲壮、慷慨激昂的情感，加上唱白通俗易懂，表演风格粗犷豪放，具有浓郁的生活气息。而绍剧的悟空戏更独树一帜，达到了较高的艺术水平。

丰富多彩的瓯剧

瓯剧，是以演唱乱弹腔为主，兼唱高腔、昆腔、徽调、滩簧和时调等的多种声腔地方剧种，清中叶后流行于浙江温州地区。因温州地处瓯江下游，古称“东瓯”，故名为瓯剧，又称“温州乱弹”。

明末清初，温州的戏班大多以演唱高腔和昆腔为主。清初以后，乱弹腔传入温州，当地的戏班逐渐兼唱“高、昆、乱”。清代中叶，温州的戏班又吸收了徽调、滩簧和时调，逐渐发展成为多声腔的剧种，并出现规模较大的职业班社。但此时演唱昆腔、高腔者渐少，而以唱乱弹腔为主。温州一带最早的乱弹班是以洪全本为班主的“老锦秀”班，成立于清乾隆年间。老锦秀班是以唱乱弹腔为主，兼唱其他声腔的多声腔班社，能演八十四本大戏。这些剧目后来成为温州乱弹固定的传统剧目。清嘉庆年间，温州乱弹班社有日秀、三星、小春花、八永义等。道光年间，由于温州一带商业、手工业的繁荣，人口激增，温州乱弹班社也曾一度发展到三十余个。其中主要班社有新益奇、竹马歌、老同庆、新联奇、新同庆、大三异、大吉庆、小同庆等。这些戏班的演出活动区域除浙南的温州、台州、处州（今丽水）外，还远及闽北、赣东北等地。清末民初，京剧开始在温州流行，温州乱弹渐趋衰落。20 世纪 30 年代，温州的大部分乱弹班社解体。到 20 世纪 40 年代，仅存老凤玉、新凤玉、胜凤玉三个班社。

瓯剧有三百多年的历史，拥有大小剧目 450 多个。其中传统剧目有所谓的

八十四本“正宗”大戏，且常演的为“三昆”“四高”“五老”“四冷”和“四徽”，即《连环记》《渔家乐》《雷峰塔》三本昆腔；《报恩亭》《雷公报》《循环报》《紫阳观》四本高腔，《施三德》《银牌记》《赐双刀》《苦相配》《全家福》五本老乱弹戏，《四国齐》《取宝刀》《闹沙河》《醉幽州》四本乱弹冷戏，《回龙阁》《龙凤阁》《双秋莲》《天缘配》四本乱弹徽戏。另外较有影响的传统剧目还有根据当地民间故事编演的《高机与吴三春》等。

瓯剧的表演脚色行当，在清光绪以前，只有“上四脚”（生、旦、净、丑）和“下四脚”（外、贴、副、末）八个脚色；清光绪以后，随着剧目的扩大，行当发展为三堂十六脚，即白脸堂（小生、正生、老外、武生、四白脸）、旦堂（当学旦、正旦、花旦、老旦、三手旦、拜堂旦）、花脸堂（大花、二花、四花、小花、武大花）。

由于瓯剧长期在农村演出，表演具有朴素、明快和粗犷的风格，并逐渐形成了“文武兼备，唱做并重”的特点。其中，小生可分穷生戏、风雅戏、花戏、箭袍戏、雌雄戏、童生戏、胡子戏等。如在《陈州擂》《玉麒麟》等剧中，翻扑跌打，一应俱全。拜堂旦有悲、花、泼、癫、唱、武等六类戏；花旦须兼演刀马旦，有时还要反串武小生，如《哪咤闹海》中的哪咤，是花旦的重头戏；二花兼演武花脸，如《紫阳观》中杜青，要有“飞腿”“倒爬”“水鸡步”“虎跳”等武功表演。

而瓯剧的武戏，更具独特的风格。其吸收民间拳术而成的“打短手”“手面跟头”表演，演员赤手空拳，互相搏斗，时翻时跌，动作紧凑。“打台面”中的“上高”“脱圈”“衔蛋”等技巧，颇为惊险。其他如三节棍、梅花棍、对连环（藤牌陈）等武技，也颇有特色。其他表演特技如《陈州擂》的箭、《火焰山》的扇、《北湖州》的叉、《打店》的枷，以及小生的“麻雀步”、旦脚的“寸步”“跌步”“三脚步”等，都具特色。此外，如小生的“麻雀步”、旦脚的“寸步”“跌步”“三脚”、青衣的“背尸”，以及小花的“踢球”“飞锣”“帽功”“扇功”等，均有独到之处。

瓯剧的音乐唱腔由高腔、昆腔、乱弹、徽调、滩簧、时调等多种声腔构成，以唱乱弹腔为主，兼唱他腔，往往一剧中兼唱几种不同声腔。瓯剧传统曲牌有近千支，因长期活动于农村山乡，表演上生活气息浓厚，故形式上格律不严。不少曲牌频繁使用宫调交替和转换手法，形成瓯剧音乐明快、流畅，表现力强的特有风格。

阅读链接：

李子敏：《瓯剧史》，中国戏剧出版社，1999 年版。

中国戏曲志编辑委员会编：《中国戏曲志・浙江卷》，中国 ISBN 中心，1997 年版。

《中国戏曲剧种大辞典》，上海辞书出版社，1995 年版。

与时俱进的甬剧

清末戏曲舞台诸腔竞奏，呈现出百花齐放的局面。凭借自身丰厚的文化底蕴和戏曲积淀，浙江各地方小戏如雨后春笋，纷纷涌现。其中较有影响的有甬剧、湖剧和姚剧等滩簧剧种。

甬剧，又名宁波滩簧、串客、四明文戏、改良甬剧，是用宁波方言演唱的滩簧剧种。清末民初开始主要流行于浙江宁波、舟山和上海等地。因宁波地处甬江口简称“甬”,故定名为甬剧。

甬剧从萌芽到形成、繁荣，大致经历了三个时期，即“串客”时期（19世纪初—1880）、“宁波滩簧”时期（1880—1938）和“改良甬剧”时期（1938—1949）。它最早在宁波及邻近地区演唱，当时人们称其“串客”。1880年“串客班”到上海茶楼演出后又改称“宁波滩簧”。1924年“宁波滩簧”在上海遭禁演后称“四明文戏”。1938年“四明文戏”因上演时装大戏又改称“改良甬剧”。

甬剧系由宁波地区田头山歌、马灯调融合盲人“唱新闻”发展而来。在清道光至光绪年间的“串客班”时期，甬剧所唱的多是当地的民歌小调，并由36支小曲作基础，吸收当地曲艺“新闻调”，三五人为一组（包括伴奏人员），在农村广场，

城镇的茶馆、厅堂演出。“串客”时期所演剧目大都是一生一旦、二生二旦等以家庭戏为主的对子小戏，如《借披风》《绣荷包》《拔兰花》《卖馄饨》《秋香送茶》《双落发》等，内容大都为表现男女爱情故事。

甬剧《半把剪刀》

宁波甬剧也是最早进入上海演唱的外来戏曲剧种之一。清光绪六年（1880）宁波串客艺人邬拾来、杜通尧等受茶馆老板马德芳、王章才之邀来上海，在小东门“凤凰台”“白鹤台”等茶楼演唱。串客进入上海后，随着演唱艺术的丰富与发展，形成了能适应广大观众审美要求，有独特艺术风格的“宁波滩簧”剧种，到了清末民初，宁波滩簧上演的剧目已有72出小戏。

20世纪20年代，浙江舟山地区的女艺人筱爱春、筱凤春等来沪登上舞台，和金翠玉、金翠香、傅彩霞、吕月红等女艺人先后在新新、永安、福安等游乐场演出，宁波滩簧实行了男女合演，其行当也进一步丰富。这个阶段宁波滩簧班社发展很快，最多时达20个，并出现了以筱姣娣、金翠玉、金翠娥、金翠香为代表的甬剧“四大名旦”，以及稍后的“四小名旦”赛芙蓉、王瑞香、项翠英、傅彩霞。后受到其他滩簧戏的影响，不仅在音乐上又有所丰富，而且演出剧目也从滩簧小戏扩大到了清装大戏、古装大戏。

1938年，部分甬剧艺人受兄弟剧种进行艺术改良的影响，为使甬剧剧目题材扩

大，曲调丰富，竞相聘用文明戏演员当编导，编演时装大戏。由此“宁波滩簧”正式改称“改良甬剧”。到1939年，金翠香特邀文明戏编导叶峨樵为编剧，在中南饭店演出根据京剧《清风亭》改编的《天打张继宝》，并使用布景和灯光，获得成功。此后又借鉴话剧、文明戏、滑稽戏等戏剧样式，演出了从文明戏移植的大戏，如《啼笑因缘》《三县并审》《杨乃武》等，以及重新编演的《金生弟》《孤女魂》等。在剧目题材扩大的同时，曲调也有了丰富与发展。

特别是1942年演唱“四明宣卷”的艺人贺显民在恒雅剧场参加“改良甬剧”演出后，自编、自导、自演《华姐》等新戏，开创了从清装戏过渡到西装旗袍戏的先河。与此同时，贺显民还与徐凤仙等一起，探索甬剧音乐的改革，加强甬剧唱腔的旋律性，使当时的“改良甬剧”出现了复苏与繁荣。20世纪40年代活跃在上海、宁波等地的甬剧著名演员有贺显民、徐凤仙、金翠香、金玉兰、黄君卿等。

甬剧的传统剧目几乎没有反映帝王将相和才子佳人的大戏，多为反映近现代下层劳动者爱情婚姻生活的小戏。这类剧目大都淳朴真切、诙谐风趣，其内容具有民主性和时代性的特点。这类传统小戏主要有《卖草囤》《拔兰花》《庵堂相会》等72出。

甬剧的新戏主要为大戏，擅长演清装戏，如《半把剪刀》《天要落雨娘要嫁人》《双玉蝉》《三篙恨》等，以及时装戏（又称西装旗袍戏），如《少奶奶的扇子》《雷雨》《日出》等。

甬剧在宁波滩簧时期脚色行当分生、旦、丑、老生、老旦五类。其中生又称清客（分正清客和小清客）；旦分上旦和下旦；丑又称草花，分正草和帮草。

甬剧的表演较少有固定的程式，比较接近生活，并特别注重塑造人物，注重人物性格的刻画，具有自然真切的特点。

甬剧的音乐以“滩簧调”为主,兼唱“四明南词”“马灯调”及当地的民歌小调。其音乐具有浓郁的生活气息和地方特色。

阅读链接：

蒋中崎：《甬剧发展史述》，浙江文艺出版社，1991 年版。

中国戏曲志编辑委员会编：《中国戏曲志・浙江卷》，中国 ISBN 中心，1997 年版。

《中国戏曲剧种大辞典》，上海辞书出版社，1995 年版。

柔美抒情的越剧

越剧由浙江嵊县当地的说唱曲艺“落地唱书”发展而成。清末民初开始流行于浙江、上海、江苏、福建等地区。

越剧发源于浙江绍兴农村，发祥于上海都市。期间吸取了昆曲、话剧、绍剧等不同戏剧样式的艺术养分，演出由小歌男班演变为女子越剧，并经历了落地唱书时期（1906 年前）、小歌班时期（1906—1921）、绍兴文戏时期（1921—1937）、改良越剧时期（又称女子越剧时期）（1938—1942）和新越剧时期（1942—1949）5 个发展阶段。

越剧在其发展过程中曾称小歌班、的笃班、绍兴戏剧、绍兴文戏、髦儿小歌班、绍剧、嵊剧、剡剧等。1925 年 9 月 17 日上海《申报》演出广告中首次以“越剧”称此剧种。1938 年后多数戏班和剧团称此类戏剧样式为“越剧”。

清咸丰年间，嵊县西乡马塘村农民在演唱当地民间说唱的基础上，逐渐形成了“落地唱书”的曲艺演唱形式。1906 年，嵊县民间艺人又在演唱“落地唱书”中将曲艺形态的落地唱书搬上农村草台演出，从而形成了以演戏为主的舞台表演样式。因其伴奏用笃鼓和檀板，演奏中常发出“的笃”声，故称“的

越剧《胭脂》

笃班”，时称小歌班（以区别当时的绍兴大班）。当时艺人们在浙东乡镇演出均为半农半艺的男性农民，故又称男班。演出曲调沿用唱书时的〔吟哦调〕，以人声帮腔，无丝弦伴奏，剧目多民间小戏。

1910 年小歌班进入杭州演出。1917 年 5 月 13 日小歌班初进上海，在十六铺“新化园”演出。后续又有 3 班艺人五次来上海演出。在学习绍兴大班和京剧的表演技巧后，1920 年小歌班集中较知名的演员汇集上海，编演《梁山伯与祝英台》《碧玉簪》《孟丽君》等新剧目，小歌班终于在上海立足。

1921 年至 1937 年，男班艺人相继将小歌班改称“绍兴文戏”，并吸收京剧、绍剧的表演程式，剧目向古装大戏发展。同时，演出的剧目受海派京剧影响，主要编演连台本戏，在“大世界”“新世界”等游乐场以及茶楼、旅社、小型剧场演出。期间，1923 年 7 月，嵊县籍商人王金水邀请男班艺人金荣水回乡办第一个女班，招收 13

岁以下的女孩二十余人。翌年1月14日，该女班在上海升平歌舞台演出，称“髦儿小歌班”。施家岙女班的演出，推动了女子越剧在浙江的形成与发展。自1929年到1937年，各类形式的女子小歌班在浙江如雨后春笋般地发展起来，并形成了一股开办女班的热潮，仅嵊县当时就有26个女子小歌班。

而在20世纪30年代初的上海，虽有一些越剧女演员如王杏花、陈苗仙以及“东安舞台”“四季春班”等先后来沪演出，但仍为男女混合演出。随着抗日战争的爆发，从1938年1月起，浙江的越剧女班蜂拥来沪，至1941年下半年增至36个。当时浙江女子越剧的著名演员几乎都荟萃于上海。而此时的男班由于演员后继无人，最终被女班取代。

女子越剧在上海立足后，为适应环境和观众需求，1938年越剧名旦姚水娟吸收都市文化人参与对越剧的改革，各剧团、班社竞相编演新剧目，时称改良文戏时期（又称女子越剧时期）。当时主要编剧有被称作“四大金刚”的樊篱、闻钟、胡知非、陶贤。

自1938年至1942年的四年间，越剧编演新剧目逾400个。这些剧目一般采用幕表制。由于越剧剧目内容的多样化，引起了演出形式相应的变化，出现向兄弟剧种学习的趋势。当时有的学海派京剧，如商芳臣曾搬演周信芳的名剧《明末遗恨》；有的学申曲，如施银花、屠杏花移植上演西装旗袍戏《雷雨》；有的则学电影、话剧，如姚水娟演《蒋老五殉情记》《大家庭》，采用写实布景，人力车上台。而在经营方式方面，当时的改良越剧破除了封建性陈规，实行经理制，统一掌管前后台。这时期，最有名的演员旦角为“三花一娟一桂”，即施银花、赵瑞花、王杏花、姚水娟和筱丹桂，小生为屠杏花、竺素娥、马樟花。

1942年10月，袁雪芬在进步话剧的影响下，在大来剧场开始对传统越剧进行全面的改革，史称“新越剧”。1944年9月，尹桂芳、竺水招也在龙门戏院进行改革。此后，上海主要越剧团都投入“新越剧”的行列，越剧的面貌在短短几年中发生了巨大变化。

20世纪40年代的越剧改革，建立起正规的编、导、演、音、美高度综合的艺术机制。越剧观众的构成也发生了变化，除原来的家庭妇女外，还吸引来大批工厂女工和女中学生。这一时期的著名越剧剧团有雪声剧团、芳华剧团、东山越艺社、少壮剧团、云华剧团、玉兰剧团、丹桂剧团等。

传统越剧题材多以“才子佳人”戏为主，代表剧目有《红楼梦》《梁山伯与祝英台》《碧玉簪》《情探》《追鱼》《盘夫索夫》《李翠英》《血手印》《打金枝》《西厢记》《孔雀东南飞》等。

越剧音乐属板腔体，在越剧发展的各个时期，也经历了不同的变化与发展。

小歌班自1917年到达上海后，1920年起演出便用丝弦伴奏，因板胡定弦1—5音，称〔正宫调〕，简称“正调”。从此“丝弦正调”成了主腔，并借鉴绍兴大班的板式，初步建立起“板腔体”的音乐框架。1925年施银花在琴师王春荣的合作下，形成了6、3定弦的〔四工调〕，成为绍兴文戏时期的主腔。1943年11月，袁雪芬演出《香妃》时，与琴师周宝财合作，在“四工腔”的基础上，吸收了京剧“二黄”的过门，经逐步完善后，形成了〔尺调腔〕，并成为当时越剧的主调之一。1945年1月，袁雪芬、范瑞娟在九星大戏院演出《梁祝哀史》。期间范瑞娟与琴师周宝财合作，在越剧〔尺调腔〕等基础上，吸收京剧“反二簧”，形成了优美舒展、深情隽永的〔弦下腔〕。

20世纪40年代后期，越剧音乐〔弦下腔〕被越剧演员吸收、丰富，发展成越剧的主腔，并在此基础上逐渐形成、衍化出不同的流派，如旦脚有袁雪芬的“袁派”、傅全香的“傅派”，生脚有尹桂芳的“尹派”、范瑞娟的“范派”，以及徐玉兰的“徐派”等。这些越剧艺术流派长于抒情，以唱为主，声腔清悠婉丽优美动听，表演真切动人，极具江南灵秀之气。

阅读链接：
嵊县文化局、越剧发展史编写组编：《早期越剧发展史》，浙江人民出版社，1983年版。
高义龙：《越剧史话》，上海文艺出版社，1991年版。
应志良：《中国越剧发展史》，中国戏剧出版社，2002年版。
钱宏主编：《中国越剧大典》，浙江文艺出版社、浙江文艺音像出版社，2006年版。
高义龙主编：《越剧艺术论》，中国戏剧出版社，2009年版。

擅说历史故事的杭州评话

杭州评话俗称“杭州大书”，是用杭州方言讲故事的曲艺形式，为江南评话的一个分支。清代中叶以后流行于杭州、绍兴、金华等地。

杭州评话的渊源可以追溯到南宋年间，到清代中叶始盛行于杭州地区。杭州评话与杭曲（又名武林调）、杭州滩簧、杭州评词合称近代“杭州四大曲种”。

清嘉庆、道光年间，杭州评话不但有鸡毛陈六、王春乔、谢万春等著名艺人，而且形成了不同风格的流派。清道光十九年（1839）杭州还成立了杭州评话艺人的行会组织“杭州评话社”。其代表人物有王春乔、谢万春、沈蒲包、蔡永嘉、胡海山等。光绪年间，在杭的杭州评话艺人多达200余人。杭州评话也由此成为杭州书场、茶楼演出的主要曲种。

清末民初，杭州评话不仅有王（春乔）、谢（万春）、戚（芝麟）三大流派，还涌现出被称作杭州评话“五虎将”的苏瀛洲、叶如云、赵春声、蒋有霖、陈俊芳。

1923年，著名杭州评话艺人苏瀛洲在“评话社”的基础上成立“评话温古社”，推选王椿镛为社长，社员达百余人。当时有号称杭州评话“三鼎甲”的陈鉴春、王椿镛、童子祥，及后来师承陈鉴春的陈俊芳和师承殷宝霖的李伟清等著名杭州评话艺人，又发展了蔡永嘉的传统，形成了杭州评话以说、评、演为主的艺术特色。

杭州评话的话本内容以历史故事、神仙灵怪、侠义公案为主。较有影响的传统书目分三大类,共有五十多部。其中有以讲史为主而被称为“长靠书”（长篇）的《东

汉》《三国》《隋唐》《大明英烈传》《岳传》等四十多部；有专门讲江湖义士行侠仗义、杀富济贫这一类故事的短打书，如《水浒》《三侠五义》《金台传》等；有讲述帝王将相、达官贵人的“袍带书”（多为大部头书目，书中主要人物大都身着蟒袍，腰缠玉带，又称“官带书”），如《列国》《西汉》《隋唐》《精忠说岳》《三国》《杨家将》《明英烈》以及《包公案》《施公案》《彭公案》等，还有讲述神灵魔怪斗智斗勇、混战厮杀，故事内容大多荒诞离奇的“神怪书”，如《西游记》《济公传》《聊斋》等。

杭州评话的演出形式由第三人称（说书人）的语言统领，间或穿插第一人称即故事中人物的语言。表演者多为一人，只说不唱，并以折扇、醒木、手帕为道具。尤其是在说表中演员以醒木击桌，除起效果和定场作用外，还用来加强气氛。根据书目内容的不同，杭州评话有的重说表，擅长表现历史故事，描述细致入微，维妙维肖。有的重演装，擅长侠义小说，讲究口、眼、身、法、步。

阅读链接：

陈建一主编：《杭州评话》，上海文化出版社，2007 年版。

《中国曲艺志·浙江卷》《中国曲艺音乐集成·浙江卷》

《中国大百科全书·戏曲曲艺》，中国大百科全书出版社，1983 年版。

擅唱儿女情长的四明南词

四明南词又称“四明文书”，是用宁波方言说唱的一种弹词样式。清道光年间开始流行于宁波、余姚、奉化等地。因宁波所属各县大多邻近四明山，为与其他地区的“南词”，以及苏州的“南词”（苏州弹词）有所区别，故名“四明南词”。

四明南词

四明南词在清道光年间最盛，从业人员达千人，较有影响的艺人有戴春生、李茂新等，并有宁波新街一带的崇德社、引凤轩、永裕社等行会组织。其中崇德社为四明南词艺人的第一个行会组织。清末宁波曾出现了陈金恩、何贵章、虞锡堂、戴善宝和滕云清等 5 位技艺精湛的艺人，人称“五公座”。

20 世纪 30 年代，仅宁波新街就有南词艺人百余人。其中艺人何贵章，能弹善唱，被誉为“宁波梅兰芳”。自 1932 年始，四明南词还到上海唱电台，进书场。1944 年四明南词在上海的中央书场联合演出。20 世纪 40 年代，四明南词较有影响者有滕云清、陈世卿、戴善宝、陈金恩、何贵章、柴炳章、陈莲卿、俞长寿等二三十人。

四明南词题材多为儿女言情之事。书目分开篇与正书两类。其中有传统正书目 30 多部，如《珍珠塔》《玉蜻蜓》《白蛇传》《双珠球》《十美图》《盘龙镯》《雨雪亭》《果报录》《双珠风》《西厢记》《四法缘》《何文秀》等，尤以《雨雪亭》最著名。另还有《西湖十景》《八仙庆寿》《渔家乐》《蝴蝶姑娘成亲》等近百个开篇。

四明南词演出形式通常为双档：一人自弹三弦说唱，一人打扬琴伴奏；也有 3、5、7 人的，最多有 10 至 13 人，随人数而加琵琶、二胡、笙、箫、筝、鼓板等乐器伴奏。

运用于宁波四明南词的曲调有一百多种，常用的〔平湖调〕〔紧平湖调〕〔慈调〕〔赋调〕和〔紧赋调〕，称为“五柱头”。而演奏乐器最基本的为三弦、扬琴、琵琶三档。演出时说唱者居中坐，操三弦，右座扬琴，左座琵琶。后四明南词逐渐发展，演员的演唱增至五档、七档、九档、十一档。五档是右二凤箫，左二二胡；七档右三加阮，左三为大弦；九档加双磬、笙；十一档加板鼓和筝。

在四明南词的演唱中，早先不分生、旦、净、末，后来注重人物模拟起角色。因此，演员要有“一白、二唱、三弦子”的功夫。

四明南词的唱词典雅，当是经过文人再创作而成。有些言情的内容，也写得词藻雅丽含蓄。其唱词一般为七字句或加冠三字为十字句。由于词章华丽和曲调优雅，四明南词为士大夫们所欣赏，一般不进入书场、茶坊，多在寿诞、喜庆的堂会上演唱，故有“南词进华堂，走书下农庄”之说。另外，从四明南词伴奏的主乐器来看，三弦、扬琴、琵琶也都是音色柔和的“文乐器”。

智言慧思

千斤话白四两唱，三分唱念七分作。

宁输后台不输前台，只许艺高不许胆大。

男怕“夜奔”，女怕“思凡”。

阅读链接：

《中国曲艺志·浙江卷》《中国曲艺音乐集成·浙江卷》

《中国大百科全书·戏曲曲艺》中国大百科全书出版社，1983 年版。

《四明南词音乐》，宁波出版社，2011 年版。

由“滩簧”发展而来的湖州琴书

湖州琴书是用湖州方言进行说唱的一种曲艺样式。因演唱时以二胡为主要伴奏乐器而得名。清末开始流行于湖州、嘉兴地区。

湖州琴书由“湖州滩簧”演变而来，是湖州滩簧的一个重要分支，故也有人把湖州琴书称作“湖滩”。湖州琴书的形成与湖州滩簧的另一个分支“湖剧”，颇为接近。两者在剧（曲）目、音乐上互为相通，艺人亦常常“搭班做小戏，分档唱琴书”。清光绪、宣统年间，已有湖州琴书的演唱活动。1924 年，“湖滩”

湖州琴书

的行会组织“明裕社”成立，是湖州滩簧繁盛的重要标志。

湖州琴书在其发展过程中，艺人按地域不同形成了多个风格流派（艺人又称为“派别”）。其中主要有湖州帮、德清帮、长兴帮、震泽帮等。

抗日战争前后，湖州琴书演唱活动频繁，当时湖州琴书主要在茶馆书场、稻场厅堂演唱。尤以德清的琴书发展迅速。其中杨筱楼与杨筱天夫妇双档的演唱，因技艺高超，被听众誉为“双杨琴书”而风靡一时。

湖州琴书曲目有开篇和正书两类。其中堂书开篇有《倭袍》《节气》《烧香》《英雄》《梳妆赋》《道子赋》等。正书多为长篇书目，主要来自苏州弹词，传统书目有《四香缘》《双珠凤》《大红袍》等。其中尤以《庵堂相会》《陆雅臣》《卖妹成亲》《借黄糠》最为著名，艺人称作湖州琴书的“四庭柱”。长篇书目《活捉姚麒麟》则是湖州琴书特有的传统书目。

湖州琴书以二胡为主要伴奏乐器，演唱用湖州方言音韵。一些艺人为适应观众的需求，吸收了苏滩的念白因素，又使演唱更趋文雅。其演唱形式多为坐唱，有单档、双档、三个档之分。单档一人自拉自说唱；双档由上下手两人说唱，通常上手拉二胡，下手敲搭板，双档还分男女档、男双档、女双档；三个档一般是在双档的二位演员都不会拉琴的情况下，配一人专司胡琴组成。

湖州琴书早期演唱曲调，仅〔本滩调〕和〔小戏调〕两种。后随着演唱的发展，曲调日趋丰富，增加了〔烧香调〕（又称〔行路调〕）及其他时调小曲，另外还吸收沪剧、越剧、苏州评弹等曲调融入琴书的演唱中。

阅读链接：

《中国曲艺志·浙江卷》《中国曲艺音乐集成·浙江卷》

《中国大百科全书·戏曲曲艺》，中国大百科全书出版社，1983 年版。

蒋中崎、许丽娟编著：《湖剧发展史》，浙江人民出版社，1997 年版。

擅起“角色”的宁波走书

宁波走书由宁波余姚当地田头山歌演化而成，艺人自称“犁铧文书”，雅称“莲花文书”。又因其演唱者在用宁波方言说唱时起角色并走动表演，与当地坐唱的“文书”不同，故俗称“宁波走书”。清末民初，宁波走书开始流行于宁波、舟山、绍兴、台州等地。

宁波走书形成于清光绪年间，起初是农民用民间小曲唱有故事情节的片断，自娱自乐。后成立说唱行会组织“杭余社”，其成员多为农闲时从事曲艺演唱的农民、小贩和手工业者。其中余姚人许生传吸收莲花落曲调，采用月琴自奏自唱《四香缘》《玉连环》《双珠凤》《合同纸》等长篇书目，并用表情动作摹拟人物，很快，这样的演唱样式流传到了宁波、舟山城镇。

早期宁波走书都为坐唱，又称坐书，且讲唱结合。20 世纪初，艺人谢宝初将坐唱发展成边走边唱的形式，并根据不同角色，创造了赶路、摇船、梳头、开打等形象化的动作，逐渐形成走书，后又衍生出分口扮角色演唱。至 20 世纪 30 年代中期宁波走书的演唱样式在宁波一带已相当盛行。民国时期知名艺人辈出，早期的知名艺人有谢宝初、毛全福、段德生、蒋仁忠等，

阅读链接：
《中国曲艺志·浙江卷》《中国曲艺音乐集成·浙江卷》
《中国大百科全书·戏曲曲艺》，中国大百科全书出版社，1983年版。

后期有王海芳、陆荣堂、应兰芳、蒋顺海、陈开祥等。

宁波走书传统书目多为长篇，有《白鹤图》《十美图》《天宝图》《黄金印》《四香缘》《玉连环》《何文秀》《胡必松》《双珠球》《三门街》《大红袍》《珍珠塔》《麒麟豹》《玉狮子》《包公案》《紫金鞭》《乾坤印》《金鱼缸》《穿金线》《盘龙镯》《绿牡丹》《绿袍》《文武香球》《狄青平西》《薛刚反唐》《小五虎平南》《薛仁贵征东》《薛仁贵征西》等大小书目百余部。

作为宁波最具活力的曲艺样式，走书的表演形式开始时是一人自拉自唱的"坐唱"；后有简单的伴奏，演员坐在桌子后面，乐队坐在桌子旁，演员在桌后表演，动作幅度较小，称为"里走书"；后来，演员与乐队相对各坐一旁，演员在台上有较大空间作表演圈，称为"外走书"。从坐唱发展到走唱，演员在台上表演动作的幅度比较大，走书之名也由此得来。当时，鄞西谢宝初的表演，城里段德生的唱腔，慈北毛全福的武功，各有千秋，名噪一时，在观众中很有影响。

宁波走书曲调常用〔四平调〕〔马头调〕〔赋调〕三种，俗称"老三门"。有时也用〔还魂调〕〔词调〕〔二簧〕〔三顿〕〔三五七〕等。其演唱通常是一人说唱，一人拉四胡兼帮腔，也有加琵琶、二胡、扬琴等多人伴奏。伴奏者有时也为主唱者帮腔、随唱和对白。特别是在演唱伴奏乐器中，四弦胡琴为宁波走书的主奏乐器。

宁波走书的唱词采用宁波方言，文词通俗易懂，有说有唱，说唱并重，并辅以形体动作，表演特别富有生活气息。尤其是宁波走书演唱内容来自民间，题材大多反映妇女反对封建压迫，争取婚姻，故当地有"文书唱华堂，走书唱农庄"的说法。同时，在宁波城乡还流传着这样一首顺口溜："文书坐画堂，武书进茶坊，走书奔农庄，新闻唱四方。"这其中的"文书"指的是宁波的四明南词，"武书"指的是宁波评话，"走书"即是宁波走书，而"新闻"指的是宁波唱新闻。

由“落地唱书”发展而来的“绍兴莲花落”

绍兴莲花落亦称莲花乐、莲花闹，是一种在“落地唱书”基础上吸收当地民歌音乐成分而形成的绍兴地方说唱类曲艺样式。因演唱中间有“哩哩莲花落”之类的帮唱过门，故名绍兴莲花落。20世纪初流传于绍兴、上虞、余姚、慈溪、萧山等地。

绍兴莲花落起源于清末绍兴农村的民间说唱“落地唱书”。绍兴莲花落最初因在农村沿门卖唱，故所唱曲目内容多为恭喜发财、吉祥如意之类的口彩套词，无一定故事情节。民国初，艺人唐茂盛受越剧〔吟哦调〕及〔宣卷调〕的影响，开始采用接调方法，说唱有一定故事情节的段子。其演出形式也由沿门卖唱改为登台演出。

绍兴莲花落的演唱有“短篇”（又称“节诗”）和“长篇”之分。其中传统“节诗”有《娘家》《饭盏》《长婆》《矮婆》《分家》《百虫》《大衫》《看相》《箍桶》《养媳妇》等十八出半。其内容多取材于当地的民间传说和民间生活，故事主人公大多为下层的农夫农妇或城市中的手工业者。一个节诗往往讲述一个情节较为简单的故事，其讲唱和表演均具有滑稽、夸张、讥讽、幽默的特点，带有浓郁的乡土气息。

绍兴莲花落的传统长篇曲目有《闹稽山》《马家抢亲》《天送子》等，后借鉴和吸收戏剧及其他唱说文艺的本子，又有《何文秀》《百花台》《顾鼎臣》《游龙传》《龙灯传》《珍珠塔》《后游庵》《万花楼》《五女兴唐传》《呼延庆打擂》等曲目。

绍兴莲花落的表演有说有唱，以唱为主，用绍兴方言说唱。唱词以七言为主，以方言土话入唱。早期绍兴莲花落说唱时，一般为三人，一人主唱，手执三敲板击节，以纸扇和醒木为道具；另二人帮唱（其中一人亦以敲板击节），无丝弦伴奏。后演唱时一般为四人：一人手执三敲板击节说唱（以纸扇、醒木为道具），以唱为主；另三人伴奏，不再帮腔（一人敲板、一人四胡、一人琵琶），音乐特色十分鲜明。

在绍兴莲花落的演唱中，所用曲调前期为〔哩工尺〕，后期为〔基本调〕。〔哩工尺〕由一人主唱，旁有一二人以“工尺”帮和，故又称〔工尺调〕。1925年绍兴莲花落开始运用四胡为主要伴奏乐器，废弃了徒歌清唱、人声帮接的演唱形式，从而逐步形成了后期的〔基本调〕，并发展为以唱长篇曲目为主的特色。

智言慧思

台上一声啼，台下千人泪；台上一声笑，台下万人欢。

阅读链接：

杨建新主编：《绍兴莲花落》，浙江摄影出版社，2009年版。

《中国曲艺志·浙江卷》《中国曲艺音乐集成·浙江卷》

《中国大百科全书·戏曲曲艺》，中国大百科全书出版社，1983年版。

“文武兼备”的温州鼓词

温州鼓词源于“鼓词之乡”温州瑞安，故亦称瑞安鼓词，俗称“唱词”“门头敲”，为温州地区属大鼓类的一种民间说唱形式，素有“浙北评弹，浙南鼓词”的美誉。因旧时多为盲人演唱，曾称“瞽词”“盲词”。清同治、光绪年间流行于温州地区及周边的台州、丽水一带。

温州鼓词历史悠久，明末清初已有演唱。在瑞安鼓词的发展历史上，曾出现过不少名艺人。清乾嘉年间，有白门松、阿光儿等鼓词艺人。清同光年间，有上坞发、毛行发、东山德、

温州鼓词

阅读链接：

杨建新主编：《温州鼓词》，浙江摄影出版社，2009年版。

《中国曲艺志·浙江卷》《中国曲艺音乐集成·浙江卷》

《中国大百科全书·戏曲曲艺》，中国大百科全书出版社，1983年版。

陈昌牌等鼓词名家，在表演上各具特色。他们有的重唱，有的重白，有的擅长抒情，有的擅长叙事，有的擅长琴鼓伴奏。这些鼓词艺人的表演文武兼备，异彩纷呈。到20世纪40年代，温州民间还曾流行这样的顺口溜："林朝藩的劲，叶岳生的文，管华山的神，郑声淦的琴，阮世池的音。"

温州鼓词曲目分"大词"和"平词"两类。大词多在敬神时演唱，因较多演唱《陈十四娘娘》(《南游》，又称《灵经大传》)，故民间称为"娘娘词"。除《陈十四娘娘》外，还唱《西游记》《北游》《东游》等经卷书。平词为艺人平时所作的营业性演唱，适合演唱以传书、小说编成的词目。

温州鼓词的内容大都取材于历史小说和民间传说，有神话类、历史类、武侠类、世情类、公案类等多种内容。尤以表现朝廷的忠奸斗争、社会上的颂善惩恶、家庭的悲欢离合和爱情故事居多，故演唱题材有"文武兼备"之称。其中，神话类长篇有《封神》《西游记》《南游》《北游》《东游》，公案类长篇有《包公案》《施公案》《彭公案》，历史类长篇有《东周》《西汉》《三国》《说唐》《征东》《征西》《反唐》《月唐》《残唐》，世情类长篇有《文君夜奔》《日月楼》《九曲楼》《粉妆楼》《百仙楼》等。

温州鼓词的演出室内外均可作场。演唱中艺人身穿长衫，前置大鼓，旁挂大锣，右手击鼓敲锣，左手执拍板立而说唱。通常单档坐唱，也有双档、多档的。演出用温州方言，有说有唱，唱词多于说白，以唱为主。

温州鼓词的主要伴奏乐器有扁鼓、三粒板（拍）、牛筋琴、小抱月等。其中较有特色的是牛筋琴。牛筋琴产生于清光绪中叶，由温州鼓词艺人陈昌牌创造，后瑞安艺人又把五弦发展到七弦，伴奏上又加上小抱月。温州鼓词演唱时，艺人把一张1.5尺见方的凳子倒置，用带子把四只凳脚绷成网状，右前放扁鼓，牛筋琴平直摆在正中，右面后凳脚上系着抱月（梆），前围一幔。表演时，艺人端坐椅上，左手持鼓签（筷子），敲奏琴、鼓、梆、锣（堂锣）。与此同时，表演者兼生、旦、净、末、丑于一身。

以“唱新闻”为特色的金华道情

金华道情又称“唱新闻”“渔鼓”“说古文”“劝世文”。清末开始流行于浙江金华地区以及周边的衢州、丽水等市县。因各地语言有别，当地听众往往把艺人们所唱的道情冠以当地名称，如金华道情、义乌道情、东阳道情、浦江道情、衢州道情、丽水道情等。金华道情与杭州小锣书、温州鼓词、宁波走书、绍兴莲花落合称为浙江省五大地方曲种。

金华道情形成约在清乾隆年间。清道光至光绪年间，金华道情较为兴旺。当时金华城区有名艺人玉栋唱《悔亲记》《钓鱼记》《七头记》《双珠花》《皇凉伞》等曲目。光绪后期，玉栋徒弟邢兆兰曾将传奇公案编成金华道情曲目《尼姑记》《金镯记》《胡牌记》《柯柳记》《贩士记》等传唱。期间有东阳道情艺人赵虎娘、义乌道情艺人毛锦秀、浦江道情艺人黄儿亭等。清末至民国时期，兰溪有吴荣桂、刘卸土、徐炳生、钟明金，东阳有吴春荣，浦江有洪以土，武义有陈李昌，义乌有叶英美等演唱金华道情。这些艺人大多为盲人或半盲人。

金华道情的传统曲目分“滩头”和“正本”（短篇和中长篇）两类。滩头类似弹词的开篇，多在正本前加唱，其篇幅较短，如

《十二月花名》《二十四节气》《三十六码头》等。正本是有头有尾的完整故事，有说有唱，短则一场唱完，多则三四场，每场约二至四小时。

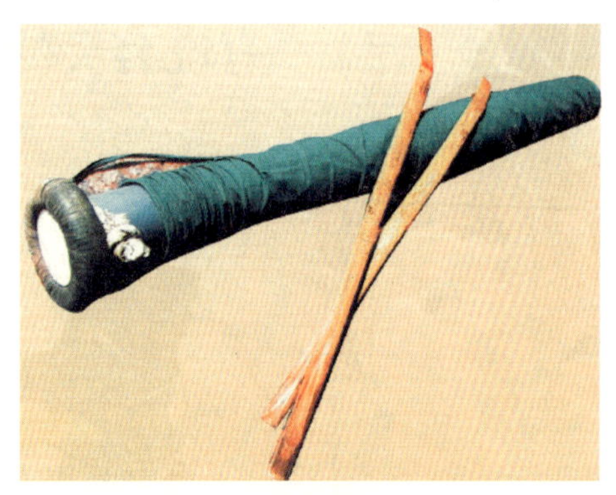
金华道情乐器

金华道情正本曲目有四百多个。其中有根据戏曲移植、改编的《珍珠塔》《孟姜女》《岳飞传》《隋唐》《薛仁贵征东》《薛丁山征西》《狸猫换太子》《包公斩陈世美》等；有根据其他曲种改编的《高郎织绸缎》《施义逃走》《王金满》等，还有一部分曲目是根据发生在金华地区的真人真事编成的，如义乌的《双刀记》《借银记》《火烧双林寺》，武义的《双针记》《狗义报》，金华的《双珠花》《三头记》《尼姑记》，兰溪的《银台记》《龙凤锁》等，故金华道情又叫“唱新闻”。这些曲目大都以大团圆结局。

金华道情表演形式有说有唱，叙事和代言结合。一人说唱，以唱和叙事为主，说与代言为辅。唱句多为七字句，通俗易懂。演唱时艺人唱一段加几句说表，配上简单的动作，即所谓“艺人一台戏，演文演武我自己”。

尽管金华道情曲调仅有一个基本调，即〔道情调〕，但演唱者根据内容、情绪的需要，有“平调”“悲调”“哭调”等多种唱腔，并按节奏分有紧板、中板、慢板等。

金华道情演唱时，艺人往往左手击渔鼓，右手打简板，用以掌握节奏、过门。其伴奏乐器为渔鼓（道情筒）及简板（两根翘起的毛竹片），均由一人说唱。有的艺人利用乐器和口技还能模仿出十分热闹的婺剧“闹花台”。尤其是说唱与渔鼓、简板的演奏，配合紧密。

阅读链接：

《中国曲艺志·浙江卷》《中国曲艺音乐集成·浙江卷》

《中国大百科全书·戏曲曲艺》，中国大百科全书出版社，1983 年版。

有说有笑的杭州小热昏

小热昏又名“小锣书”，俗称“卖梨膏糖”，为清末民初形成于杭州的一种“街头”说唱形式。当时杭州街头有卖梨膏糖艺人杜宝林，以“说朝报”形式说唱时事新闻和笑话故事，因其艺名“小热昏”而得名。小热昏从民国时开始流行于杭州、上海及苏南的部分地区。

“朝报”是当时杭州的地方小报，因印刷质量较差，卖报人为了招徕顾客，就一面敲小锣，一面念出报上的主要新闻，称为“说朝报”。稍后，艺人把说朝报改为“说新闻、唱朝报”，自编自演。

1905 年，在上海城隍庙以卖梨膏糖为生的杜宝林把说唱朝报的形式运用到卖梨膏糖上，一改过去卖糖艺人那种单纯唱小曲或说笑话的谋生方式，把说唱的内容由新闻朝报和生活趣事变为有简单情节的故事。因大多数节目表达了对现实生活的不满，经常招致官差驱赶，为逃避追究，故将这种形式取名为“小热昏”，意思是演员自己发昏说的胡话。

1914 年，杭州盖世界游乐场成立，杜宝林应邀前往演出。为了丰富演出节目和表演技巧，杜宝林把隔壁戏的段子《绍兴

人乘火车》《萧山人拜门神》《瞎子借雨伞》《火烧豆腐店》等进行改编移植，并吸收了隔壁戏中“学乡谈”（学说各地方言）和“吟叫”（模仿声响、百禽鸣叫）的表演技巧，又把自己的说唱形式称为“醒世谈笑”，但杭州、上海等地的观众仍称其为“小热昏”。

1927 年，杜宝林的学生江笑笑、鲍乐乐也进入上海，演出《水果笑话》等小热昏节目。此后，许多小热昏中的“卖口”节目逐渐被移植或改编成独脚戏节目，如《清和桥》。其后在上海滑稽（独脚戏）基础上发展起来的滑稽戏也移植改编了《火烧豆腐店》等小热昏节目。

20 世纪 30 年代是小热昏的繁荣时期。小热昏不仅在说唱形式上出现了双档，而且涌现出了一大批优秀的演员。当时在杭州就有二三十名小热昏艺人。如杜宝林的徒弟小如意（丁有生）、小如意的徒弟小长根（程长发）、开口笑（赵文生）等。他们流动演唱于杭州、宁波、金华、嘉兴与上海一带。抗日战争胜利后，杭州小热昏艺人有俞笑飞、徐乐天、罗笑峰、陈锦林等。

小热昏的传统曲目既有《三家店》《四女婿》《皮鞋招亲》《清和桥》《三和尚》《米蛀虫害人》《鱼生病》《长发姑娘》《蔬菜打仗》《水果招亲》《北伐》《黄狗告状》《高

杭州小热昏乐器

福安打东洋》《八一三》《筱丹桂自杀》等短小段子，又有《火烧红莲寺》《顾鼎臣》《孟丽君》《八美图》《济公传》等长篇。

杭州小热昏的常用曲调有“锣先锋”“三巧赋”“东乡调”以及“四季”“五更”“十叹”等小调。

小热昏的表演形式初为一人自敲小锣自说唱，以唱为主，以说为辅，且多在露天演唱，形式简单，仅有一副三角架、一张长凳。后小热昏发展为一人或二人一搭一挡说唱，以小锣或三巧板伴奏。

小热昏的演唱没有固定的场所，往往都在城市街头临时说唱。小热昏表演先敲小锣，说些笑话，用来招徕观众，然后“卖口”（讲述来自日常生活的故事，艺术上较夸张，语言俏皮、风趣、逗笑）。笑话和“卖口”过后，就打起小锣唱一段“锣先锋”（称“小锣书”）。其演唱形式为一人立在一条长凳上说唱（后有双档演唱），以小锣、三巧板击节伴奏。表演后艺人开始卖梨膏糖。最后，用“东乡调”说唱长篇故事，并用三块毛竹板（三巧板）敲击伴奏。

阅读链接：

杨建新主编：《杭州小热昏》，浙江摄影出版社，2009 年版。

陈建一主编：《杭州小热昏》，上海文艺出版社，2006 年版。

《中国曲艺志・浙江卷》《中国曲艺音乐集成・浙江卷》

《中国大百科全书・戏曲曲艺》，中国大百科全书出版社，1983 年版。

四明山的红色戏剧

自1942年起，以浙江东部余姚四明山为核心，范围包括嵊县、新昌、上虞、余姚、慈溪、鄞县、奉化等诸县的浙东抗日民主根据地，开展了声势浩大，旨在广大人民群众中进行宣传抗战、支援抗战为目的的社会教育运动。其中，以“的笃戏”作为教育群众的一种艺术样式，起到了“寓教于乐”的积极作用。而“浙东行政公署社会教育工作队”与“四明公署社会教育工作队”则是当时两支最主要的越剧演出团体。

1943年7月，新四军四明山革命根据地浙东行政公署文教处筹建组成浙东行署社会教育工作队。由时任浙东游击纵队《战斗报》主编的周丹虹（伊兵）任党支部书记兼指导员，韩秉山（高岗）任队长。由部队中熟悉地方戏曲的干部、战士、知识分子和从嵊县动员来的部分会唱越剧的演员和乐队人员、民间剧团“高升舞台”成员共30余人组成。其演出骨干有竺方森、竺方渭、金桂芳、钱天红、邢菊香、商晨方、陈荣兰、江涛、马骥、何为、魏幼鸿、李英民、俞观潮等。

四明公署社会教育工作队于1945年1月在余姚县陆埠区袁马村成立。由专署文教科长商白苇任指导员，胡野檎任队长，吴春帆任副指导员，柳荫任副队长。其成员包括先从专署青年训练班结业生中选调的章宪、史岩、汪志荣、边元成、卢馥秋、王载枚、叶淑芬、俞曙、江帆、陈品华等十五名能歌善舞的知识青年为骨干力量，后从部队及各单位抽调有文艺才能的林默之（后任该队队长）、柳荫、鲁影、姜急需、丁亮、陈野菲、高行健、项捷、徐鸿等同志充实力量，再从嵊县旧戏班中聘请裘氏

阅读链接：
中国戏曲志编辑委员会编：《中国戏曲志·浙江卷》，中国 ISBN 中心，1997 年版。
钱宏主编：《中国越剧大典》，浙江文艺出版社、浙江文艺音像出版社，2006 年版。
应志良：《中国越剧发展史》，中国戏剧出版社，2002 年版。

三姐妹裘忠琴、裘君玉、裘月琴等科班出身的职业演员，共 37 人。

1943 年冬，浙东行署收编的高升舞台演出了《荆轲刺秦王》及现代戏《赤胆忠心》《血钟记》等，并实行男女合演，演员有钱水红、钱文月、姚灿标、吕爱宝等。

而浙东四明公署社会教育工作队则以其当地部队事迹为题材编写了大型新越剧《儿女英雄》（由上虞办事处主任陈山与专署文教科长商白苇合编），在四明山抗日根据地演出。

1943 年到 1945 年的两年时间里，这两支社教工作队先后创作演出了越剧《血钟记》《大义灭亲》《龙溪风云》《桥头烽火》《义薄云天》《儿女英雄》《赤胆忠心》《风波亭》《荆轲刺秦王》《生死恨》《英烈缘》《北撤余音》《红灯记》《陈晓云》14 个大型剧目。其中，男女合演反映根据地生活的现代戏占 11 部，代表作品有《桥头烽火》《生死路》（又名《生死恨》）等。

1945 年抗日战争胜利后，两个剧团合并成立鲁迅文工团。

文艺评论家于平在论述四明山抗日根据地的越剧演出对百年越剧的贡献时指出："从剡溪的'南记北图'到上海滩的'时装戏'，'越剧的革命'走向了'革命的越剧'。"四明山根据地的越剧创作演出，是在毛泽东《在延安文艺座谈会上的讲话》发表后，中国共产党直接领导下进行的首次越剧创作演出改革活动。这次活动不仅在浙东抗日斗争中起到了积极的作用，而且也为后来的越剧改革带来了重大影响。

绍兴的古戏台

作为戏曲之乡的绍兴，不仅戏剧种类繁多，戏剧演出兴旺，就是演出的戏台，也异彩纷呈，以致形成了富有地域特色的“戏台文化”。

明、清以来，绍兴农村大都一村一戏台，有的自然村甚至还有两三座戏台。在绍兴的诸多戏台中，有宋代的新昌城隍庙戏台、明代的诸暨枫桥大庙戏台、清代的上虞杨太尉庙戏台，以及绍兴舜王庙戏台、绍兴陶堰严助庙遗址、诸暨边村祠堂戏台、绍兴马山安城河台、绍兴皇甫庄河台、绍兴柯桥宾舍戏台、绍兴土谷祠街台等。其中仅绍兴嵊县一地，尚存的古戏台就约有200个，最具影响的有施家岙古戏台、城隍庙古戏台、瞻山庙古戏台、东林王家祠堂戏台、苍岩街台等。

在绍兴，古戏台又俗称“万年台”。它不仅是一种戏曲建筑文化，更是当地民俗、宗教，甚至书法的体现与见证。从绍兴各地古戏台的功能划分看，有庙台与祠堂台。庙台指土谷祠，大姓宗祠则建祠堂台。而县城或大的集镇则建城隍庙，里面的戏台规模一般都大于土谷祠戏台。从当地戏台的造型看，又有“鸡笼顶”“八角覆斗”“卷棚”和“平铺天花板”等不同形制。凡台顶上凹且布满精巧斗拱并呈螺旋形，状若鸡笼的形制，农村都习称“鸡笼顶”戏台。这种戏台，往往是经济实力强的村落所常见的。

在清代中晚期的绍兴，由于商业繁荣，商人们还以行业建戏台，称“会馆戏台”，如绍兴城区花巷有布业会馆戏台，上大路、下大路有箔业会馆戏台、药业会馆戏台等。

另外，绍兴江河交叉成网，土地紧缺，水乡人民习惯利用水面构筑戏台，故又

阅读链接：

谢涌涛、高军：《绍兴古戏台》，上海社会科学出版社，2000 年版。

绍兴市文化广播电视新闻出版局编：《绍兴古戏台》，浙江摄影出版社，2007 年版。

中国戏曲志编辑委员会编：《中国戏曲志・浙江卷》，中国 ISBN 中心，1997 年版。

有“水台”“河台”之称，而筑于岸上之“草台”又称“旱台”，如绍兴万年台位于绍兴市绍兴县东周村，又叫绍兴瓜田庙戏台，建于明代。戏台两面背水，戏班班船可直接靠近和戏台紧接的厢房，在水乡舞台中独具特色。

绍兴还有沿街而建的戏台，有的称“街台”或“路台”，如钱清的大王庙街台、嵊州施家岙附近的苍岩街台、新昌的镜澄埠街台等。

绍兴古戏台之美，不仅表现在它的构架，它的造型，同时也表现在它的大小构件中渗透着的诗情画意。

绍兴陶堰严助庙遗址存有明代徐渭用“盛”和“行”二字的不同读法，组成了一副楹联，道出了戏场的热闹场面：“盛盛盛盛盛盛盛，行行行行行行行。”

嵊州瞻山庙的台联是：“凡事莫当前，看戏何如听戏好；为人须顾后，上台总有下台时。”

诸暨枫桥大庙戏台的楹联是：“数尺地五湖四海；几更时三朝六代。”

绍兴城区延庆寺戏台的楹联为：“戏场小天地，天地大戏场。”

绍兴戏台的不少台联或一语双关，针砭时弊；或琅琅上口，体现了人生的哲理；或道出了戏台的社会功能和戏台表演艺术的文化底蕴。此外，留在台后厢房墙壁上的戏码和感叹诗，也可想见到传统戏班子的演艺生活，为各地声腔剧种的流变提供了可靠的依据。

姚水娟与改良越剧

20世纪20年代中期至30年代中期，女子越剧到上海演出是颇为困难的。施银花、赵瑞花、屠杏花等名旦曾多次打入上海演艺舞台，但均遭失败。然而，在抗日战争爆发后的第一年，姚水娟所在的越升舞台，第一个来到上海演出，并且获得成功。由此，姚水娟也成为越剧史上第一个在上海站住脚的女演员。

1938年1月30日戏老板刘香贤恢复"越升舞台"后，带着姚水娟等到上海演出。当晚在泥城桥附近的通商旅馆楼下厅堂排演《倪凤扇茶》，翌日即1月31日是农历大年初一，正式对外公演。初一日场是《仁义缘》，夜场是《沉香扇》；初二、初三的日、夜场分别是《三看御妹》《三笑缘》（前本）和《十美图》《三笑缘》（后本）。越升舞台挂头牌的是姚水娟，二牌是小生李艳芳（艺名时髦牌），三牌是老生商芳臣。此外还有袁金仙、邢竹琴、吕福奎、范瑞娟等20余人。

开演第一天由姚水娟与师姐竺素娥搭档演出《倪凤扇茶》，"上海知味观杭菜馆的账房、余姚人蔡萸英送来一只花篮捧场，署名'芙蓉馆主'，这是女子越剧在上海演出时观众赠送的第一只花篮。《倪凤扇茶》的演出，姚水娟给观众一个很好的印象，从此头角初露"。（应志良《中国越剧发展史》第88页）

1938年7月，姚水娟与小生竺素娥、老生商芳臣合作组班"越吟舞台"，演出于南京路天津路上香粉弄煤业大楼内新辟的有四百座的天香戏院。1938年1月31日至4月30日，7月1日至9月30日的149天中，演出了118部大戏和小戏。

由于姚水娟在上海舞台站住了脚，才会使许多女子科班陆续来到上海，产生五大名旦（施银花、赵瑞花、王杏花、姚水娟、筱丹桂。后又有“三花不及一娟，一娟不及一桂”的说法）在同时同地共同打对台演出的盛况。女子越剧打入上海演艺圈取得的成功，也是越剧能够在江浙一带迅速发展的一个重要因素。

然而，姚水娟在观众的一片捧场声中，能清醒地看到越剧发展存在的隐忧和自己的弱点。“意识到老演老戏观众会看腻”。同时，随着越来越多的绍兴女子文戏班来到上海，竞争加大，再不创新难以吸引观众。为在激烈的市场竞争中求得自身的发展，越剧艺人姚水娟从商业角度出发，意识到越剧要尝试具有时代性的新剧本。

另外，“促使姚水娟改革越剧的另一个原因，是筱丹桂进入上海以后对她带来的威胁。姚认为筱丹桂扮相比自己漂亮，唱做胜自己一筹，又会演香艳戏，觉得自己不如她。她决心通过改革越剧来改变自己的劣势”（剡叔《姚水娟是越剧改革的旗手》，台北市浙江省嵊县同乡会编，《嵊讯》第 13 期，1994 年版）。

此时，她通过女友张星桢的介绍认识了原《大公报》记者、具有很深的文学修养并写过话剧剧本的中层文人樊迪民，并聘他为专职编导。樊迪民成为越剧有史以来正式聘用的第一位编导。

樊迪民以“樊篱”为名为姚水娟编写的第一个新戏是根据古诗《木兰辞》的内容，并参考梅兰芳的《木兰从军》改编的《花木兰代父从军》。这部戏演古代妇女花木兰参军去抵抗异族

入侵的故事，在抗战时期含有深刻的宣传教育意义，可谓时代性极强。该剧聘请男班艺人张子范为导演，在天香戏院上演时打出了“樊篱编剧，张子范导演”的牌子。该剧演出后轰动一时，很多报纸都发表了评论文章，华兴电台在该剧演出后第二天，就播讲了花木兰的故事，以后观众还不断地点播。上海的英文报《大陆报》也刊登了评价较高的文章，还刊登了姚水娟扮演的花木兰的大幅剧照，并把花木兰比作欧洲十字军时代的圣女贞德。

姚水娟出演的这部新戏，剧本虽然只不过是一份幕表和几段唱词，导演也不过是像旧戏师傅的派戏教戏，但它毕竟首次树起了编导制的牌子，打破了过去越剧界只演几部老戏的狭隘局面，其开拓创新的意义是十分巨大的。

1939 年“歇夏”后，姚水娟与竺素娥分手，离开“越吟舞台”，与刚来上海的魏素云组成水云剧团，演出于仙乐戏院、皇后戏院及卡德影戏院。水云剧团的管理特点是取消班长制，实行经理制。1940 年夏，魏素云离开水云剧团，是年秋，姚水娟又与到上海的李艳芳再度合作组建越华剧团，在皇后、卡德、龙门等戏院轮番演出。越华剧团新编剧目之多，在各戏班中占首位。尤其是《蒋老五殉情记》《啼笑因缘》《泪洒相思地》等剧目上座率极高。1946 年 6 月，姚水娟在皇后戏院演出由胡知非编的新戏《花落忆良人》后，与老搭档竺素娥一起告别“皇后剧场”，离开舞台，定居杭州。

魏绍昌在《姚水娟小传》中说：“据初步统计，姚水娟从 1938 年 1 月底至 1946 年 6 月止，前后 8 年又 5 个月时间（除了 1945 年上半年返乡探亲外），她日日夜夜都在上海舞台上粉墨登场，一共演出了大约五千多个场次。第一场在‘通商’是客满的，最后一场在‘皇后’也是客满的，一个身负头牌重任的演员，在同一个城市能够长期连续不断地演出这么多场次，而且在许多同负盛誉的对手的竞争下，能始终保持领先地位，这在整个戏剧史上也是不多见的。”（《越剧艺术家回忆录》第 189

阅读链接：

钱宏主编：《中国越剧大典》，浙江文艺出版社、浙江文艺音像出版社，2006年版。

应志良：《中国越剧发展史》，中国戏剧出版社，2002年版。

中国戏曲志编辑委员会编：《中国戏曲志·上海卷》，中国ISBN中心，1996年版。

卢时俊、高义龙主编：《上海越剧志》，中国戏剧出版社，1997年版。

页）而在这些众多剧目中，影响较大的就有《花木兰》《孔雀东南飞》《蒋老五殉情记》《杨乃武与小白菜》《啼笑因缘》《泪洒相思地》《雷雨》《魂断蓝桥》《卧薪尝胆》等。

纵观姚水娟的越剧改良，其贡献主要有以下几方面：

首先，姚水娟第一个聘请文化人担任编导，因为有了完整的文学剧本，而使越剧的演出以全新的面貌呈现在观众面前。

其次，姚水娟的创作演出不仅拓宽了越剧的题材，使传统的越剧不仅能够演出反映才子佳人的古装戏，而且还能演出适应时代和观众要求的时装戏。

再次，姚水娟吸收了众多艺术样式为越剧所用，其演出大大丰富了传统越剧的艺术表现力。

姚水娟在孤岛时期的越剧改良，其探索的成功，引起越剧其他姐妹们的效仿。

赵瑞花在1938年9月24日主演根椐余杭实情奇案编写的新戏《杨乃武与小白菜》，此后又演出了根椐程砚秋的本子改编的《金锁记》(《窦娥冤》）和《荒山泪》，根椐“麟派”创始人周信芳的本子改编的《文素臣》。

施银花在1938年10月5日主演根椐京剧《临江驿》本子改编的越剧《潇湘秋雨夜》。1939年7月22日又演出了根椐曹禺名著改编的越剧《雷雨》。

筱丹桂1938年12月24日演出根椐申曲翻版的《少奶奶的扇子》及根椐《夜雨秋灯录》所载故事改编的《麻疯女》等新戏。

袁雪芬的“新越剧”改革

应该说，为适应都市观众的欣赏需求，自1938年抗日战争爆发后，以姚水娟为代表的一批越剧从业者，便开始进行“改良越剧”的尝试。然而，到了1941年12月太平洋战争爆发后，日军占领了上海租界，局势动荡，市面萧条，越剧的改良也遇到了困难。飞速上涨的物价，使得居民的生活日益堪忧，更影响到了包括越剧在内的各种营业性演出。特别是夜间实行的戒严，更带来了剧场观众的锐减。

由于种种的艰辛与困难，痛苦与挫折，使得改良越剧在上海没能坚持下去。它在上海红火了三四年便日趋衰落，越剧创作演出陷入了危机。为此，1942年2月26日的《越剧日报》曾在头版头条发表过题为《越剧的危期到矣》的报道。而个别有识之士也在大声疾呼：“女子越剧如果不从根本上革新，势必有被淘汰的危险。”

越剧如何发展，越剧如何跟上时代、表现时代，反映人民的心声。那些认真对待艺术，关心越剧命运的人们在思考。而袁雪芬就是顺应了时代的要求，成为对越剧进行全方位改革探索的第一人。

袁雪芬的新越剧改革实践主要分四个阶段：

第一阶段为1942年9月至1944年3月的“大来”时期。改革之初，袁雪芬聘请了一批年轻的知识分子参加，并首次成立了以编、导、舞美设计为中心的“剧务部”。他们基本上是每两周推出一本新戏，而且不演没有改过的老戏。为了与过去的越剧相区别，他们把改革后的越剧称为“新越剧”。其中第一个剧目是1942年10月28

日袁雪芬在大来剧场演出经过全方位改革的越剧《古庙冤魂》。可以说，从大来剧场演出《古庙冤魂》始，中国越剧开始进入了"新越剧"的阶段。

第二阶段为1944年9月至1945年3月的"九星"时期。从1944年9月28日袁雪芬与范瑞娟合作，使用"雪声剧团"的名字，在延安中路成都路口的九星大戏院首演由冯玉奇编剧、南薇导演的《雁南归》起，到1945年3月底雪声剧团从九星大戏院迁往黄河路青岛路口的明星大戏院止的半年时间里，以袁雪芬、范瑞娟领衔的雪声剧团共演出了11个剧目，其中有9个是新编的。特别是1945年1月29日，袁雪芬、范瑞娟在九星大戏院演出《新梁祝哀史》(又名《山伯临终》)，与编导一起对原有剧目进行了加工和整理。期间，范瑞娟还与琴师周宝财合作，对越剧〔四工调〕进行了丰富和发展，创造了抒情性极强的〔弦下腔〕。

第三阶段为1945年4月至1946年4月的"明星"时期。袁雪芬在九星大戏院演出期满后，迁到青岛路的明星大戏院。这一时期，以袁雪芬、范瑞娟为核心的雪声剧团共演出了18个剧目。

第四阶段为1946年5月雪声剧团演出根据鲁迅名著改编的《祥林嫂》始，至1949年新中国成立。此阶段也为新越剧改革的第二阶段，标志着越剧改革进入了一个崭新的时期。在袁雪芬的影响和带动下，尹桂芳、筱丹桂、徐玉兰、傅全香等一大批越剧表演艺术家也相继加入到了"新越剧"的演出行列。

纵观20世纪40年代所进行的“新越剧”的发展历程，主要有以下几个显著特点：

一是越剧的艺术品位得到提升。

二是越剧演出的剧场数量的增加。自1942年“新越剧”改革始，由于演出上座率的迅速上升，上海的越剧演出场所已跃居全市各地方戏之首。

三是越剧演出剧场规模的扩大。绍兴文戏时期，多数越剧男女班社，都在300座位左右的小型演出场所演出。20世纪40年代中后期，进行改革的新越剧，赢得了大量的观众。由著名越剧演员领衔的大型越剧团，纷纷向市中心高档次的大、中型剧场进军，1945年3月，袁雪芬、范瑞娟领衔的雪声剧团，进入934座的明星大戏院演出，1948年9月，又进入1620座的大上海大戏院演出。

四是剧团数量的增加。到1949年5月上海解放时，上海越剧团的数量达46个。

五是新剧目的大量涌现。新越剧期间演出的主要代表剧目有《祥林嫂》《花木兰代父从军》《啼笑因缘》《秋海棠》《雷雨》《泪洒相思地》《恒娘》《是我错》《何文秀》《雪里小梅香》《香妃》《国破山河在》《风尘双侠》《葛嫩娘》《碧血丹心》《寒夜曲》《沙漠王子》《北地王》《浪荡子》等。

六是优秀演员的涌现。这一时期在越剧舞台上涌现出了一大批有影响的演员。其中主要有袁雪芬、尹桂芳、范瑞娟、傅全香、徐玉兰、竺水招、徐天红、张桂凤、吴小楼、周玉奎、商芳臣、尹树春、戚雅仙、陆锦花、王文娟、张云霞、高剑琳、金艳芳、应菊芬、张茵、陈佩卿、金宝花、屠笑飞、魏梅照、郑忠梅、陈金莲、魏兰芳、丁兆丰、张小巧、徐慧琴、许瑞春、庞天华、裘爱花、金雅楼、谢小仙、毛玉棠、丁苗芬、魏凤娟、焦月娥、任伯棠、李慧琴、赵雅麟、许金彩。在这批越剧演员中，还涌现出被誉为越剧小生“三鼎甲”的范瑞娟、徐玉兰、尹桂芳（她们各自所在的剧团为范瑞娟的“雪声”“东山”；徐玉兰的“丹桂”“玉兰”；尹桂芳的“芳华”），以及被后人誉为女子越剧第二代四大名旦的袁雪芬、傅全香、王文娟、戚雅仙，四大小生的尹桂芳、范瑞娟、徐玉兰、陆锦花。

七是艺术综合水平的提高。主要表现在舞台演出呈现出了"三新"。即"剧目新，表现形式新，排练演出组合新。同时创造了〔尺调腔〕和〔弦下腔〕，大大丰富了越剧唱腔的艺术表现力"。

阅读链接：

钱宏主编：《中国越剧大典》，浙江文艺出版社、浙江文艺音像出版社，2006年版。

应志良：《中国越剧发展史》，中国戏剧出版社，2002年版。

中国戏曲志编辑委员会编：《中国戏曲志·上海卷》，中国ISBN中心，1996年版。

卢时俊、高义龙主编：《上海越剧志》，中国戏剧出版社，1997年版。

章力挥、高义龙：《袁雪芬的艺术道路》，上海文艺出版社，1984年版。

《袁雪芬文集》，中国戏剧出版社，2003年版。

《祥林嫂》的创作演出

如果说1942年开始的越剧改革，使传统越剧的面貌发生了巨大的变化，“它从一个不登大雅之堂的小戏迅速发展成为适应现代舞台条件的有较强综合性的剧种”，但这些改革从本质上看，主要还是偏重于艺术形式和舞台演出上。“新越剧”时期越剧题材内容有重大突破和飞跃，并使之成为中国越剧发展史上“新的里程碑”的，则应以1946年袁雪芬等创编演出现代戏《祥林嫂》为标志。

1946年3月初，时任雪声越剧团编导的南薇读到由中共党员丁景唐送来的、由“沪江书屋”出版的论文集《妇女与文学》中的一篇由丁英撰写的文章《祥林嫂——鲁迅作品中的女性研究之一》。南薇读后深受感动。

1946年3月下旬的一天，南薇带着鲁迅小说《祝福》，来到明星大戏院后台，把小说念给正在化妆的袁雪芬听。祥林嫂的悲惨命运激起了袁雪芬强烈的共鸣，并深受感动，而绍兴的风土人情又使她倍感亲切。由袁雪芬领衔的雪声剧团决定将《祝福》改编成越剧上演。他们专程拜访鲁迅夫人许广平先生，征得她的同意后，剧本由南薇编剧，并由其导演，戏边写边排，并由刘如曾配曲，周宝财等伴奏，韩义舞美设计，袁雪芬、范瑞娟、张桂凤、陆锦花等担任主要角色。

《祥林嫂》剧本写好后不久的1946年4月28日，上海《时事新报》在“六艺”栏以醒目标题发表罗林写的报道《鲁迅名著搬上越剧舞台》，副标题是“袁雪芬主演‘祥林嫂’”。文章最后对这出戏搬上越剧舞台作出了这样的评价：“《祥林嫂》应该不仅是雪声剧团而是整个越剧界的一座里程碑。”

在排练期间的1946年5月4日，中华全国文艺协会发布《纪念第二届“五四”文艺节告全国文艺工作者》书。这些更增添了雪声剧团创作演出的信心。经过一个多月的紧张排练，越剧《祥林嫂》于1946年5月6日晚上在上海明星大戏院举行预演。由袁雪芬扮演祥林嫂，范瑞娟饰鲁阿牛少爷，陆锦花饰贺老六，张桂凤饰卫癞子，应菊芬饰少奶奶。

《祥林嫂》预演当天，上海文化界许广平、田汉、洪深、黄佐临、史东山、费穆、张骏祥、欧阳山尊、白杨、李健吾、胡风、丁聪、张光宇等知名人士前来观看。这也是越剧进入上海以来第一次有众多文化名人前来观看，演出受到他们的热情称赞和肯定。

在第二天正式公演的当天，田汉还约请袁雪芬、南薇、韩义进行了一次谈话。他肯定了演出取得的成绩，并对不足之处提出了中肯的意见。为此，同年的5月10日，廖临在《时事新报》上发表文章《鲁迅名著〈祥林嫂〉演出后，田汉与袁雪芬、南薇谈改良越剧》，详细报道了此次谈话的内容。

《祥林嫂》公演后，上海新闻界对此剧又给予了较大的关注。《联合晚报》《世界晨报》《文汇报》《时事新报》《周报》《新闻报》等都纷纷发表评论，充分肯定了演出的社会意义，以及越剧改革的正确性。

1946年10月，国共和谈破裂，国民党挑起了内战。同年10月19日，上海12个演出团体在辣斐大戏院集会，纪念鲁迅

逝世 10 周年。周恩来出席并发表演说，雪声剧团派员参加。同日，雪声剧团再度公演《祥林嫂》。

从《祥林嫂》的改编到演出，不难看出，《祥林嫂》“不仅第一次把中国文化革命的主将鲁迅的名著搬上戏曲舞台，更促进了越剧剧目表现内容的积极变化，促进了越剧与进步文艺界、新闻界的密切联系，引起了中国共产党地下组织对越剧和整个地方戏曲的重视”（《上海越剧志》第 3 页）。

在《祥林嫂》的演出之后，上海的几个主要越剧团“连续编演了一批有鲜明政治倾向、表达人民心声的剧目，如《珊瑚引》《万里长城》《李师师》《天涯梦》《国破山河在》《荆轲刺秦王》《红娘子》《东王杨秀清》《女伶受辱记》等，受到观众欢迎”（《上海戏曲志》第 123 页）。可以说，《祥林嫂》的创作演出，是时代的产物，是越剧表现社会现实的重要标志，也是中国越剧发展史上的一个新的里程碑。

阅读链接：

钱宏主编：《中国越剧大典》，浙江文艺出版社、浙江文艺音像出版社，2006 年版。

应志良：《中国越剧发展史》，中国戏剧出版社，2002 年版。

《中国戏曲志·上海卷》，中国 ISBN 中心，1996 年版。

卢时俊、高义龙主编：《上海越剧志》，中国戏剧出版社，1997 年版。

章力挥、高义龙：《袁雪芬的艺术道路》，上海文艺出版社，1984 年版。

《袁雪芬文集》，中国戏剧出版社，2003 年版。

越剧十姐妹义演《山河恋》

如果说，越剧《祥林嫂》的创作演出是越剧姐妹们在中国共产党的领导下开始觉醒后，所进行的一次艺术实践活动，那么，越剧“十姐妹”联合义演《山河恋》，则是她们自觉地在现实生活中努力实践的一次重要行动。

20世纪40年代中期，尽管越剧界的一批知名演员相继成立了自己的剧团，但演出仍然受到戏院前后台老板的剥削。演员们为老板所驱使，疲于奔命，艺术质量和剧种前途，剧院老板是不去关心的。为了越剧的前途，袁雪芬觉得，必须要有越剧演员自己的剧场，只有这样，才能摆脱戏院老板的控制和剥削。在袁雪芬的牵头下，1947年7月29日，越剧界的一批知名演员在上海大西洋西餐社（今福州路天蟾舞台对面），签订了一份联合义演的《合约》：

> 兹为共同发扬新越剧及谋同仁福利起见，经过数次讨论，人人志趣相同。为此共同发起，集合同人力量，组织公司，谋建新型剧场一所。将后为剧院及剧务上一切进行事宜，发起人都须共同负责，各尽力量，以期越剧前途发扬光大。至于权利义务，凡发起人都

绝对平衡。此约成后，对于集股方面，或须个别劝募，或须全体义演，与电台招股等事，各发起人都要各尽心力，中途不得发生异议，或推诿责任。为期共同遵守，特立此约书，各执一纸存照。

中华民国三十六年七月二十九日

发起人（签字）

尹桂芳 徐玉兰 竺水招 筱丹桂 袁雪芬 张桂凤 吴小楼

傅全香 徐天红 范瑞娟（顺序按合约原件排列）

上述 10 位发起人，后来被人们称为“越剧十姐妹”。

这十姐妹中有：四花旦袁雪芬、筱丹桂、傅全香、竺水招；三小生尹桂芳、范瑞娟、徐玉兰；三老生张桂凤、徐天红、吴小楼。

为筹措资金建造剧场，十姐妹联合义演的剧目，是根据法国大仲马小说《三剑客》和中国古典小说《东周列国志》改编的《山河恋》。该剧由南薇、韩义、成容编剧，南薇导演，韩义舞美设计。周宝财任主胡，竺纪扬任司鼓。

1947 年 8 月 18 日，“上海的各大报纸上，登载了由十姐妹联合署名的启事：‘为创设越剧学校建造实验剧场筹募基金定于 8 月 19 日（明日）起假座‘黄金大戏院’联合公演历史宫闱巨献《山河恋》至希各界光临赐教。各方友好惠赠花篮等礼品概行恳辞至希谅察。’”

1947 年 8 月 19 日《山河恋》在金陵中路 1 号八仙桥附近的黄金大戏院（今大众剧场）举行首演。由吴小楼饰梁僖公，竺水招饰皇后绵姜，筱丹桂饰宓姬，徐玉兰饰纪苏公子，张桂凤饰宰相黎瑟，尹桂芳、范瑞娟饰羽林军申息、钟兕，傅全香饰宫女戴赢，袁雪芬饰丫头季娣，丁塞君饰卫士飞鞑。

在《山河恋》首演的说明书上，还印有十姐妹签名的《“山河恋”公演之动机》。“我们从事越剧的革新工作，时间虽暂，但是舆论的推荐和观众爱护的热诚，使我们感愧之余，更感觉到自己这项工作的意义的重大，因此，使新越剧变得更完美更充实，就愈形迫切了。”

《山河恋》的联合义演，轰动了整个上海滩。演出场场爆满。田汉曾以《团结就是力量》为题，在《新闻报》上发表文章，对越剧演员的这一举措加以赞扬。与此同时，该剧的演出也遭到了国民党上海警察局嵩山分局的干涉，并勒令停演。袁雪芬等到嵩山社会局与局长吴开先说理斗争，最终取得胜利。《山河恋》演出直至同年 9 月 12 日结束。

阅读链接：

钱宏主编：《中国越剧大典》，浙江文艺出版社、浙江文艺音像出版社，2006 年版。

应志良：《中国越剧发展史》，中国戏剧出版社，2002 年版。

中国戏曲志编辑委员会编：《中国戏曲志·上海卷》，中国 ISBN 中心，1996 年版。

卢时俊、高义龙主编：《上海越剧志》，中国戏剧出版社，1997 年版。

章力挥、高义龙：《袁雪芬的艺术道路》，上海文艺出版社，1984 年版。

《袁雪芬文集》，中国戏剧出版社，2003 年版。

“施家岙女班”与越剧“三花”

从“落地唱书”“小歌班”到“绍兴文戏”，越剧这一年轻的地方戏曲剧种的发展是与时俱进的。当绍兴文戏男班在上海演出日趋兴旺之时，颇俱眼光的艺人们便根据时代和艺术自身生存的需要，开始进行着一种新的探索尝试。这就是绍兴文戏女班的出现。

可以说，绍兴文戏女班是与绍兴文戏男班几乎同时出现的。或者更进一步地说，越剧从其成为越剧之日起，在严格意义上指的就是女子越剧。而在其早期，就是绍兴文戏女班，或称女子绍兴文戏。当马潮水等男班艺人在上海打出“绍兴文戏”的牌子的时候，为了适应城市戏剧商业化的演出需要，同时，也受京剧“髦儿戏”（女子童班）的影响，王金水、金荣水等人回到嵊县乡下施家岙创办了第一副女子科班。

1923 年春节前，当时在上海做绸缎生意又兼升平歌舞台前台老板的嵊县施家岙村人王金水，便和镜花园戏院老板俞基椿商量，又找到熟悉小歌班演出的升平歌舞台老板周麟趾，拟请当时在十六铺镜花戏园唱绍兴文戏的大面演员金荣水及另外一艺人唱腔师傅任阿裘，到嵊县农村招收一批小姑娘来学戏。他们的想法，得到了升平歌舞台包括金荣水在内的其他艺人的同意和支持。

1923 年春节过后，王金水、金荣水等到施家岙村八卦台门张贴出了招收女班的告示：

施家岙王金水举办小歌班女子科班告示

招收10至15岁的小姑娘入科。凡入班学艺者衣食住行统由老板负责，三年满师后每人发金戒指一只，旗袍一件，皮鞋一双，并给薪俸一百大洋。若有不放心者，允许家长来戏班帮工照料自己女儿。如愿入科为徒者到施家岙村王金水家报名。

施家岙王金水民国十二年伍月初八

但告示贴出后连续数天，村里并没有小姑娘前来报名。“人们非但不予理睬，还在背后议论纷纷，骂王金水缺德，为自己赚钱拉小姑娘进火坑，干伤风败俗之事。”

为了证明自己办班不是坑害女孩子，王金水先招的人大半都是和他沾亲带故的。他叫自己的小女儿王桂芬报名入科，又说服内侄女施银花参加科班，另外，王金水老家孔村的弟媳堂妹赵瑞花也前来报名，还有他的侄女王湘枝等。参加科班管理的有他的儿子王国钧，琴师是他的堂弟王春荣等。这样，报名的人逐渐增多。之后，嵊县城关镇、长乐镇、甘霖镇都相继有人送女孩子来学艺。到后来竟有五六十人之多。

施家岙小科班的考试录取方式很简单：一看容貌，二看体形，三听嗓音，就可决定是否录取。经过挑选，最后录取了20多个多数为邻近村和老板、师傅沾亲带故的小姑娘。这批艺徒中年龄最小的仅9岁，最大的13岁。同时，王金水又组成了乐队。

这样，到1923年7月9日（农历五月二十六日“龙虎日”），第一个女子越剧小科班便在施家岙村房子比较宽敞的陈明辉家

正式开办。由此，这一天也成为女子越剧的诞生日。

经过三个月的艰苦训练，施家岙女子小科班便在当年农历八月底的施氏祠堂“绳武堂”“串红台”了。演出剧目是《双珠凤》，由施银花、屠杏花、马秋霞、俞菊英分别扮演霍定金、文必正、秋华、倪卖婆。这可谓女子越剧第一次登台演出。

王金水急于让这批学戏的女孩子演出赚钱，让小科班在嵊县演了几场之后，就带着她们到城里演出了。1923年夏秋之交，施家岙女班首次来到刚开办一年的杭州仁和路大世界游艺场演出，门口挂出“绍兴文戏文武女班”的牌子，演出剧目是《双珠凤》等。

1924年1月14日施家岙女班由王金水带领首次进沪。这也是女子越剧第一次进入上海演出。据吕仲《越剧的成长及发展》，“1923年的冬天上海闸北的昇平歌舞台首次挂出了‘绍兴文戏，文武女班’的牌子，这也是越剧发展史上一个划时代的大转变”。

该戏班有小旦施银花、赵瑞花，小生屠杏花等，演出剧目有《双金花》《龙凤锁》《双珠凤》《赵五娘》《四香缘》等。尽管有不少带有好奇心的观众前来观看，但很快就冷落了。与第一次男班艺人闯荡上海一样，施家岙女子小科班在上海第一次演出苦苦坚持约3个月，便因观众稀少，营业不佳而离开上海。

在第一副女班诞生后的六年中，嵊县未有女班再出现。其原因是女班演员年纪小艺术水平又低，缺少舞台和生活经验的小姑娘无法在台上即兴创编、表演，观众反映平平，且演出的收入特别的低微。为此，嵊县没有老板肯花钱去办女班，也没人家送女儿去学戏。这样到1925年，班主王金水便把施家岙女班卖给了嵊县崇仁镇人裘广贤。

裘广贤带着戏班在杭州、嘉兴、湖州等地又演出了近两年时间，并带领戏班第三次到杭州仁和路大世界游艺场演出。但戏班仍然难以立足，最终也只好回到家乡

嵊县。“家长得知自己的女儿在受苦受难，纷纷前去探望，有的就将孩子领走了。这样，最后剩下来的只有屠杏花、赵瑞花、施银花等十二人。她们继续在嘉兴、杭州一带流动演出，前后坚持了六年。”（《早期越剧发展史》第 106 页）

回到家乡的女子小科班也在反思，演出如何吸收观众。于是，在本地的演出中她们只收六个铜板的门票，使演出扩大到了嵊县的南乡、西乡各村。在一年的时间里，戏班几乎走遍了整个嵊县。

之后，“施家岙女班沿着‘落地唱书’艺人开辟的演出线路，转道东阳、金华、兰溪、建德、桐庐、富阳和绍兴、余姚、慈溪等地，开始了长距离、长时间的流动演出。”（《越剧溯源》第 59 页）

其间，她们于 1924 年在东阳向绍兴大班学习，丰富了剧种的曲调；1925 年到嘉兴与男班艺人岑素娥（又称陈素娥）等艺人同台演出三个月，提高了自身的艺术水平。“这是男女专业演员同台演出的开始。”

而经过几年的磨炼，小姑娘变成大姑娘，年轻漂亮，又积累了舞台经验，艺技大大提高。此时女班已今非昔比，大受观众欢迎。“施银花、赵瑞花、屠杏花等演唱的《方玉娘祭塔》《双珠凤》《窦娥冤》《叶香盗印》等戏，乃获得了观众的极大好评，轰动一时。”其中施银花、赵瑞花、屠杏花三位演员（两个花旦，一个小生）“后来被誉为越剧早期的‘三花’和‘银杏并蒂’（施银花和屠杏花）”。而屠杏花也由此成为“女子越剧小生创始人”。

这样，到1927年春，王金水便收回戏班，第三次带戏班到上海演出。女子戏班就是在这样的特定背景下迅猛发展起来的。女班的兴起，使男班艺人逐渐退出了越剧舞台，标志着女子越剧的开始。

智言慧思

艺不离手曲不离口。

有板有眼叫戏，没板没眼叫屁。

阅读链接：

钱宏主编：《中国越剧大典》，浙江文艺出版社、浙江文艺音像出版社，2006年版。

应志良：《中国越剧发展史》，中国戏剧出版社，2002年版。

嵊县文化局、越剧发展史编写组编：《早期越剧发展史》，浙江人民出版社，1983年版。

高义龙：《越剧史话》，上海文艺出版社，1991年版。

嵊县政协文史资料委员会编：《越剧溯源》，浙江人民出版社，1992年版。

杭嘉湖的水路戏班

杭嘉湖水路戏班以京班为主。最早出现的杭嘉湖水路京班称为“擂船班”。

清光绪年间，杭嘉湖水路京班利用船作为载体，沿水路送戏，敲锣打鼓，成为水上一大景观，故称“擂船班”。“擂船班”常年游动于江南水乡间，每个戏班都有一条很大的戏文船，称为“楼船”。一条大船就是一个戏班。戏班里基本编制为“十八个半”，即有十八个演员，还有半个是管事的，负责开码头，接业务。船到戏到。一路上，大船擂响锣鼓，遇市泊岸，三场闹过，艺人们就在船顶唱戏。

“擂船班”在整个杭嘉湖水路戏班史中只有小段时间。自民国始，杭嘉湖水路戏班虽然还是以船为交通工具，但主要表演地点已由水上转为陆地上。戏台三面朝观众，演出时，河面船只围观，岸边桥头聚众，热闹非凡，自成特色。

杭嘉湖京剧水路班的全盛在 20 世纪 30 年代。那时，每年有几十个剧团云集在嘉兴集贤楼组班，寄居在北门外秀水兜。根据当地民间习俗演出，计有春台戏、庙台戏、牛旺戏、蚕花戏、桑秧戏、丰收戏等。

每逢节庆来临，四面八方的京剧戏班云集一处，最多时有三四十个舞台（戏班）。其中主要的水路京班有金舞台、凤舞台、毛儿班、卞家班、兴隆舞台、双龙舞台、龙凤舞台、天蟾舞台、国民舞台、新乐舞台、三乐舞台、齐天舞台、南京舞台、三星舞台、庆胜舞台、和平舞台、戏校二团、田记大舞台、黄金大舞台、荣记大舞台、张记大舞台、王记大舞台、井记大舞台、拔河大舞台、大国民舞台、老国民舞台、新国民舞台、金记荣舞台、上海小京班、尚小云剧团、黄桂秋剧团、杭州延龄舞台、张记舞台小京班、苏州救济院小京班等。

在这三十几个戏班中，尤以“卞家班”“田记大舞台（田家班）”最为著名。这个时期，杭嘉湖京剧水路戏班的发展也影响了南派京剧风格的形成。

除杭嘉湖水路京班外，20 世纪 30 年代开始当地还有水路越剧班。杭嘉湖越剧水路班子往往以嘉兴为中心，以嘉兴为集散地。

1937 至 1949 年期间，嘉兴的越剧“水路班”除了在水台演出外，还在城镇小戏院和乡村的庙台演出。常在嘉兴演出的水路班子有金月升的“月升舞台”，周鸿升的“春风舞台”，裘月莲的“联胜舞台”，刘金招的“中兴舞台”，章奕春的“三元舞台”，蒋金发的“大利舞台”，陈宝康的“新胜舞台”，周剑鹏、朱顺庆的“新三元舞台”，以及天宝舞台、三庆舞台（许家班）、历新舞台、惠芬舞台、天生剧团、赵艳香剧团、林竹风剧团等。吕瑞英、张桂凤、王文娟、施银花等知名越剧演员都曾来嘉兴演出。

20 世纪三四十年代的嘉兴水乡，每到农历年边，很多演员都集中在寄园戏院对面的茶馆和望湖楼茶馆饮茶，面约生意，组建新的剧团，并从春节开始巡回演出。越剧水路班子的演出剧目主要有传统剧目、连台本戏、幕表新戏三大类。常在嘉兴演出的剧目有《狸猫换太子》《白蛇传》《珍珠塔》《碧玉簪》《玉蜻蜓》《秦香莲》《何文秀》《王昭君》《杨乃武与小白菜》《打金枝》等。

杭嘉湖水路戏班主要有三个特点：

一是通过水路发展，以船为主要交通工具和生活场所，长年累月往来于水乡城镇进行表演。

二是戏班主要演出地点大都是农村、乡镇和小城市。

三是水路京班表演不同于北派的传统京剧，不仅表演注重武戏，而且在唱词方面演员可以根据农民兄弟的喜好随意改动。

阅读链接：

钱宏主编：《中国越剧大典》，浙江文艺出版社、浙江文艺音像出版社，2006 年版。

应志良：《中国越剧发展史》，中国戏剧出版社，2002 年版。

嘉兴图书馆网站，《杭嘉湖水路班子》。

绍剧的《男吊》与《女吊》

绍剧传统剧目中有一类颇具特色的鬼戏，如《男吊》《女吊》《无常》等。此三折皆来自目连戏。其中《男吊》与《女吊》在绍兴的调腔班社中合称《红神》，系北宋杂剧《目连救母》中出目。

《男吊》讲述的是一个屈死的冤魂，他因遭受官宦人家段公子的迫害，抢走并迫死其未婚妻，在力争而无可奈何的情况下，被迫悬梁自尽作了结，终于变成冤鬼，并寻找仇人进行报复。

按传统演出，在开演时，舞台在一阵凄厉的目连喀头声中，打响锣鼓放出焰火，在烟雾中从舞台顶飘下一幅白布，随之从鬼门道翻滚出一位不加粉墨身穿紧身衣裤的吊神，来搜寻仇人，以报仇雪恨。接着抓住白布条，耍出“七十二吊”招式。

《女吊》在绍剧中有“起殇”“跳吊”“找替代”等几场。“女吊”也即吊死鬼。自缢者在于她有冤屈，值得同情。有冤必伸，有仇必报，这是俗世的法则。

“女吊”本是良家女，卖入勾栏里受尽凌辱上吊自杀。在戏中她悲切地诉说着自己的身世和被迫上吊的痛苦与愤怒。《女吊》要演得越恐怖越好。女吊凄苦地哭泣，哀怨地耸肩，愤怒地甩发，冤愤之情，莫可名状，有令人不寒而栗之感。其目的是要使人们看了女吊吓得不敢产生轻生的念头。

然而，鲁迅笔下的“女吊”形象，一反害怕“吊死鬼”的传统观念，称赞女吊

是一个“带复仇性的，比别的一切鬼更美、更强的鬼魂”。因而他也不主张把女吊的脸谱恐怖化。同时，鲁迅还赋予“女吊”独立的、完整的、鲜明的个性，从而突出了她强烈的反抗复仇的精神。

阅读链接：
许祥麟：《中国鬼戏》，天津教育出版社，1997 年版。
罗萍：《绍剧发展史》，中国戏剧出版社，1996 年版。
中国戏曲志编辑委员会编：《中国戏曲志·浙江卷》，中国 ISBN 中心，1997 年版。

婺剧的“变脸”

中国戏曲的“变脸”特技历史悠久。其渊源可追溯图腾文化和良渚文化的傩面具图纹。人们熟知的川剧变脸主要是更换面具，而浙江婺剧变脸则是涂抹油彩，演员在演出中，一时呈现几副面孔，效果强烈。

婺剧变脸分“自然变脸”“油彩变脸”“吹脸”“扯脸”四种。根据剧情，变脸用于戏中的人物情绪的骤然变化，或惊恐，或绝望，或忿怒等。

“自然变脸”是演员化淡妆，运用憋气技巧，使脸霎时变红、涨紫、转青、变灰等。如《临江会》中周瑜欲杀孔明反被孔明所讥，其脸色就时而变红，时而转紫，时而变青，最后口吐鲜血，脸色又从青变灰。

“油彩变脸”，又叫“抹脸”，即以油彩颜色的变化来表现人物的脸部表情。根据剧情发展，角色心态的变化，演员利用“火彩”或“抢背”等的瞬间，将手掌上的油彩快速地往脸上均匀一抹，整个脸立马变色。失态时抹白色，激奋时抹红色，诧异时抹绿色，惊恐时抹黑色。如婺剧传统剧目《火烧子都》一折中，子都心胸狭窄、嫉妒心强，为抢头功暗杀大将颍叔考，得胜凯旋后，皇上为其大摆筵席。子都在宴会上内心复杂，几杯酒后，产生幻觉遇见颍叔考的冤魂，惊惶失色。为表演烘托子都内心的极度恐惧，在一瞬间用猛火和油彩出现另一副面目，脸部由原来的武小生粉脸变白脸、绿脸、红脸、黑脸等 6 种不同的色彩。

“吹脸”，是将粉状颜料利用口吹使其粘在脸上的变脸方法。一般用在“抹脸”

之后，因此“吹脸”时脸上有油彩，容易粘住。如《火烧子都》最后一场变脸，子都在庆功会上，举杯欲饮时，杯中先放好金粉，利用遮袖饮酒之机，用力一吹，金粉飞满脸部，变成金脸。

“扯脸”是事先在绸纱上画好脸谱，并缩在额上，变脸时转身迅速拉下即成。婺剧“扯脸”只有一种，即利用绉纱扯黑脸。如《玉蜻蜓》中申贵升临终时头向桌下一低，将绉纱扯下，呈死灰色。

婺剧变脸在日常的演出剧目中很少使用，只有特定的条件，即剧中的人物有着大起大落的变化，并且最终以死亡为结局，才能“变脸”。因此婺剧变脸是集剧情、人物、观赏为一体的综合艺术。

阅读链接：

贾祥龙：《婺剧脸谱》，中国戏剧出版社，2008 年版。

中国戏曲志编辑委员会编：《中国戏曲志·浙江卷》，中国 ISBN 中心，1997 年版。

《中国戏曲剧种大辞典》，上海辞书出版社，1995 年版。

宁海平调的“耍牙”绝活

宁海平调为浙江的古老剧种之一。其表演个性鲜明，尤以老生的“耍牙”、小丑的“雀步”和小生的“抱瓶滑雪”“一马双鞍”“买菜吐红”等高难度特技表演最具特色。其中影响最大的当属“耍牙”。

作为宁海平调的演出特技，“耍牙”主要反映在宁海平调“后十八本”之一的传统节目《小金钱》中“独角龙”这一人物身上。

演出中演员口含四颗、八颗野猪獠牙，在口内，时而快速弹吐，时而刺进鼻孔，时而上下左右翕动，或有两颗刺出鼻孔，尤其是有两颗牙始终藏于口内，仍要唱、做、念、打。宁海平调的这一绝技，可与四川变脸媲美。此技相传已有一百多年的历史，为老艺人杨先达（艺名红毛老生）所擅长。

宁海平调的“耍牙”是一种粗犷中不失细腻、野性中凸现灵动的“变口”技艺。其表演动作主要分一咬、二舔、三吞、四吐等几个步骤。

“耍牙”表演艺人取200千克以上的雄性肉猪下颚骨上獠牙含在口中，以舌为主要动力，而用齿、唇、气的各种活动辅助表演。这种表演以精湛的“变口”功夫和狂放的身段配合平调的曲牌，塑造出剧中独角龙不可一世的骄横之态。“耍牙”以强烈的艺术夸张，烘托了独角龙妖魔化的野性美，从而成为宁海平调表演中独具特色的一门绝活。

阅读链接：

蒋中崎、沈煜生、冯允千：《宁海平调史》，宁波出版社出版，1995年版。

中国戏曲志编辑委员会编：《中国戏曲志·浙江卷》，中国ISBN中心，1997年版。

《中国戏曲剧种大辞典》，上海辞书出版社，1995年出版。

杜宝林与滑稽戏

滑稽戏亦称“滑稽话剧”，由清末民初江浙一带的曲艺小热昏、隔壁戏和独脚戏演变、发展而来。清末时期，江浙一带的城镇出现了一种专门“说朝报”的说唱曲艺形式。其演唱内容以新闻和时事为主，中间常穿插一些滑稽故事和笑话，故又名“说新闻”“唱新闻”。其中，在1910年前后以杭州艺人杜宝林所唱的自称“小热昏”的演出样式最具影响。

杜宝林以“说朝报”的形式在杭州街头边卖梨膏糖，边说唱有趣诙谐的故事，讽刺时弊，深受欢迎。其表演的特点是学说各地方言，学唱各种曲调，模仿各种滑稽动作和表情。之后，小热昏的演出形式又发展为一个演员在茶楼化装表演，杭州人称为“独脚戏”。又因这一艺术样式的表演以滑稽逗笑为特色，故又被称作“滑稽”。因此，杜宝林被称作“小热昏”鼻祖。

1920年前后，这种由一个演员表演的“独脚”形式很快发展为由两三个演员同台化装表演的曲艺演出，并在长三角地区的沪、苏、杭茶楼、游艺场地广泛流行。其中1927年杭州的独脚戏演员江笑笑受杜宝林影响，与瑞安人鲍乐乐一起将杜宝林的“段子”加以改编和丰富，在杭州、上海登台演出。他的

特长是以“说”为主，代表作有《火烧豆腐店》《瞎子借雨伞》等，因擅长反映社会现象，人称“社会滑稽”或“文明滑稽”。

在上海的文明戏演员王无能受到苏州民间说唱的影响，并经常把卖梨膏糖中的滑稽段子用在文明戏的演出中。1927 年他脱离文明戏后，正式在上海登台演唱独脚戏。他以“学”为主，代表作有《哭妙根笃爷》《各地堂倌》等，人称“老牌滑稽”。

在上海的另一个说唱演员刘春山原在上海城隍庙“说因果”，是城隍庙卖梨膏糖朱品斋的学徒，擅长浦东说书和各种滑稽小调，以快“唱”著称，能根据报纸新闻即兴编演节目，故称“潮流滑稽”，代表作有《一百零八将》《游码头》等。

王无能、江笑笑和刘春山是最早登台演独脚戏的老艺人，被称为“滑稽三大家”。“滑稽三大家”均以杜宝林为师，并以各具特色的独脚戏于 20 世纪 20 年代相继出现在上海、杭州、苏州等地的曲艺舞台。因此，杜宝林也由此又成为滑稽戏的开创者。

滑稽戏的传统剧目大都表现下层市民的生活。就题材来源可分两类：一类是根据独脚戏的“段子”发展和改编成的，如《三毛学生意》《七十二家房客》等；另一类是从文明戏移植而来，主要有《方卿见姑娘》《包公捉拿落帽风》《济公》《瞎子借雨伞》《火烧豆腐店》《阿福上生意》《明伦堂》《王小毛》《钱笃笤求雨》等。

滑稽戏无本剧种特有的音乐曲调，沿用独脚戏的“九腔十八调”，即从戏曲、曲艺、民歌小调中兼收并用，尤以江南地区的戏曲、曲艺和民歌小调为多。其特点是“所唱曲调，随时而变，随剧而用，不拘一格”。

阅读链接：

杨建新主编：《杭州小热昏》，浙江摄影出版社，2009 年版。

陈建一主编：《杭州小热昏》，上海文艺出版社，2006 年版。

《中国曲艺志·浙江卷》《中国曲艺音乐集成·浙江卷》

《中国大百科全书·戏曲曲艺》，中国大百科全书出版社，1983 年版。

“文戏武做”的婺剧《断桥》

婺剧表演具有“粗犷豪放，古朴细腻，文戏武做，武戏文演，强烈夸张，载歌载舞”的特点。在与其他戏曲剧种的比较中，婺剧更是“以强烈表现柔情，以粗犷刻画细腻，用高难度武功表现细致入微的感情”而独具特色。

在婺剧的表演中，往往圆中带直，曲线中出现折线和直线，以此来显示动作的力量和感情的强烈，即所谓“武戏慢慢来，文戏踩破台”。如《断桥》是一出文戏，用兰溪、浦江、衢州滩簧演唱。但白素贞和小青的“蛇步”“蛇眼”“三窜头”和一连串的舞蹈身段，许仙的“吊毛”“飞跪”“抢背”“飞扑虎”等跌扑功夫，其吃重程度均不下于武戏。反之，武戏《水擒庞德》，却慢招缓式，在乐曲中开打，以舞蹈动作取胜。

传统婺剧服装无水袖，故演员的功夫多在手指与手腕上，形成了别具一格的艺术风格。旦脚的开门、整装、整容等动作，无不注重手指的颤动功夫；净、生等脚色的各种云手动作，也十分注重转腕，翻掌加上亮相时常曲腿亮靴底，与傩舞和佛教舞蹈颇有接近处。此外，角色上场时两肘（下臂）平曲，大拇指翘起，其他四指并拢，“起霸”时尽用身子旋转动作，扬鞭

催马时鞭梢总是向上等，又与傀儡戏的动作相似。

与此同时，在婺剧的表演艺术中，不但保留了许多傀儡戏、傩戏、目连戏等古老的表演动作和程式，而且拥有变脸、耍珠、舞叉、窜火、窜梁、穿刀、十八吊，以及喷火、耍叉、三跌头、鼓上串翻、高台僵尸、高台云里等大量特技表演。

婺剧演员巧妙地将各种高难度技巧融合于戏剧表演之中，成为塑造人物性格、表现戏剧情境的重要艺术手段。如《火烧子都》中筋斗带彩的三变脸；《光普卖酒》的踢剑、《断桥》的十三跌、《九件衣》的穿桌扑虎、《僧尼会》中的耍佛珠、《活捉》的漂尸及涕技，以及《滚灯》中的顶灯、《大补缸》中的翻梁和七十二吊、《肉龙头》中的红拳和舞叉、《水擒庞德》中的“倒插顺风旗”、《三打王英》中的“倒喝水”、《相梁刺梁》中的“飞僵尸”等，均以高超的绝技赢得观众的称赞。在这些特技表演中尤以《断桥》最具影响。

《断桥》是全本《白蛇传》中的一折。该剧说的是金山战败，白素贞与小青逃至西湖断桥边，许仙被小沙弥放生也逃到断桥。小青执剑欲杀许仙，白娘子爱憎交加，终是爱情使她推开了小青的利剑。《断桥》在中国戏曲的各剧种中均有演出，其中婺剧《断桥》演来最具特色。

《断桥》是一出情感缠绵的文戏。三个人一台戏，白蛇、青蛇、许仙之间的感情，复杂微妙。但婺剧《断桥》却以“武戏造型”作为表演基础，用一个个回合交替进行来展示剧情，刻画角色的个性特点。许仙的翻、扑、吊毛等等动作，小青用愤怒的双剑的追刺，白娘子的苦苦阻拦（唱），《断桥》里的悲、怒、悔等情感，用婺剧特有的方式，完全展现在了舞台上。

开始时许仙见小青远远赶来而惊慌失措，用的是幅度较小的“坐跌”“吊毛”翻跌动作来表达慌不择路。等到小青紧逼身后时则是以幅度大、难度高的“窜僵尸”“飞扑虎”等翻跌来表达恐怖万分的逃命心情。许仙在整折戏中是以翻跌为主

阅读链接：

章寿松、洪波：《婺剧简史》，浙江人民出版社，1985年版。

中国戏曲志编辑委员会编：《中国戏曲志·浙江卷》，中国ISBN中心，1997年版。

《中国戏曲音乐集成》编辑委员会编：《中国戏曲音乐集成·浙江卷》，中国ISBN中心，2001年版。

《中国戏曲剧种大辞典》，上海辞书出版社，1995年版。

要表演手段的，从小的翻跌“屁股坐子”“抢背”到大翻跌“飞扑虎”“窜僵尸”一共翻跌了十三次。小青“斗珠吐信”“绕腿缠腰”不断地变幻着猛蛇的攻击动作，是以蛇形动作的做功为主要手段。白素贞则是以唱为主要手段，把微妙的感情演绎得细致入微，丝丝入扣，真正做到以技演戏，以情动人。

在婺剧《断桥》中三个角色各有侧重。小青以雷霆万钧之势追杀，许仙惊恐万状滚爬逃躲，白素贞则在其中左拦右挡。整个舞台气氛激越动荡，将婺剧粗犷强烈的艺术风格充分地展示在观众面前。因而，《断桥》也就成为婺剧“文戏武做”的经典。

特别是经过婺剧几代艺术家的不断实践，婺剧《断桥》根据蛇的行动特点创造了许多绝技，如“蛇步蛇行”表现了白蛇和青蛇的台步轻捷细碎，S形地前行，犹如蛇行水面，飘飘欲仙，加上优美的舞姿，使人感到浓厚的神话色彩；小青在追赶许仙时，杀气腾腾，一旦停住，就来个“三窜头”，即把头突然窜抖三下，好似水蛇觅食时凶悍而敏捷的形态。

此外，婺剧《断桥》还有“踢鞋穿鞋”的独特表演。主要表现许仙被白娘娘和小青追赶时，落荒而逃，在慌不择路的情况下，坐地一跌，将鞋踢到头顶上，四处寻找，一无所获。原来鞋子已落在头上。然后扮演许仙的演员将头一耸，鞋子准确无误套入脚尖。这一“踢鞋穿鞋”的特技，把许仙胆怯惊慌的心情表演得出神入化。

后　记

2011年9月1日，习近平同志在出席中央党校2011年秋季学期开学典礼时，发表了《领导干部要读点历史》的讲话，强调领导干部不管处在哪个层次和岗位，都应该读点历史，从中汲取有益于加强修养、做好工作的智慧和营养，不断提高认识能力和精神境界，不断提升领导工作水平。

为贯彻落实习近平同志讲话精神，服务省委、省政府中心工作，传承和弘扬浙江优秀历史文化，浙江省社科院发挥自身优势，及时启动了《浙江历史人文读本》(以下简称《读本》) 课题研究和编写论证工作。2011年12月至2012年1月，我们走访了省委办公厅、省委组织部、省委宣传部、省委党校等相关单位及领导、专家，多次座谈论证，大家一致认为，启动《读本》课题研究非常必要，也很有意义，在贯彻落实习近平同志讲话精神、提供省级区域历史人文读本等方面，走在了全国前列。2012年2月，省社科院将此课题列为本院2012年重大课题，以本院历史所为主，组织院内骨干科研人员和浙江文化艺术研究院、杭州师范大学历史系等单位的专家学者，成立课题组，并正式开展研究和编写工作。2012年10月，本课题正式立项为浙江省哲学社会科学规划课题。

《读本》由八个分册组成，每个分册分为若干专题，每一专题由若干子目组成。在体例上，《读本》不是“纵不断线”的通史书写，也不是专一的史料考证或理论论述，而是重在根据有鲜明特色、有重大意义、有突出影响、有重要成就的“四有”原则选取和设立各个子目，撷取浙江历史文化中最灿烂夺目的片断、最精华的材质，尤其是能在中国历史文化中称得上“第一”或“第一流”的人、事与历史场景，经深入探究、浓缩淬炼、精心构思，书写成一个个清新简明、意蕴深长且兼具历史气息和时代特质的“浙江意象”，为广大读者揭示浙江历史上的璀璨人文。

省社科院党委自始至终高度重视本课题的实施，从人员组织、经费落实、书稿审阅、出版发行等各个方面、各个环节精心组织，严格把关，确保质量。院领导及时关注课题进展，全程参加课题研讨，解决面临的各种困难。院学术委员会详细评审了课题方案，各分册评审专家精心审阅了全部书稿，提出了大量真知灼见。课题组成员本着对历史、对社会高度负责的使命感和责任心，精诚合作，全力投入，反复打磨，精益求精，力求学术基础扎实规范、内容选择主题突出、文字表达生动可读，着力创作优秀历史文化当代传承的精品。

省委书记夏宝龙十分重视关心《读本》编撰工作，于百忙之中亲自为《读本》作序，充分体现了省委领导对贯彻落实习近平同志讲话精神、对优秀历史文化及其当代应用的重视以及对我院工作的指导、关怀和支持。

省委组织部、省委宣传部、省社科联、省出版联合集团、省文化厅、省委党校、省委党史研究室等部门和单位的相关领导、专家对《读本》编写给予大力支持。特别是省委宣传部高度重视本课题，要求我院以省级礼品书为目标，精心编写，重视质量，打造精品佳作。省委常委、省委宣传部部长葛慧君亲自担任《读本》编撰指导委员会主任，常务副部长胡坚亲自担任编辑委员会主任，副部长鲍洪俊给予《读本》出版以大力支持。省委组织部干教处，省委宣传部理论处、党教处，省文化厅非遗处负责人积极谋划，多方协调，给予我们极大帮助。

浙江古籍出版社的负责人和各位责任编辑、美术编辑，认真负责，精心编校，为《读本》的出版做了大量增光添色的工作。

在此，我们对以上单位、领导和专家，表示衷心的感谢和诚挚的敬意！

由于浙江历史悠久厚重，《读本》所涉内容面广量大，作者水平有限，编写时间较紧，书稿中难免存在一些不尽如人意之处，敬请各位读者批评指正！

课题组

2013 年 5 月

图书在版编目（CIP）数据

五色影音 / 陈野，吴晶，蒋中崎著 . — 杭州 : 浙江古籍出版社 , 2013.5

（浙江历史人文读本）

ISBN 978-7-5540-0058-8

Ⅰ . ①五… Ⅱ . ①陈… ②吴… ③蒋… Ⅲ . ①文化史—浙江省—通俗读物 Ⅳ . ① K295.5 — 49

中国版本图书馆 CIP 数据核字（2013）第 102406 号

五色影音

陈野　吴晶　蒋中崎　著

出版发行　浙江古籍出版社

（杭州体育场路 347 号　电话 : 0571-85176986）

网　　址　www.zjguji.com

责任编辑　关俊红　杨少锋

责任校对　余　宏

封面设计　刘　欣

责任印务　贾　敏

照　　排　杭州立飞图文制作有限公司

印　　刷　浙江海虹彩色印务有限公司

开　　本　787 × 1092　1/16

印　　张　25.75

字　　数　340 千字

版　　次　2013 年 7 月第 1 版

印　　次　2013 年 7 月第 1 次印刷

书　　号　ISBN 978-7-5540-0058-8

定　　价　65.00 元